FRIEDRICH VON HÜGEL – NATHAN SÖDERBLOM
FRIEDRICH HEILER

BRIEFWECHSEL 1909–1931

Konfessionskundliche Schriften
des Johann-Adam-Möhler-Instituts
Nr. 14

FRIEDRICH VON HÜGEL
NATHAN SÖDERBLOM
FRIEDRICH HEILER

BRIEFWECHSEL
1909–1931

Mit Einleitung und Kommentar
herausgegeben von Paul Misner

VERLAG BONIFATIUS-DRUCKEREI
PADERBORN

ISBN 3 87088 194 1

DRUCK BONIFATIUS-DRUCKEREI PADERBORN 1981

Inhaltsverzeichnis

Vorwort   9

Einleitung 13

Zur Edition der Briefe 43

Ein Schwede und der Modernismus
  1. Von Hügel an Söderblom vom 7. 4. 1909 45
  2. Von Hügel an Söderblom vom 27. 11. 1909 . . . 48
  3. Söderblom an von Hügel vom 1. 3. 1910 54
  4. Von Hügel an Söderblom vom 10. 3. 1910 . . . 58
  5. Von Hügel an Söderblom vom 13. 4. 1910 . . . 59
  6. Von Hügel an Söderblom vom 19. 10. 1910 . . . 68
  7. Von Hügel an Söderblom vom 6. 6. 1914 71

München — Uppsala — Marburg
  8. Heiler an Söderblom vom 29. 3. 1918 74
  9. Söderblom an Heiler vom 4. 5. 1918 76
 10. Heiler an Söderblom vom 15. 5. 1918 80
 11. Heiler an Söderblom vom 1. 10. 1918 90
 12. Heiler an Söderblom vom 2. 10. 1918 97
 13. Söderblom an Heiler vom 15. 6. 1919 104
 14. Heiler an Söderblom vom 4. 7. 1919 106
 15. Heiler an Söderblom vom 15. 7. 1919 108
 16. Heiler an Söderblom vom 20. 7. 1919 110
 17. Söderblom an Heiler vom 17. 1. 1920 112
 18. Heiler an Söderblom vom 18. 2. 1920 115

Evangelisch — katholisch 1920—1923
 19. Von Hügel an Heiler vom (?) 3./4. 1920 119
 20. Heiler an von Hügel vom 2. 5. 1920 127

21. Von Hügel an Heiler vom 31. 5. 1920 131
22. Söderblom an Heiler vom 1. 7. 1920 132
23. Heiler an von Hügel vom 8. 7. 1920 134
24. Von Hügel an Heiler vom 14. 7. 1920 136
25. Heiler an Söderblom vom 4. 8. 1920 137
26. Heiler an Söderblom vom 5. 2. 1921 139
27. Söderblom an von Hügel vom 28. 2. 1921 . . . 142
28. Von Hügel an Söderblom vom 7. 3. 1921 144
29. Von Hügel an Söderblom vom 29. 3. 1921 . . . 147
30. Heiler an von Hügel vom 30. 3. 1921 148
31. Söderblom an von Hügel vom 4. 4. 1921 151
32. Söderblom an von Hügel vom 12. 4. 1921 . . . 153
33. Heiler an Söderblom vom 5. 6. 1921 155
34. Heiler an Söderblom vom 18. 7. 1921 157
35. Von Hügel an Heiler vom 24. 11. 1921 158
36. Söderblom an von Hügel vom 26. 4. 1922 . . . 159
37. Heiler an Söderblom vom 14. 5. 1922 164
38. Von Hügel an Heiler vom 22. 5. 1922 167
39. Von Hügel an Söderblom vom 1. 6. 1922 170
40. Heiler an von Hügel vom 1. 6. 1922 173
41. Heiler an von Hügel vom 15. 8. 1922 174
42. Von Hügel an Heiler vom 6. 9. 1922 176
43. Heiler an Söderblom vom 29. 9. 1922 178
44. Von Hügel an Heiler vom 6. 1. 1923 181
45. Von.Hügel an Heiler vom 23. 1. 1923 184
46. Söderblom an Heiler vom 23. 1. 1923 186
47. Heiler an von Hügel vom 3. 2. 1923 189
48. Heiler an Söderblom vom 15. 2. 1923 190

Von Osten und von Westen

49. Heiler an Söderblom vom 27. 3. 1923 194
50. Söderblom an Heiler vom 2. 5. 1923 196

51. Von Hügel an Söderblom vom 13. 7. 1923 . . . 197
52. Heiler an Söderblom vom 16. 7. 1923 200
53. Söderblom an von Hügel vom 27. 7. 1923 . . . 202
54. Heiler an Söderblom vom 15. 8. 1923 205
55. Von Hügel an Heiler vom 23. 8. 1923 206
56. Von Hügel an Heiler vom 7. 9. 1923 208
57. Heiler an von Hügel vom 14. 12. 1923 209
58. Heiler an Söderblom vom 7. 1. 1924 210
59. Von Hügel an Heiler vom 8. 2. 1924 213
60. Heiler an Söderblom vom 9. 7. 1924 215
61. Heiler an Söderblom vom (?) 8. 1924 218
62. Von Hügel an Heiler vom 1. 10. 1924 220
63. Söderblom an Heiler vom 23. 12. 1924 222
64. Heiler an Söderblom vom 7. 1. 1925 224
65. Heiler an Söderblom vom 1. 4. 1925 227
66. Heiler an Söderblom vom 29. 5. 1925 229

Stockholm — Canterbury — Lausanne
67. Heiler an Söderblom vom 9. 10. 1925 231
68. Heiler an Söderblom vom 12. 1. 1926 236
69. Heiler an Söderblom vom 22. 1. 1926 238
70. Heiler an Söderblom vom 23. 4. 1926 241
71. Söderblom an Heiler vom 4. 8. 1926 243
72. Söderblom an Heiler vom 7. 8. 1926 252
73. Heiler an Söderblom vom 10. 8. 1926 254
74. Söderblom an Heiler vom 14. 8. 1926 261
75. Heiler an Söderblom vom 18. 10. 1926 262
76. Heiler an Söderblom vom 9. 12. 1926 264
77. Söderblom an Heiler vom 14. 1. 1927 266
78. Heiler an Söderblom vom 20. 4. 1927 272
79. Heiler an Söderblom vom 7. 5. 1927 277
80. Söderblom an Heiler vom 1. 12. 1927 278

Durch die Zäune hindurch

81. Heiler an Söderblom vom 22. 1. 1928 280
82. Heiler an Söderblom vom 9. 2. 1928 282
83. Söderblom an Heiler vom 15. 2. 1928 285
84. Heiler an Söderblom vom 23. 2. 1928 286
85. Heiler an Söderblom vom 24. 9. 1928 288
86. Heiler an Söderblom vom 19. 11. 1928 290
87. Heiler an Söderblom vom 2. 12. 1928 292
88. Söderblom an Heiler vom 31. 8. 1929 294
89. Heiler an Söderblom vom 20. 12. 1929 297
90. Heiler an Söderblom vom 26. 1. 1930 300
91. Heiler an Söderblom vom 29. 3. 1931 302
92. Heiler an Söderblom vom 20. 4. 1931 303

Anhang

I. Söderblom an Kollegen in Leipzig v. 18. 10. 1918 304
II. Otto an Heiler vom 12. 9. 1919 306
III. Otto an Söderblom vom 1. 10. 1919 308
IV. Söderblom an Otto vom 13. 10. 1919 309
V. Otto an Heiler vom 23. 12. 1919 310
VI. Otto an Söderblom vom 12. 1. 1920 314
VII. Otto an Heiler vom 20. 1. 1920 317
VIII. Heiler an Baronin Mary v. Hügel v. 2. 2. 1925 319
IX. A. M. Heiler an Söderblom vom 3. 8. 1927 . . . 321
X. Heiler an B. Seiller vom 5. 2. 1928 323
XI. A. M. Heiler an Söderblom vom 4. 7. 1930 . . . 329
XII. A. M. Heiler an Söderblom vom 1. 4. 1931 . . 331
XIII. A. M. Heiler an Söderblom vom 26. 6. 1931 . 335
XIV. Heiler an Anna Söderblom vom 18. 7. 1931 . 340

Personenregister 343

Vorwort

Am 28. Februar 1921 schrieb der lutherische Erzbischof Söderblom von Uppsala an seinen verehrten Freund, den englisch-österreichischen Katholiken Friedrich Freiherr von Hügel: „Ich gratuliere meinem jungen Freunde, Professor Heiler — einem Kind und Mystiker, einem Wunder der Kenntnisse und des philologischen Scharfsinns — zu der Einführung in die englische Sprachwelt, welche Sie ihm vermittelt haben" (s. Brief Nr. 27). Mit diesen Worten wurde der Kreis der drei Männer geschlossen, deren Briefwechsel wir hier vorlegen. Sein Gegenstand ist die Religionswissenschaft, die Theologie und das konkrete christliche Leben in seinen interkonfessionellen und internationalen Beziehungen.

In einer ersten Phase der Korrespondenz klingen, wenn auch nur gedämpft, die Hoffnungen noch an, die die römisch-katholischen Modernisten auf eine durchgreifende Erneuerung der kirchlichen Wissenschaften gesetzt hatten (vgl. die Briefe zwischen von Hügel und Söderblom aus dem Jahre 1909 und 1910). In den Briefen aus der Zeit nach dem Ersten Weltkrieg kommen dann ökumenische Bestrebungen ungleich stärker zum Zuge: hat doch der Erzbischof von Uppsala eine Zeitlang (nach einem Wort von W. A. Visser't Hooft) die ökumenische Bewegung schlechthin in seinem Hause beherbergt. Zugleich kommt mit Heilers Büchern über das Gebet (1918), auf dessen Rezension durch von Hügel übrigens Söderblom an der angeführten Stelle anspielt, und über den Katholizismus (1923) eine spezifisch religionsphänomenologische Problematik in den Gedankenaustausch der drei befreundeten

Gelehrten hinein. Nicht zuletzt tritt sehr ausgeprägt auch das Moment der persönlichen Erbauung — wenn ich diesen mißverständlichen Ausdruck gebrauchen darf — hervor, da die Korrespondenten ein außerordentlich großes Maß an ungezwungener Freiheit bei steter gegenseitiger Hochachtung besaßen — was diesem Briefwechsel wohl einen besonderen Reiz verleiht.

Die Veröffentlichung ist eine Frucht der Forschung, die der Herausgeber 1975/76 an der Universität Marburg durchführen konnte. Es sei an erster Stelle der Fulbright-Kommission, Bad Godesberg und Washington, für das Forschungsstipendium gedankt, das diesen Aufenthalt ermöglicht hat, sowie dem Fachbereich Evangelische Theologie der Universität und Herrn Dr. Uwe Bredehorn, dem Leiter der Handschriftenabteilung der Universitätsbibliothek Marburg, ohne deren Unterstützung die erwünschten Arbeitsbedingungen nicht gegeben gewesen wären. Für die großzügige Übermittlung von Ablichtungen von Briefen aus ihrem Bestand sowie für die Publikationserlaubnis danke ich aufrichtig den Handschriftenabteilungen der Universitätsbibliotheken Uppsala und St Andrews. Für meine weitere Arbeit nach der Rückkehr in die Heimat waren mir besonders die Herren Dekane G. Peck der Andover Newton Theological School und K. Stendahl der Harvard Divinity School bei der Vermittlung des freien Zugangs zu den Harvard-Bibliotheken behilflich, was ich ausdrücklich als einen freundschaftlichen Dienst anerkennen möchte.

Die wichtigste Hilfe leistete mir Frau Anne Marie Heiler, Marburg, durch ihr verständnisvolles Eingehen auf viele Fragen und ihren tätigen Beistand, als es um das Aufsuchen schwer zugänglicher Dokumente ging sowie durch ihre sichere Führung durch die verschiedenen Entwicklungsphasen ihres Gemahls. Bis zu ihrem Tod am 17. 12. 1979 im Alter von 90 Jahren hat sie das Vorhaben der vorliegenden Edition mit großem Interesse verfolgt. Neben ihr gaben mir wertvolle Hinweise und Anregungen zahlreiche Kenner und Bekannte Heilers, Rudolf Ottos, von Hügels und Söderbloms, denen ich dafür herzlich danke, insbesondere Prof. Dr. J. L. Adams, Dr. W. Becker, Prof. D. Dr. Ernst Benz und anderen Marburger Fakultätskollegen (allen voran Prof. D. Dr. C. H. Ratschow), Prof. Dr. C. J. Bleeker, Prof. Dr. H. Bürkle, Dr. R. Frieling, Prof. Dr. H. Fries, P. Emmanuel Jungclaussen OSB, Dr. M. Kraatz, Dr. H. Krüger, G. Muschinski, P. Neuner, Frau Dr. med. Ch. Scheer, Frau Prof. Dr. A. Schimmel und Frau Bibliothekarin E. Zilz. Es sei Herrn Professor Fries unter anderem für seinen Rat gedankt, mich an das Johann-Adam-Möhler-Institut wegen der Veröffentlichung zu wenden. Dem damaligen Direktor des Institutes, Herrn Bischof Prof. Dr. Paul-Werner Scheele, gilt mein besonderer Dank für die Aufnahme dieser umfangreichen Edition in der Reihe der „Konfessionskundlichen Schriften des Johann-Adam-Möhler-Institutes" wie auch für die Betreuung der Veröffentlichung zusammen mit dem Verlag Bonifacius-Druckerei, Paderborn.

Meiner Frau Barbara widme ich dieses Buch zu ihrem Geburtstag, weil sie mir während der ganzen schwierigen Vorbereitungszeit unverdrossen und ermutigend zur Seite stand und nicht aufgehört hat, mir eine unschätzbare Gabe zu sein.

Paul Misner

Milwaukee, Frühjahr 1980

Einleitung

Daß Friedrich von Hügel und Nathan Söderblom überhaupt miteinander in Fühlung kamen, ist alles andere als
selbstverständlich. Auf der einen Seite ein Religionsphilosoph, der sich leidenschaftlich um die Erneuerung der
Bibelwissenschaft in der römisch-katholischen Kirche
bemühte, und auf der anderen Seite ein nordischer Kirchenmann und Professor der Religionsgeschichte, hauptsächlich der iranischen und indischen Religionen — was
hatten sie miteinander zu tun? Die Antwort liegt in den
weitgestreuten Interessengebieten Söderbloms, die er
schon während seiner Pariser Jahre (1894—1901) als
schwedischer Legationspfarrer, Seemannerseelsorger und
Doktorand pflegte. Es waren die Jahre der Dreyfus-Affäre
und der mit Streik drohenden Gewerkschaften; kirch-
licherseits sah man die Ralliement-Politik Leos XIII., die
dem französischen Katholizismus den Verzicht auf die
Wiederherstellung der Monarchie und die Zusammenarbeit mit der Republik auferlegte, sich zuerst entfalten und
danach scheitern; man beobachtete auch den Amerikanis-
musstreit, in dem es um die Beziehung des Katholizismus
zu seiner kulturellen Umwelt ging, der seinem raschen
Ende entgegenging (die Verurteilung des Amerikanismus
durch Leo XIII. erfolgte im Jahre 1899). In der gleichen
Zeitspanne wurde auch die biblische Frage akut: 1893
erschien die Enzyklika „Providentissimus", was unter
anderem in Paris zur Folge hatte, daß Alfred Loisy seinen
Lehrstuhl am Institut Catholique aufgeben mußte. Aber
gerade dadurch konnte er eine um so emsigere schriftstellerische Tätigkeit entfalten. Söderblom nahm solche Vor-

gänge aufmerksam wahr und verfolgte sie mit wachem Interesse. Davon zeugen mehrere Zeitungsartikel aus den Jahren 1896—1900, die er für ein Stockholmer Tageblatt verfaßte.[1]

Wahrscheinlich lernte Söderblom schon damals den Namen von Hügels kennen, denn letzterer war in Paris kein Unbekannter. Wohnhaft in London, den Winter gewöhnlich in Rom zubringend, befreundet mit jedem, der sich mit der Bibel und der christlichen Kultur wissenschaftlich beschäftigte, war er bestrebt, der katholischen Gedankenwelt die gültigen kritischen Errungenschaften der doch vorwiegend protestantischen Forschung zu erschließen. Als Söderblom die Religion, wie er sie im zeitgenössischen Katholizismus und Protestantismus vorfand, vergleichend darzustellen suchte, richtete sich sein Augenmerk auf von Hügel nicht nur wegen seiner überall spürbaren Anregungen und Verbindungen, sondern auch und besonders wegen des großen Werkes, The Mystical Element,[2] das er gerade veröffentlicht hatte. Bald ergriff Söderblom die Initiative und schickte dem Baron eine religionswissenschaftliche Abhandlung, die er in Oxford in englischer Sprache vorgetragen hatte (vgl. Brief Nr. 1). Das Buch von Söderblom über das Religionsproblem[3]

1 Från Paris andliga horisont, in: Nya Dagliga Allehanda vom 7. 8. 1896 und öfters. Angaben über die Schriften Söderbloms liefert Sven Ågren, Bibliografi, in: Nathan Söderblom in memoriam, hrsg. v. Nils Karlström, Stockholm 1931, S. 391-459 (hiernach zitiert als: Ågren); vgl. zu dieser Artikelreihe Ågren, Nr. 37, 54, 62, 82 und 92.

2 F. von Hügel, The Mystical Element of Religion as Studied in Saint Catherine of Genoa and Her Friends, 2 Bde., London, 1908, ²1923.

3 N. Söderblom, Religionsproblemet inom katolicism och protestantism, 2 Bde. mit durchlaufender Seitenzahl, Stockholm 1910. Unübersetzt.

14

stellt eine ebenso bedeutsame wie vernachlässigte zeitgenössische Analyse und Deutung der modernistischen
Krise in der katholischen Kirche dar. Für uns ist es deshalb
von besonderem Interesse, weil es auf den jüngsten der
drei Korrespondenten, Friedrich Heiler, einen nachhalti-
gen und geradezu schicksalhaften Einfluß ausgeübt hat.
Darauf werde ich noch ausführlicher eingehen, zunächst
aber die beiden älteren Briefverfasser kurz vorstellen. Da
gute Biographien und Studien über Friedrich von Hügel
(1852—1925)[4] und Nathan Söderblom (1866—1931)[5]
bereits zur Verfügung stehen, wird hier nur das Nötigste
zum Verständnis der Briefe gesagt. Die Briefe samt den
Anmerkungen geben ja selbst über manche biographischen Stationen der Betroffenen Aufschluß. Auf Friedrich
Heiler (1892—1967) wird indes etwas näher einzugehen
sein.[6]

Friedrich Freiherr *von Hügel* trug einen angeblich dem
Heiligen Römischen Reich entstammenden Adelstitel und
wurde 1852 als Sohn des österreichischen Gesandten am
Großherzoglichen Hofe Toskanas in Florenz geboren.

4 Vgl. Peter Neuner, Friedrich von Hügel, der „Laienbischof der
Modernisten", in: G. Schwaiger (Hrsg.), Aufbruch ins 20. Jahrhundert,
Göttingen 1976, S. 9-22; K.-E. Apfelbacher und P. Neuner (Hrsg.),
Ernst Troeltsch. Briefe an Friedrich von Hügel 1901-1923, Paderborn
1975 (Literaturangaben); Michael de la Bedoyère, The Life of Baron von
Hügel, London 1951.

5 Vgl. Bengt Sundkler, Nathan Söderblom. His Life and Work, Lund-
London 1968; Tor Andrae, Nathan Söderblom, Berlin 1938.

6 Zur ersten Orientierung s. Ernst Dammann, in: Neue Deutsche
Biographie, 8 (1969), S. 259 f. Alle drei Hauptpersonen werden neben
vielen anderen porträtiert, in: H. J. Schultz (Hrsg.), Tendenzen der
Theologie im 20. Jahrhundert, Stuttgart-Olten 1966, und nach ihren
Beiträgen zur Religionsgeschichte dargestellt, in: Eric J. Sharpe, Compa-
rative Religion. A History, London-New York 1975.

Seine Mutter war Schottin, Tochter eines Offiziers im Dienst der East India Company, den Carl von Hügel während einer Reise nach Indien kennengelernt hatte. Zum Schluß seiner diplomatischen Laufbahn nahm Carl von Hügel 1867 mit seiner Familie seinen Wohnsitz in Südengland; als Friedrich erst achtzehn Jahre alt war, starb der Vater auf einer Reise nach Wien. Friedrich selbst wurde von einer schweren Typhuserkrankung heimgesucht, die ihn zeitweilig zu einem Neurastheniker machte und sein Leben lang zu „einer an Taubheit grenzenden Schwerhörigkeit"[7] verurteilte. Damit mußten auch alle Pläne für das Studium an einer Universität entfallen. Im Jahre 1873 heiratete er Lady Mary Herbert, die, aus einer angesehenen anglikanischen Familie entstammend, zusammen mit ihrer Mutter zum Katholizismus konvertiert hatte; aus der Ehe gingen drei Töchter hervor. Religiös sehr ernst, führte von Hügel selber sein Seelenheil vor allem auf zwei Priester zurück, den Dominikaner Raymond Hocking, einen in Wien tätigen Holländer, und den durchaus bemerkenswerten Abbé Henri Huvelin (1828—1910),[8] den er 1884 in Paris kennenlernte.

Von Hügels Anteil am römisch-katholischen Modernismus ist unbestreitbar, wenn er auch nach und nach zur Überzeugung kam, daß er und seine Mitkämpfer unterschiedliche Ziele verfolgt hatten. Als Loisy nach dem Tode von Hügels seine Briefe an ihn zurückerhielt, kam er zu der Auffassung, er besäße unter Hinzuziehung der

---

7 Neuner, in: Aufbruch, S. 10.

8 Zu Huvelin s. von Hügel, Mystical Element, S. VII (Vorrede zur 2. Aufl. von 1923). B. Holland gibt einige Ratschläge wieder, die Huvelin an von Hügel erteilte, in: F. von Hügel, Selected Letters (1896-1924), London 1927, S. 57-63.

Briefe von Hügels an sich selbst den Grundstock zu ausführlichen *Mémoires,* die den Anspruch erheben könnten, „pour servir à l'histoire religieuse de notre temps".[9] Dies läßt die führende Rolle von Hügels im Ablauf der modernistischen Bewegung erkennen, die Paul Sabatier veranlaßte, ihn den „Laienbischof der Modernisten" zu nennen.

Bereits bei Beginn des Briefwechsels zwischen Söderblom und von Hügel eilte die Entwicklung der modernistischen-antimodernistischen Auseinandersetzung ihrer Entscheidung entgegen. Papst Pius X. hatte im Jahre 1907 mehrere Male feierliche Verurteilungen der vermeintlich zerstörerischen Neuerer ausgesprochen und am 17. Juli das Dekret des Heiligen Offiziums „Lamentabili sane exitu" und am 8. September die Enzyklika „Pascendi dominici gregis" erlassen.[10] Noch strengere Maßnahmen sollten jedoch folgen. Diese wurden gewissermaßen durch die Episode der Suspendierung Abbé Bremonds eingeleitet, wovon in den Briefen von Hügels von 1909 und 1910 die Rede ist. Der Grund für diese Maßregelung ist im Fall Tyrrell zu suchen. Nach Loisy war George Tyrrell der bekannteste und ausgesetzteste Schriftsteller der Modernisten.[11] Als er in der ersten Julihälfte 1909 im Sterben lag,

9 Alfred Loisy (1857-1941), Mémoires . . ., 3 Bde., Paris 1930-31; vgl. E. Poulat, Une œuvre clandestine d'Henri Bremond . . . Alfred Loisy d'après ses mémoires, Rom 1972, S. 25.

10 S. Roger Aubert, in: Die Kirche in der Gegenwart, Handbuch der Kirchengeschichte VI/2, Freiburg 1973, S. 477 f.; E. Poulat, Histoire, dogme et critique dans la crise moderniste, Tournai 1962, S. 103-112.

11 Vgl. T. M. Loome, A Bibliography of the Published Writings of George Tyrrell (1861-1909), in: Heythrop Journal 10 (1969), S. 280-314; Anne Louis-David (Hrsg.), Lettres de G. Tyrrell à H. Bremond, Paris 1971; Autobiography and Life of George Tyrrell, 2 Bde., London 1912; George Tyrrell's Letters, London 1920, hrsg. v. M. D. Petre.

wurden zwei Männer gebeten, sich zu ihm nach Storrington zu begeben: Henri Bremond und von Hügel. Beide kannten ihn seit Jahren, ehe er und Bremond mit dem Jesuitenorden gebrochen hatten. Im Einvernehmen mit Maude Petre und von Hügel hielt der französische, die englische Sprache voll beherrschende Priester am Grab des exkommunizierten Bruders eine kurze, edle Ansprache, um eine möglicherweise polemische Rede von anderer Seite zu verhindern. Eine kirchliche Bestattung allerdings war ausdrücklich verboten worden (obwohl Tyrrell bei halbem Bewußtsein zweimal mit den Sakramenten versehen worden war), da Miss Petre und von Hügel öffentlich und unmißverständlich zu erkennen gegeben hatten, daß Tyrrell weder imstande noch gewillt gewesen sei, seine modernistischen Anschauungen und Schriften durch einen Widerruf zurückzuziehen. Bremond war dabei lediglich als befreundete Privatperson aufgetreten, ohne liturgische Gewänder und dergleichen; trotzdem verhängte der Bischof von Southwark über ihn (als einzigen) für seine Diözese die *suspensio a divinis*, die alsbald von römischer Seite in eine überall geltende Strafe ausgedehnt wurde. Letzten Endes blieb für Bremond, wenn er Priester bleiben wollte, kein anderer Ausweg, als die vorgeschriebene Unterwerfungsformel zu unterzeichnen.[12]

Der Briefwechsel befaßt sich, was von Hügel betrifft, nie wieder mit einem so dramatischen Ereignis. Was uns weiterhin in den hier abgedruckten Briefen begegnet,

---

12 S. u. Brief Nr. 2. Vgl. zum ganzen Lawrence F. Barmann, Baron Friedrich von Hügel and the Modernist Crisis in England, Cambridge 1972, S. 222-233; hinzuzufügen ist: Maurice Blondel et Auguste Valensin, Correspondance 1899-1912, Paris 1957, S. 73-92 sowie A. Blanchet (Hrsg.), Correspondance d'Henri Bremond et Maurice Blondel, Paris 1970, II, S. 152-156.

zeugt vielmehr von ihn im Umgang mit anderen Gottessuchern auszeichnenden Gaben: seiner Weitsicht, seiner Achtung und Rücksicht allem Menschlichen und besonders Religiösen gegenüber. Die ihm eigene Weise, das „Element" der Institution neben dem der Mystik und der Lehre im religiösen Leben gelten zu lassen, kommt hier klar zum Ausdruck, zugleich aber auch die Grenze, an die er im Hinblick auf die Reformation und die Gestalt Luthers und dadurch auf den ökumenischen Gedanken in der Sicht seiner evangelischen Gesprächspartner stieß.

Im April 1921 kam es zu einer persönlichen Begegnung zwischen Söderblom und von Hügel, als sich der Erzbischof zur Vorbereitung der Weltkirchenkonferenz für Life and Work (Stockholm 1925) in England aufhielt (vgl. Brief Nr. 27). Der anschließende Briefwechsel weist auf interessante Berührungs- und Differenzpunkte hin, sowohl im Hinblick auf Heiler wie auch in theologischer und ökumenischer Hinsicht. Von Hügel mißbilligte anscheinend den Versuch Söderbloms, auch unter Katholiken seine ökumenischen Auffassungen zu verbreiten (vgl. Brief Nr. 51). Söderblom bemüht sich, die Bedenken von Hügels zu zerstreuen in einem Brief (vgl. Brief Nr. 53), der uns Einblick gewährt in einen fast vergessenen ökumenischen Vorstoß des Münchener Kirchenhistorikers Georg Pfeilschifter. Damit aber kam diese Korrespondenz, wenigstens was die von uns aufgefundenen Briefe betrifft, zum Abschluß, so daß wir keine weitere Stellungnahme von Hügels zu dieser Frage besitzen.

Von Hügels Briefpartner, der Religionsforscher *Söderblom*, war ebenso Weltbürger wie er. Daß er viel herumkam, nach Amerika, Frankreich, Deutschland und sogar nach Konstantinopel, daß er als Erzbischof unermüdlich internationale Tagungen selbst veranstaltete und an vielen anderen teilnahm, bedeutete jedoch keine Beeinträchtigung seiner Verwurzelung in Schweden, in der Provinz Hälsingland, wo er am 15. Januar 1866 geboren war. Dreizehn Jahre lang war er Professor für theologische Enzyklopädie und Propädeutik in Uppsala, wo er sowohl Religionsgeschichte als auch Religionsphilosophie lehrte. Dort hielt er auch die Vorlesungen über zeitgenössische Denker, die in seiner Schrift „Religionsproblemet" Niederschlag gefunden haben. Daneben war er zwei Jahre lang Professor für allgemeine Religionsgeschichte in Leipzig (1912—14), nach dem Dänen Edvard Lehmann ein Pionier dieses Faches an deutschen Universitäten. Im Jahre 1914 wurde er unerwartet zum Erzbischof von Uppsala ernannt und leitete von da an bis zu seinem Hinscheiden 1931 als *primus inter pares* die Geschicke nicht nur der skandinavischen Kirchen, sondern weitgehend auch die der beginnenden ökumenischen Bewegung. An der Entstehung von Life and Work war er maßgeblich beteiligt. Aber auch die Entwicklung von Faith and Order verdankt einiges seiner Mitarbeit.

Söderblom interessiert den katholischen Theologen aber auch deshalb, weil er zur kleinen Schar protestantischer Beobachter gehörte (neben ihm Troeltsch, Sabatier, Briggs und einige Anglokatholiken), die sich intensiv und fast anteilnehmend mit den Reformbewegungen und Erneuerungsbestrebungen innerhalb des damaligen römischen Katholizismus befaßten.[13] Seinen Ausführungen zu

13 Dazu kann man auch Newman Smyth rechnen, der Söderblom schon 1890 beeindruckte; vgl. W. R. Hutchison, The Modernist Impulse in American Protestantism, Cambridge (Mass.) 1976, S. 2-11 und 174-184.

diesen Fragen hat man aber kaum Aufmerksamkeit geschenkt, da die meisten Interessierten genauso unkundig des Schwedischen blieben wie seinerzeit von Hügel. Trotzdem besitzen sie ein Gewicht, das uns nicht gestattet, ohne Würdigung darüber hinwegzugehen.

Daß es einem Protestanten gelingen konnte, sich qualifiziert über die zeitgenössischen Entwicklungen in der katholischen Theologie zu äußern, setzte eine gewisse Vertrautheit mit den kirchlichen Verhältnissen, besonders in Frankreich und Italien, voraus. Über Söderbloms Bekanntschaft mit französischen Katholiken sagen die Biographien so gut wie nichts aus. Erwartungsgemäß war er vor allem an den Theologen der damaligen evangelischen Fakultät an der Sorbonne, wo er 1901 promovierte, interessiert (Auguste Sabatier, Eugène Ménégoz). Wir hören jedoch auch von einer gebildeten katholischen Familie, die mit der Familie Söderblom befreundet war. Eine Tochter dieser Familie, Barbe, heiratete später (1907) einen gleichgesinnten katholischen Journalisten, Pierre de Quirielle. Sie war es, die 1901 unter dem Pseudonym Jacques de Coussanges seine umfangreiche Dissertation aus dem Schwedischen übersetzte (im Jahre darauf übersetzte sie gleichfalls „Das Wesen des Christentums" von Harnack ins Französische). Bei dieser Familie lernte Söderblom hervorragende katholische Persönlichkeiten wie den Oratorianer L. Laberthonnière und den Abbé Felix Klein kennen.[14] Er stand außer mit Laberthonnière auch (sehr regelmäßig) mit Barbe de Quirielle, nachher

---

14 Barbe de Quirielle, in: Sven Thulin (Hrsg.), Till minnet av Nathan Söderblom. Hågkomster och livsintryck (im folgenden abgek.: Hågkomster) 14, Uppsala 1933, S. 45-50.

mit Loisy und Georges Goyau[15] wie auch mit Paul Sabatier in Briefverbindung. Letztgenannter konnte ihm sowohl hinsichtlich des französischen wie auch des italienischen Modernismus eine reiche Informationsquelle sein. Wie dem auch sei, Söderblom fand frühzeitig Zugang zu den wichtigsten italienischen Zeitschriften der Bewegung, dem Rinnovamento von Mailand und dem noch kurzlebigeren Nova et Vetera von Rom.[16] Aus der Tatsache jedoch, daß Ernesto Buonaiuti,[17] der ungenannte Redakteur von Nova et Vetera, in „Religionsproblemet" gar nicht vorkommt, können in etwa die Grenzen ermessen werden, die einer aus dem Jahre 1910 stammenden Untersuchung über den Modernismus gesetzt waren. Wahrscheinlich ist der einfache Grund dafür der, daß Söderblom nicht wußte, wer Buonaiuti war noch welche Rolle er im italienischen Modernismus spielte. Von Hügel hatte es diskret unterlassen, Namen zu nennen, als er auf die römischen Modernisten zu sprechen kam (Brief Nr. 5).

Das Werk von Söderblom ist dem Titel nach eine vergleichende Analyse: „Religionsproblemet inom katolicism och protestantism". In der Tat wirkt es jedoch eher als eine Darlegung und Erörterung des römisch-katholischen Modernismus (S. 1-330) und eine Würdigung desselben von einem bestimmten liberal-protestantischen Standpunkt aus (S. 373-471). Damit der Leser weiß, wovon man

15 Zu Goyau (1869-1939) s. E. Poulat, Index bio-bibliographique, in: A. Houtin und F. Sartiaux, Alfred Loisy, sa vie — son oeuvre, Paris 1960, S. 357 f., wie auch zu Klein, Laberthonnière und Sabatier.

16 S. u. Brief Nr. 3, Anm. 1, und Nr. 5, Anm. 5; vgl. Aubert a.a.O., S. 473.

17 Zu Buonaiuti s. u. Brief Nr. 5, Anm. 5.

überhaupt bei der Bezeichnung „Modernismus" redet, setzt der Verfasser die Einschreitungen des Vatikans von 1906-1907 an den Anfang. Im zweiten Kapitel (S. 33-75) bietet er eine scharfsinnige Deutung von J. H. Newman sowohl im eigenen Kontext als auch in seiner Bedeutung für den Modernismus. Er meint, Kant und Schleiermacher haben zwar noch mehr zur Entstehung des theologischen Modernismus beigetragen, Newman habe ihm gleichwohl zwei Zentralgedanken geliefert, die Lehrentwicklung und die Lehre von der Gewißheit der Glaubenszustimmung über Beweise hinaus. Newman habe sie zudem den katholischen Modernisten zur Verfügung gestellt unter dem ausschlaggebenden Umstand, daß er gegen Ende seines Lebens durch die Verleihung des Kardinalats (1879) als rechtgläubig anerkannt wurde. Nach je einem weiteren Kapitel über den Amerikanismus, den Sozialkatholizismus und über andere Anzeichen der Gärung im französischen Katholizismus wie über das Wirken des Heiligen Stuhles seit Pius IX. (nach P. Sabatier), behandelt Söderblom der Reihe nach Loisy und die Geschichtlichkeit der Kirche, Blondel und andere vitalistische Philosophen wie Bergson und Boutroux, die ihm zunehmend imponierten, Tyrrell und die Dogmenentwicklung, von Hügel und die Mystik. Darauf folgen vier weitere Kapitel über den modernistischen Anglokatholizismus, den Modernismus in Italien, den deutschen Reformkatholizismus und Modernismus und schließlich, als Überleitung zum zweiten Hauptteil, ein Kapitel über das Verhältnis des Modernismus zum Protestantismus.

In diesem Kapitel klingt aber schon die Art und Weise an, in der Söderblom im zweiten Hauptteil die Kritik des Modernismus (und auch des eigenen Liberalismus wohlgemerkt) betreiben wird. Er geht im Grunde vom Offenbarungsverständnis aus. Die Offenbarung sei — dem Siegeszug der Vernunft und der Wissenschaft in der modernen Welt zufolge — ihrer Selbstverständlichkeit beraubt. Gleichzeitig entdeckt er aber eine weitgehende Übereinstimmung zwischen der religionsgeschichtlich gesehenen Eigenart des biblischen Offenbarungs- und Glaubenstypus und dem zeitgenössischen philosophischen Verfahren der französischen Vitalisten, denn wenn man die Existenz primär als Leben anstatt etwa als Ausfluß des Gedankens oder des Stoffes auffaßt, so begibt man sich in Denkrichtungen, die sich mit dem Zugang der biblischen Überlieferung zum lebendigen Gott besser vertragen. Söderblom stützt diese Stellungnahme durch mehrere bipolare Unterscheidungen und Gegenüberstellungen, woraus sich eine Typologie der Offenbarungsarten in der religiösen Erfahrung der Menschheit ergibt.[18] Ich neige dazu, in diesen Erwägungen den eigentümlichen Beitrag Söderbloms, der zugleich der religionsgeschichtliche Beitrag zum damaligen Verständnis der eigenen religiösen Lage war, zu erblicken. Hierbei stütze ich mich auf die Frühwerke Heilers und die entsprechende Korrespondenz mit Söderblom (vgl. z. B. Brief Nr. 10).

Nach Söderblom gibt es also einen bestimmten empirisch nachweisbaren Typus des biblischen Offenbarungserlebnisses im Vergleich zu anderen, beispielsweise den unter Indern und Griechen weitverbreiteten Offenbarungstypus. In der von den Propheten beispielhaft vorgelebten Form nämlich liegt der Akzent des Offenbarungsvorganges auf der Persönlichkeit, auf dem Willen des sich

18 Zu weiteren Schriften Söderbloms vgl. Sharpe, Comparative Religion, S. 158 f.

offenbarenden Jahweh. Es handelt sich dabei um eine dynamische persönlichkeitsbezogene Erfahrung. Davon hebt sich der Offenbarungstypus anderer religiöser Bereiche ab, der eine möglichst persönlichkeitsverneinende Erfahrung beinhaltet und auf eine Verschmelzung mit oder auf eine Auflösung schlechthin in dem Absoluten hinzielt. Wie in jeder Typologisierung geht es hier um die Erfassung von Sachverhalten, die in der Wirklichkeit aber nur mit anderen Elementen vermischt und davon überlagert gegeben sind. Hinzu kommt, daß sich diese zwei Haupttypen der persönlichen religiösen Erfahrung mehrfach, besonders in der uns vertrauten christlichen Tradition, kreuzen und vermischen. Dennoch lassen sie sich phänomenologisch auf einem ausreichend breiten Hintergrund der Religionsgeschichte unterscheiden. Dies ist vielleicht am ehesten an dem von Söderblom durchgeführten Vergleich der Gottesbilder der Religionen zu erkennen. Während primitive Religionen (übrigens ein Begriff, vor dem man noch nicht zurückscheute) im großen und ganzen irgendeiner numinosen Kraft Ehrfurcht erwiesen, gingen in den entwickelteren Formen der Religionen die Wege auseinander. Der Weg der indischen und griechischen Religiosität tendierte dahin, das Numinosum[19] immer mehr zu vergeistigen und mit einer höheren statischen Existenz gleichzusetzen. Die biblischen Propheten dagegen empfanden ein durchaus personal wirkendes Numinosum oder vielmehr einen Herrn, der ständig an das Gewissen und an die Handlungsentscheidung der

19 Hier verwechsle ich nicht mit Rudolf Otto, einem Bekannten von Söderblom. Der Ausdruck steht in „Religionsproblemet", S. 466. Tatsächlich hat Söderblom „Das Heilige" von Otto auf mehrfache Weise vorweggenommen, vgl. F. Heiler, in: N. Söderblom, Der lebendige Gott, München ²1966, S. XX f.; Sharpe a.a.O., S. 160 f.

Gläubigen appellierte. Mit dieser Gegenüberstellung will Söderblom keineswegs theologisch wertend oder abwertend in die Religionswissenschaft eingreifen, sondern versucht vielmehr den religionsgeschichtlichen Befund für die theologische Diskussion fruchtbar zu machen, um eine besser fundierte Ortung des religiösen Problems überhaupt zu ermöglichen.

Von den Weltreligionen, aufs Ganze gesehen, stehen sich namentlich zwei im Wettbewerb einander gegenüber, das Christentum und der Buddhismus (daß Söderblom dabei die islamische Welt außer acht zu lassen pflegte, bemerkte schon Tor Andrae). Sollte das den christlichen Theologen nicht Anlaß sein, sich auf die Eigenart der biblischen Überlieferung zu besinnen? Statt dessen vertreten die Modernisten typischerweise die Ideale eines noch umfassenderen Katholizismus. Sie wollen nach Ansicht von Söderblom nicht in erster Linie der biblischen Religion der Propheten Jesu und Pauli zum Sieg verhelfen, sondern vielmehr eine universale, selbst mit Aberglauben und Autoritätszwang vermischte Christlichkeit gelten lassen. Sie seien nicht hinlänglich konsequent vorgegangen, denn sie hingen noch zu sehr an den kirchlichen Amtsansprüchen — oder wenn sie, wie Loisy, endlich damit brachen, seien sie keine Modernisten mehr gewesen, weil weder kirchlich noch christlich.

Gesamtchristlich gesehen wäre also ein modernistischer Katholizismus doch lediglich ein halber Gewinn. Die Voraussetzungen zu einer ökumenischen Verständigung fehlten noch zum größten Teil. Bei aller Achtung Söderbloms z. B. von Hügel gegenüber weist er auf dessen Unvermögen, einen echten christlichen Frömmigkeitstypus, vom Typus eines Plotins grundlegend verschieden, anzuerkennen und herauszustellen. Dies hänge mit der Nichtbeachtung der Berufungsmystik unter katholischen Denkern zusammen. So versage von Hügels Scharfsinn, wenn er auf Paulus zu sprechen komme und den Pfahl im Fleisch (2 Kor 12,7) als ein mystisches Erlebnis deutet.[20] Wie es sich auch immer mit ekstatischen Erlebnissen bei Paulus verhalten haben möge, so steht nach Söderblom fest, daß Paulus sich niemals absichtlich durch asketische Übungen auf außerordentliche Seelenzustände vorbereitet habe, wie sie für die Meister der außerbiblischen Mystik charakteristisch sind. Die „Mystik" des Apostels war dagegen ganz und gar Selbstvergessenheit im Dienst der von ihm durch Gott empfangenen Berufung. Luther stand auf der gleichen Linie. Die Modernisten jedoch, die gewöhnlich in Luther kaum mehr als eine bedauerliche Fehlreaktion auf die verweltlichte Kirche seiner Zeit sehen, haben sich gerade deshalb noch nicht die allernotwendigste Aufgabe des Strebens nach ökumenischer Gesinnung und damit nach gesamtkirchlicher Erneuerung zu eigen gemacht.

Leider hatte der als vorbildlich modernistisch angesehene und kritisierte Baron keine Gelegenheit, Söderbloms Interpretation seiner Gedanken richtigzustellen, ja auch nur kennenzulernen. Folglich muß die Frage, wie weit ihm letzterer gerecht zu werden vermochte, dahingestellt bleiben. Bei der schnellen Arbeitsweise Söderbloms ist es nicht verwunderlich, wenn er in seinen Aussagen hin und wieder notwendige Nuancierungen vermissen läßt. Beachtlich bleibt immerhin, daß von sämtlichen Zeitge-

---

20 Hügel, Mystical Element, II, S. 43 f.; vgl. Söderblom, Religionsproblemet, S. 371 f.

nossen Söderblom wohl die ausführlichste Auseinandersetzung mit von Hügels Hauptwerk geschrieben hat.
Friedrich Heiler (30. 1. 1892—28. 4. 1967) ist vor allem
als Religionshistoriker bekannt. Daß er sich als Student
besonders in diese Richtung entwickelte, verdankte er,
wie seine Briefe an Söderblom beredterweise darlegen
(vgl. vor allem Nr. 11 und 12), ihm, dem berühmten
Gelehrten von Uppsala und Leipzig. Söderbloms Neuauflage von Tieles Kompendium der Religionsgeschichte war
sein Vademecum. Der junge Student, der auch sonst alles,
was aus der Feder Söderbloms zu finden war, eifrig
verschlang, war Münchener, einer betont katholischen
Lehrerfamilie mit tiefen bayerisch-schwäbischen Wurzeln
entstammend.[21] Durch das Vaterhaus wurde er schon früh
mit den reformkatholischen Strömungen in seiner Heimatstadt vertraut, die mit den Namen Schell und Kraus
wie mit den Initiativen Carl Muths verknüpft waren. Aus
unmittelbarer Nähe erlebte er die Auswirkungen der
kirchlichen Verurteilungen des Modernismus und der
Maßnahmen gegen die Vertreter desselben, unter denen in
München besonders Joseph Schnitzer hervortrat.[22] Als
Heiler sich 1911 an der Universität München immatriku-

21 Zu Heiler s. die oben in Anm. 6 angegebene Literatur, ferner: J.
Waardenburg, Classical Approaches to the Study of Religion, 2 Bde.,
Den Haag 1973-74, I, S. 460-479 und II, S. 102-107; Kurt Goldammer,
Ein Leben für die Erforschung der Religion, in: Inter Confessiones . . .
Friedrich Heiler zum Gedächtnis, Marburg 1972, S. 1-16; A. M. Heiler,
Bibliographie Friedrich Heiler, ebda., S. 154-196. Eine geplante Auto-
biographie kam nicht zustande, dafür bieten zwei Vorlesungen einen
gewissen Ersatz: F. Heiler, Vom Werden der Ökumene, hrsg. v.
Hanfried Krüger, Stuttgart 1967.
22 Heiler a.a.O., S. 1-10; vgl. neuestens Norbert Trippen, Theologie
und Lehramt im Konflikt. Die kirchlichen Maßnahmen gegen den
Modernismus im Jahre 1907 und ihre Auswirkungen in Deutschland,
Freiburg 1977, S. 39 f. und 185-404.

lieren ließ, schwelte noch der Fall Schnitzer: Seit 1908 war dieser von der theologischen Fakultät beurlaubt und durfte erstmals 1913 als Honorarprofessor an der philosophischen Fakultät seine Lehrtätigkeit wiederaufnehmen. Heiler trat also seine wissenschaftlichen Studien unter einem unglücklichen Stern an, insofern als in ihm immer wieder der Wunsch aufkam, mit „freien" theologischen Auffassungen doch zugleich das Priesteramt der römisch-katholischen Kirche verbinden zu können. Es sollte sich aber anders ergeben, und doch . . .

Wir brauchen hier weder auf die Gründe einzugehen, die Heiler nach seiner Habilitierung im Jahre 1918 veranlaßten, sich während seines Aufenthaltes 1919 in Schweden, auf Einladung Erzbischofs Söderblom, dem evangelischen Bekenntnis anzuschließen, noch darauf, inwiefern sich dieser Anschluß von einem „gewöhnlichen" Übertritt unterschied. Darüber geben uns die hier vorgelegten Briefe reichlichen Aufschluß. Festzuhalten ist indes, daß sein Erstlingswerk „Das Gebet" (1918 in erster Auflage, 1920—23 2.—5. erweiterte und veränderte Auflagen, 1969 Nachdruck der 5. Auflage) ihn von einem Tag auf den anderen als einen Religionsforscher allerersten Ranges auswies. Nicht nur Söderblom, Rudolf Otto und von Hügel waren von diesem Buch beeindruckt und nicht nur ein früherer einflußreicher Lehrer wie Karl Adam lobte sein Werk, sondern auch solche Rezensenten wie Adolf Deißmann und Martin Dibelius äußerten sich sehr positiv.[23] Kurt Goldammer hat neulich bemerkt: „Das von

23 Zur kritischen Aufnahme des „Gebets" wie auch anderer Werke Heilers s. Emmanuel Jungclaussen OSB, Werk im Widerspruch, in: Die größere Ökumene. Gespräch um Friedrich Heiler, Regensburg 1970, S. 28-38.

Heiler gezeichnete oder besser: in groben, aber festen Strichen (in der methodologischen Einleitung des ‚Gebets‘) skizzierte Bild einer allgemeinen Religionswissenschaft ist jedenfalls höchst bemerkenswert und in seinem Reichtum und in seiner Vollständigkeit geradezu überraschend. Es ist — unbeschadet einiger bedeutender Vorläufer — in seiner Prägnanz und Bestimmtheit auch neu für die Zeit."[24] Insbesondere war seine Aufnahme der phänomenologischen Methode in die Religionswissenschaft für die Arbeiten von Joachim Wach und Gerardus von der Leeuw richtungweisend.

Gegen Ende 1922 erschien das zweite große Werk Heilers „Der Katholizismus, seine Idee und seine Erscheinung". Dem war eine kleinere Schrift zum gleichen Thema vorausgegangen: „Das Wesen des Katholizismus" (1920), ein Ergebnis seiner Vortragstätigkeit im Herbst 1919 in Schweden. Wenn Heiler diese Schrift auch später für unglücklich hielt (vgl. Brief Nr. 30 an von Hügel), so stellt sie dennoch neben den noch vorhandenen und hier abgedruckten Briefen eine unentbehrliche Quelle dafür dar, wie ihn die konfessionelle Problematik an der Schwelle seiner Lehrtätigkeit in Marburg (1920 bis 1962) bewegte. Söderblom dagegen erachtete das kleinere wie das größere Werk als einen epochalen Beitrag zum gegenseitigen Verständnis der zwei großen christlichen Traditionen im Abendland. In der Tat, diese Frühschriften des Marburger Religionshistorikers erreichten einen in der fachwissenschaftlichen Literatur seltenen Glanz, welcher ihre Wirkung erhöhte. Besonders das reifere Werk, Der Katholizismus, ist auch noch heute wertvoll nicht nur als ein höchst interessantes Zeitdokument, sondern auch als ein

24 Goldammer a.a.O., S. 8.

gelungener Versuch, den Katholizismus religionswissen-
schaftlich zu erforschen. Typisch für Heiler ist jedoch die
Verbindung der rein wissenschaftlichen Zielsetzung mit
dem ganzmenschlichen, d. h. religiösen Anliegen. Deshalb erlaubt er sich auch, die antiökumenischen Züge des
neuzeitlichen Katholizismus energisch anzuprangern.
Diese entferntere Zielsetzung konnte aber erst relativ spät
in weiteren kirchlichen Kreisen geteilt werden.[25]
Im Zusammenhang mit der vorliegenden Edition der
Briefe ist zu vermerken, daß Heiler das Buch über den
Katholizismus mit zwei Söderblom-Zitaten einleitet (vgl.
S. VI), um dann Friedrich von Hügel ausgiebiger als
jedem anderen Autor an verschiedenen Orten des Werkes
das Wort zu erteilen (was wohl auch seinen Grund darin
haben dürfte, daß die Schriften des Barons in Deutschland
noch kaum zu erhalten waren).
Die zwei Hauptteile behandeln 1. die Entwicklungsge-
schichte des Katholizismus bis in die Neuzeit und 2. die
sieben Grundelemente des Katholizismus, wie Heiler sie
feststellte: die Primitiv- oder Volksreligiosität, die Religion des Gesetzesdienstes, die juridisch-politische Kir-
cheninstitution (Hierarchie), die rationale Theologie, die
Mysterienliturgie (nebenbei bemerkt ganz auf der Höhe
der damaligen katholischen Liturgiewissenschaft), das
asketisch-mystische Vollkommenheitsideal und als letztes
das evangelische Christentum im Katholizismus. Darauf

25 Heiler verstand dieses Werk als „vielleicht . . . die umfassendste
Programmschrift des katholischen Modernismus, die bisher erschienen
ist", Der Katholizismus, S. XXXI; „es ist ganz im Geiste George
Tyrrells gehalten, nur daß es sich von ihm und anderen Modernisten
durch die Hochschätzung und Liebe des echten evangelischen Christentums und die dankbare Anerkennung der protestantischen Forschungs-
arbeit unterscheidet", S. XXXII.

folgte ein Schlußteil, in dem Heiler versuchte, die Einheit des katholischen Phänomens trotz aller Verschiedenheit oder gar Widersprüchlichkeit seiner Elemente herauszustellen; hier benutzte er das Wort von der *complexio oppositorum*,[26] das wohl auf die meisten Leser den nachhaltigsten Eindruck gemacht hat.

Die Briefe aus der Zeit nach der Abfassung dieses Werkes erwähnen immer häufiger eine merkwürdige Gestalt aus Indien, den Sadhu („Frommen" oder „Wandermönch") Sundar Singh (vgl. Brief Nr. 38, Anm. 6). Söderblom und Heiler traten für diesen ein gegen seine Kritiker, die seine Wundererzählungen anzweifelten; Heiler dermaßen gar, daß er jahrelang seiner Verteidigung seine besten Kräfte widmete. Dahinter wirkte wohl sein Drang, die noch nicht wegrationalisierte Religiosität des Fernen Ostens im Abendland bekanntzumachen. Da er aber nach allen Seiten hin der Verständigung dienen wollte, mutete er auch in dieser Sache den Katholiken ein Ärgernis und den Protestanten eine Torheit zu.

1926 veröffentlichte Heiler den ersten und 1931 den zweiten Band seiner Gesammelten Aufsätze und Vorträge unter dem Titel: „Evangelische Katholizität" und „Im Ringen um die Kirche". Darin kommt sein ökumenisches wie auch sein evangelisch-hochkirchliches Anliegen nachdrücklich zu Worte. Weiter wurde seine schriftstellerische

26 A.a.O., S. 621, vgl. S. 82 f.; Heiler, „Das Wesen des Katholizismus", S. 8, und meine Studie, The Two Ecumenisms of Friedrich Heiler, in: Andover Newton Quarterly 16 (1975), S. 238-249, hier S. 244. Festzuhalten ist, daß „Der Katholizismus" von Heiler für Karl Adam zum Anlaß wurde, sein berühmtes „Das Wesen des Katholizismus", Düsseldorf 1924, als Gegenschrift zu verfassen. Vgl. Heiler, Zum Tod von Karl Adam, in: Tübinger Theologische Quartalschrift 46 (1966), S. 257-261, und R. Aubert, Karl Adam, in: Tendenzen der Theologie, S. 158.

Tätigkeit in Anspruch genommen von der Zeitschrift der hochkirchlichen Vereinigung „Die Hochkirche" (1934 in „Eine heilige Kirche" umbenannt). Ab 1930 übernahm Heiler die Redaktion dieser Zeitschrift zusammen mit dem Vorsitz der Hochkirchlichen Vereinigung (= HV). Die Zeitschrift war zunächst 1919 als ein einfaches Mitteilungsblatt für die Mitglieder des gerade gegründeten HV angetreten. Das zu diesem Zeitpunkt eintretende Ende des Summepiskopats in den Landeskirchen wirkte jedoch kristallisierend auf die aus dem neunzehnten Jahrhundert im lutherischen Raum vorhandenen hochkirchlichen Tendenzen. Erst 1925, also nach dem Tode von Hügels und nach der Stockholmer Life and Work-Konferenz, überzeugten sich die führenden Männer der HV von der Gemeinsamkeit des kirchlichen Anliegens auf ökumenischer und hochkirchlicher Seite und baten Heiler um einen Vortrag auf ihrer Jahrestagung. Im Briefwechsel mit Söderblom kommt diese neue Verbindung Heilers erst 1926 zum Vorschein (vgl. Brief Nr. 71). Es kann hier nicht auf die komplizierten gegenseitigen Beziehungen zwischen der hochkirchlichen und der ökumenischen Zielsetzung (letztere durch die Zeitschrift Una Sancta, herausgegeben von Alfred von Martin, München, vertreten) in diesem Kreise während der ersten Jahre der Mitarbeit Heilers eingegangen werden. Fest steht aber, daß es sein tätiges Bestreben war, die zwei Richtungen miteinander in Einklang zu bringen, um damit auch der HV ihr seit jener Zeit charakteristisches Gepräge zu geben.[27]

27 Aus anderer Perspektive s. Leonard J. Swidler, The Ecumenical Vanguard. The History of the Una Sancta Movement, Pittsburgh und Löwen 1966, S. 115 ff., und Manfred P. Fleischer, Katholische und lutherische Ireniker unter besonderer Berücksichtigung des 19. Jahrhunderts, Göttingen 1968, S. 267.

Diese kirchliche Erneuerungsarbeit an der Basis, die Heiler leistete, reizte nicht nur die Erzprotestanten des Evangelischen Bundes. Daß Heiler schon frühzeitig, noch vor der Entstehung der Berneuchener Bruderschaft, eine „Evangelische Messe" zu halten pflegte, befremdete zeitweilig selbst jene, die ein paar Jahre später dasselbe taten. Die Tatsache jedoch, daß er sich durch den evangelisch-reformierten, hochkirchlichen Pfarrer Gustav Adolf Glinz in dem Kirchlein des Schweizer Diakonievereins in Rüschlikon zum Priester weihen ließ, anstatt sich von seiner Landeskirche beauftragen zu lassen, erregte offenbar die Gemüter noch nicht. Dieser Schritt hatte im Jahre 1927 stattgefunden, gleich nach der Weltkirchenkonferenz für Glauben und Kirchenverfassung in Lausanne (vgl. die Briefe Nr. 77 und 80 von Söderblom). Ein heftiger Streit hingegen sollte dadurch entfacht werden, daß 1931 ein österreichischer, kirchlich unabhängiger „Bischof", Timotheos (Aloys) Stumpfl, anonym an die „Deutsch-Evangelische Korrespondenz" Unterlagen einsandte, nach denen „Bischof" Heiler im vorhergehenden Oktober in Berlin Priesterweihen an landeskirchliche Pfarrer erteilt haben sollte (s. Anhang Brief Nr. XIII). In der Tat war Heiler selbst im August 1930 in Rüschlikon zum Bischof geweiht worden, um einige Pfarrer der HV bei passender Gelegenheit zu Priestern weihen zu können.

Daß dies zunächst ein gewisses Maß an Geheimhaltung forderte, war ein unerquicklicher Umstand, der vielleicht von Heiler einen noch zäheren Widerstand dem Drängen seiner hochkirchlichen Mitarbeiter gegenüber verlangt hätte, als sie an ihn herantraten, nachdem sämtliche Versuche fehlgeschlagen waren, von einer in der Christen-

34

heit allgemein anerkannten Instanz die Eingliederung in die apostolische Sukzession zu erlangen.

Es ist heute schwer, sich den ganzen Komplex der Erwägungen zu vergegenwärtigen, der Heiler veranlaßte, sich trotz allem dieser merkwürdigen Aufgabe nicht zu entziehen. Es ging ihm wesentlich um den vollen sakramentalen Lebensvollzug für die lutherisch-hochkirchlichen Gruppen und Pfarreien. Prinzipiell sprachen dafür nicht nur beachtenswerte Bewegungen in der lutherischen Praxis in Geschichte und Gegenwart, vornehmlich im skandinavischen Luthertum, sondern auch das Augsburgische Bekenntnis. Heiler war davon überzeugt, und auch Söderblom mißbilligte das Vorhaben nicht, obwohl er ihn davor gewarnt hatte, sich auf kirchliche oder vielmehr schismatische Abenteuer einzulassen (vgl. Brief Nr. 77). Über den Inhalt der letzten Unterredung zwischen Söderblom und Heiler 1930 in Bad Nauheim wissen wir freilich nichts. Jedenfalls fühlte sich Heiler zum Schluß gezwungen, am 28. August 1930 von Pierre-Gaston Vigué, einem mit keiner Großkirche in Kommunion stehenden Bischof der winzigen *Église catholique française* oder *Église gallicane*, die Bischofsweihe zu empfangen. Damit wollte er vor allem der Einigung der Christenheit einen Dienst erweisen, zunächst im Hinblick auf die Ostkirchen. Um dies würdigen zu können, muß man die Analogie ins Auge fassen, die Heiler nicht ohne Grund zwischen lutherischem Hochkirchentum und dem Anglokatholizismus erblickte. So wie letzterer seit einem Jahrhundert allmählich das Gesicht der Church of England in weiten Teilen der Welt verändert hatte und sie durch *ressourcement* zumal der altkirchlichen Erbschaft zur Vorkämpferin der einen Kirche machte, ebenso sollte sich die hochkirchliche Bewegung mit ihren altkirchlichen Ämtern im deutschen Kulturbereich fruchtbringend auswirken. Wohl rechnete er mit den Mißverständnissen und Opfern, die eine solche Bewegung notwendigerweise mit sich bringen würde, ehe die konfessionalistischen Gegensätze entgiftet werden könnten. Zeitweise rechnete er sogar damit, aus dem Lehramt ausscheiden zu müssen (vgl. Brief Nr. XIII im Anhang).

Wenn wir hier im weiteren den Werdegang des Religionswissenschaftlers und Ökumenikers Heiler nur mit kurzen Hinweisen andeuten können, so liegt das am zeitlichen Rahmen des vorgelegten Briefwechsels. Er verfaßte Standardwerke über die Ostkirchen (1937) und die alten Kirchen des Abendlandes (1941) sowie eine bedeutende, der gegenwärtigen Forschung vorauseilende Biographie Alfred Loisys, den er den „Vater des Modernismus" nannte. Nach dem Zweiten Weltkrieg wandte er sich immer mehr der Verständigung zwischen den Weltreligionen zu. Aus seiner Vorlesungstätigkeit erwuchsen eine Religionsphänomenologie, die ein ganzes Lebenswerk darstellt, und eine Spezialuntersuchung über die Rolle der Frau in der Religionsgeschichte, wie sie nur Heiler zustande bringen konnte.[28]

Seine ökumenischen Beziehungen, insbesondere zu Katholiken, nahmen in den dreißiger und vierziger Jahren zu. So finden sich unter seinen Korrespondenten neben französischsprechenden Irenikern wie Dom Clément Lialine (vgl. Brief Nr. 82), Yves Congar und Paul Couturier eine beträchtliche Zahl deutscher Namen: Hermann

28 Die Frau in den Religionen der Menschheit, hrsg. v. A. M. Heiler, Berlin 1977. Zu den anderen Werken s. die oben in Anm. 21 angeführte Bibliographie Friedrich Heiler.

Hoffmann, Max Pribilla, Arnold Rademacher, Werner Becker, Max Josef Metzger und viele andere, ganz abgesehen von Vertretern der östlichen Orthodoxie und des Anglikanismus, die Heiler vielleicht noch geistverwandter waren. Es gelang Heiler erstaunlicherweise bis in die vierziger Jahre hinein, wenn auch mit zeitweiligen Verboten, die „Eine heilige Kirche" als einziges Sprachrohr der Ökumene in Deutschland aufrechtzuerhalten.[29] Auch während der NS-Zeit unterhielt er trotz Bespitzelung und Postkontrolle Kontakt zu verschiedenen örtlichen Una-Sancta-Gruppen und nahm in der unmittelbaren Nachkriegszeit führend an der Blüte dieser Bewegung teil.

Bemerkenswert ist, daß Heiler schon im Jahre 1934 ein viertägiges Gespräch zwischen prominenten evangelischen und katholischen Theologen anregte und organisierte; unter diesen Theologen waren katholischerseits Paul Simon, Romano Guardini, Robert Grosche, Max Pribilla, Pius Parsch, Damasus Winzen und Johannes Pinsk; auf lutherischer bzw. Faith and Order-Seite Anders Nygren, Birger Forell, Walter Künneth, Karl Bernhard Ritter, Wilhelm Stählin, Friedrich Heiler, der Anglikaner H. N. Bate und andere. Das Theologengespräch fand vom 22. bis 25. Mai im Priesterseminar Berlin-Hermsdorf statt unter dem Protektorat des kurz danach verstorbenen Berliner Bischofs Nikolaus Bares, der dem Paderborner Dompropst Simon den Vorsitz anvertraute. In diesem Kreis erreichte man wohl ein seit

---

[29] Damit hielt er die Verbindung mit der internationalen (evangelisch-orthodoxen) ökumenischen Bewegung aufrecht. Katholischerseits konnte bekanntlich R. Grosche gerade in den Jahren 1933-39 eine das ökumenische Anliegen auf andere Art wirkungsvoll vertretende Zeitschrift, Catholica, Vierteljahresschrift für Kontroverstheologie, begründen und weiterführen.

der Reformation noch nie dagewesenes Maß an beiderseitiger theologischer Verständigung in zentralen Punkten der Symbolik. Heiler betrachtete dieses Gespräch, das unter den damaligen totalitären Umständen nicht fortgesetzt werden konnte, als die Ausführung eines von Söderblom gehegten Wunsches.[30] Es muß wohl nicht eigens hervorgehoben werden, daß sich mehrere Teilnehmer dieses Gesprächskreises in der Folgezeit um die ökumenische Sache verdient gemacht haben.

Von 1948 bis 1958 gab Heiler nach langer Unterbrechung wieder seine Zeitschrift heraus, und zwar zusammen mit Friedrich Siegmund-Schultze, dem ehemaligen Herausgeber der „Eiche" (1912—1933), welche die wichtigste deutsche ökumenische Zeitschrift gewesen war. Die neue Zeitschrift verstand sich als Fortsetzung der beiden früheren und hieß bis 1952 „Ökumenische Einheit. Archiv für ökumenisches und soziales Christentum". Diese Bezeichnung deutet wohl auf die Bereitschaft hin, noch einmal der ökumenischen Bewegung als ganzer als Sprachrohr für den deutschen Raum zur Verfügung zu stehen. Die Entwicklung verlief indes anders. Die Veteranen, Friedrich Siegmund-Schultze und Friedrich Heiler, verschafften sich kaum Gehör in der von Karl Barths Theologie beeinflußten und nunmehr offiziell gewordenen ökumenischen Bewegung (Amsterdam 1948). Das waren übrigens beide bereit hinzunehmen, denn letzten Endes war es ein Zeichen für das Vorwärtsschreiten der Ökumene. Enttäuschender waren dagegen für Heiler die Hindernisse, die Rom 1948—50 der Annäherung im römisch-

---

30 Heiler, Vom Werden der Ökumene, S. 21 und 37; vgl. schon Heiler, in: Söderblom, Der lebendige Gott, S. XLI.

katholisch/evangelischen Dialog in den Weg stellte.[31] Er protestierte gegen das bekannte Monitum des Heiligen Offiziums vom 5. 6. 1948, gegen die Enzyklika *Humani generis* vom 12. 8. 1950 und schließlich gegen das Assumpta-Dogma vom 1. 11. 1950, das er als den Tropfen empfand, der das Faß zum Überlaufen brachte. Daraufhin zog er sich aus den sowieso ziemlich lahmgelegten Una-Sancta-Kreisen zurück. Er hielt die Voraussetzungen eines fruchtbaren Dialogs von seiten der römischen Autorität für noch nicht gegeben. Darüber hinaus konnte ihm nicht verborgen bleiben, daß schon allein sein Auftreten unter Katholiken beargwöhnt wurde.[32]

Daß sein Herz aber noch ökumenisch schlug, ergibt sich zur Genüge aus seinen Äußerungen über Papst Johannes XXIII. und das Zweite Vatikanische Konzil.[33] Über den *papa angelico*, den engelgleichen Papst der Zukunft, hatte er einst eine hinreißende Stelle in seinem „Katholizismus" geschrieben; jetzt schien ihm ein solcher Papst annähernd in Wirklichkeit gekommen zu sein und mit ihm ein neues ökumenisches Zeitalter.

Damit dürfte das Wichtigste zur Einführung in die hier veröffentlichten Briefe gesagt sein. Indessen ist noch zu fragen, worin der Quellenwert dieser Korrespondenz liegt. Was von Hügel betrifft, hat erst kürzlich T. M. Loome eigens das Rätsel untersucht,[34] das jener seinen

31 Vgl. Swidler, The Ecumenical Vanguard, S. 201-232.
32 Als ein Beispiel, das zufällig im Druck festgehalten wurde, vgl. Paula Linhart, Der Una-Sancta-Kreis München, in: Versöhnung. Gestalten — Zeiten — Modelle, hrsg. v. H. Fries und U. Valeske (Festschrift Manfred Hörhammer, Frankfurt 1975), S. 182.
33 S. vor allem Vom Werden der Ökumene, S. 26 und 38-50.
34 Thomas Michael Loome, The Enigma of Baron Friedrich von Hügel — As Modernist, in: The Downside Review 91 (1973), S. 13-34, S. 123-140 und S. 204-230, erhebt Einwände gegen das Hügelbild Barmanns.

Biographen aufgibt, die ihn zu den Modernisten zählen. Nach Loome besteht das Änigma nicht so sehr darin, daß von Hügel im Laufe der „schrecklichen Jahre" der modernistischen Krise Fehlansätze bei manchen Modernisten feststellte und somit die kirchlichen Verurteilungen erklären konnte, ohne je seine eigenen Standpunkte widerrufen zu müssen. Vielmehr ist rätselhaft, wieso sich der junge Baron seinem ganzen Bildungsideal und Vorleben zum Trotz gerade die radikalste Exegese, die es in wissenschaftlich ernsten Kreisen überhaupt gab, diejenige Loisys, zu eigen machte. Warum verschrieb er sich ausgerechnet Loisy anstatt etwa Lagrange? Über die Zeit der ersten Begegnungen von Hügels mit Loisy sagen die vorliegenden Briefe zugegebenermaßen nichts. Wenn man jedoch auf dem Hintergrund des ganzen Wirkens des Barons während der vorausgegangenen Jahre seinen Brief an Söderblom vom 13. April 1910 über Tyrrell und Loisy liest, so legt sich eine Vermutung nahe: Allein Loisy konnte er unter den katholischen Fachexegeten zutrauen, konsequent genug in der eschatologischen Deutung des historischen Jesus vorzugehen, ohne Rücksicht auf herkömmliche christologische Auffassungen. Hügel selber hatte einen derart soliden Glauben, daß er geduldig der sich am Ende aus der Antinomie von Theologie und Historie ergebenden Übereinstimmung entgegensehen konnte, ohne erhärtete Ergebnisse der Exegese verschweigen zu müssen. Redet er doch vom entscheidenden Einfluß eines Johannes Weiß auf das Jesusbild Tyrrells und fährt dann fort, wie ich meine, auch seine Person einbeziehend: „Um der . . . Wahrheit willen fühlte er sich gedrängt, den Konziliazionstheologen (der ja in uns allen sitzt . . .) mal ordentlich herauszufordern" (vgl. Brief

Nr. 5). Bisher wurden lediglich die Briefe von Hügels an René Guisan[35] und F. Heiler [36] herangezogen, und zwar um zu zeigen, wie er sich gegenüber liberalen Protestanten des Kontinents brieflich geäußert hat. Jedoch dürften die Briefe von Hügels an Söderblom, Harnack, Holtzmann u. a. m. in dieser Hinsicht von höherem Interesse sein.

Daß Söderblom sich so eingehend mit dem römischen Katholizismus und den Modernisten auseinandergesetzt hat, wird nicht einmal in den interessierten Fachkreisen gewürdigt. Die Briefe Söderbloms an von Hügel und Heiler (wie auch an Pribilla[37]) liefern jedoch wichtige Hinweise dafür, daß er hohe Achtung und Kenntnis der katholischen Welt hatte. Eine weitere Dokumentierung dieses Tatbestandes liegt zum größten Teil noch unerschlossen in seinem Nachlaß.[38] Die hier zugänglich gemachten Briefe sind folglich eine Hilfe zur Vervollständigung des Bildes dieses außerordentlich einflußreichen Ökumenikers und gewähren auch unvermutete Einblicke in ein bisher noch wenig bekanntes Stadium der katholisch-evangelischen Irenik.

Im ganzen gesehen liegt die eigentliche Bedeutung dieses Briefwechsels jedoch darin, daß er gleichsam plastisch den Werdegang Friedrich Heilers vor Augen führt. Von den

---

35 Z. B. bei Poulat, Histoire, dogme et critique, S. 591; vgl. von Hügels Selected Letters, S. 333-336.

36 Bei Oskar Köhler, Bewußtseinsstörungen im Katholizismus, Frankfurt 1972, S. 116, und ausgiebig bei Loome a.a.O., S. 22 f. Beide bedienen sich der Edition Franks, s. u. Anm. 39.

37 Ein Brief Söderbloms vom April 1929 an Pribilla wurde abgedruckt, in: H. Neander, Med N. Söderblom, Stockholm 1932, S. 55-57, und in: Die Hochkirche (im folgenden abgek.: HK) 14 (1932), S. 226-228.

38 Dort finden sich z. B. Briefe an Söderblom von Batiffol, Goyau, Laberthonnière und anderen, wie sich aus einer Stichprobe ergab.

ersten ebenso bewegten wie zuversichtlichen Briefen aus dem Kriegsjahr 1918 über diejenigen, die die schweren Prüfungen wiedergeben, die er in seiner endgültig eingenommenen interkonfessionellen Stellung zu erdulden hatte, bis hin zu den Beileidsschreiben an die Witwen von Hügels und Söderbloms gewinnt der Leser ein zwar lückenhaftes, aber doch aus keiner anderen Quelle so zu schöpfendes Bild von der Eigenart dieses Forschers sowohl in religiöser wie auch in wissenschaftlicher Hinsicht. Heiler war anderen gegenüber niemals kleinlich im Danken; so erfährt man aus mancher beiläufigen Äußerung, daß er sich dem Baron, dem Erzbischof und der schlichten italienischen Franziskanerin, Sorella Maria, am engsten verbunden wußte, wie er sich auch Joseph Schnitzer, Karl Adam, Rudolf Otto und vielen anderen bekannten Gelehrten zu Dank verpflichtet fühlte. Ohne Kenntnis des vorliegenden Briefwechsels könnte man aber kaum ermessen, wie weit und wie tief der Einfluß und die Freundschaft Söderbloms auf ihn gewirkt haben. Es ist jedoch auch möglich, diesen Einfluß zu übertreiben oder unpassend auszulegen. Der korrekten Deutung des Verhältnisses beider Persönlichkeiten soll die möglichst vollständige Edition ihrer Korrespondenz dienen.

Zur Edition der Briefe

Der Fundort der einzelnen Briefe wird jeweils in einer Anmerkung angegeben. Das Depositum Heiler in der Universitätsbibliothek Marburg enthält hauptsächlich Briefe an Heiler, aber auch zahlreiche Durchschläge seiner Briefe und verschiedene weitere Dokumente. Der einzige lückenlos erhaltene Bestand des hier veröffentlichten Briefwechsels ist derjenige von Baron von Hügel an Heiler, den Georg K. Frank schon 1952 herausgegeben hat.[39] Die meisten Briefe Söderbloms an Heiler sind ebenfalls in der Universitätsbibliothek Marburg zu finden. Darüber hinaus kann man Abschriften dieser Briefe im Nachlaß Söderbloms in der Universität Uppsala finden. Als Erzbischof ließ Söderblom sogar seine handschriftlichen Briefe abschreiben, wodurch die Möglichkeit gegeben ist, an evtl. verlorengegangene heranzukommen und schwer lesbare Stellen anderer zu verifizieren. Von dieser Möglichkeit hat der Herausgeber reichlich Gebrauch gemacht. In der Universitätsbibliothek Uppsala befinden sich erwartungsgemäß auch die Briefe an Söderblom (wenn auch nicht alle) von Heiler und vom Baron. Der dritte hier ausgewertete Fundort ist St Andrews (Scotland), wo der Nachlaß von von Hügel in der University Library aufbewahrt wird. Es liegen da die Originale der hier veröffentlichten Briefe Söderbloms und Heilers an von Hügel, wenn auch wiederum bedauerlicherweise nicht vollzählig.

39 Die Briefe Friedrich von Hügels an Friedrich Heiler, in: Ökumenische Einheit 3/II (1952), S. 29-52. Franks Herausgabe ist durchaus zuverlässig; der Vergleich mit den bei Frau A. M. Heiler aufbewahrten Originalen hat es mir aber ermöglicht, einige Lücken auszufüllen und Verbesserungen vorzunehmen. Die vorliegende Veröffentlichung dürfte also als endgültig angesehen werden.

Einige Briefe von Hügels (und Söderbloms an von Hügel) sind ausnahmsweise in englischer Sprache geschrieben und werden hier auch in der Originalsprache wiedergegeben, da eine Übersetzung wohl überflüssig wäre. Anders verhält es sich mit den zahlreichen auf schwedisch geschriebenen Briefen Söderbloms an Heiler. Es schien angebracht, diese stellenweise im Vorspann zu resümieren, mit Ausnahme einer wichtigen Gattung. Heiler selbst hatte längere Passagen aus den an ihn gerichteten Briefen Söderbloms übersetzt und in seiner Zeitschrift veröffentlicht.[40] Die betreffenden Briefe habe ich anhand der Originale durchgesehen und die Auslassungen in einer Weise ergänzen können, von der zu hoffen ist, daß sie den Wert dieses Quellenbandes erhöht. Wie ich dabei vorgegangen bin, wird jeweils in den Anmerkungen erläutert. Bei der Textwiedergabe der Briefe habe ich diese behutsam an die heute gültige Schreibweise angeglichen,[41] auch wenn dies bei eigenwilligen Briefschreibern wie von Hügel und, was das Englisch betrifft, auch bei Söderblom nicht restlos durchzuführen war.

40 Die Veröffentlichung erfolgte in zwei kleinen Gruppen: Evangelische Katholizität. Erzbischof Söderbloms Vermächtnis an uns. Aus seinen Briefen, in: HK 13 (1931), S. 298-302, und: Nathan Söderblom, Briefe an F. Heiler, in: Eine heilige Kirche (im folgenden abgek.: EhK) 13 (1936), S. 149-155.

41 Wie ausführlich dargelegt, in: Ernst Troeltsch. Briefe an F. von Hügel, hrsg. v. Apfelbacher und Neuner, S. 48.

Ein Schwede und der Modernismus

1. Von Hügel an Söderblom

London, 7. April 1909

Hochgeehrter Herr Professor!

Erlauben Sie, bitte, daß ich, der ich ja kein Schwedisch weiß, Ihnen, nicht in meiner *Mutter*sprache, Englisch, sondern in meiner *Vater*sprache, Deutsch, schreibe. Ich hätte das schon längst tun sollen, und hätte es auch gerne getan, wenn mich nicht ein langwieriger Influenzaanfall (der mich eigentlich noch immer etwas plagt) vom Lesen Ihrer gelehrten Abhandlung "The Place of the Christian Trinity" etc.[1] bis jetzt abgehalten hätte. Wollte ich ja doch mich bei Ihnen nicht für die freundliche Zusendung bedanken, ehe ich vom Inhalte der Schrift Kenntnis hatte nehmen können.

Endlich habe ich heute die überfließend vollen Seiten aufmerksam durchgehen können, obgleich ich gleich gewahr wurde wieviel ausgebreiteter Ihre Kenntnisse sind, als es die meinigen je sein werden. Indisches, Persisches, selbst christlich Syrisches — das alles kenne ich nur aus zweiter Hand, und auch so nur in Betreff des Buddhistischen auf einigermaßen respektable Art. Ich habe einmal eben, wie ein jeder, meinen eigenen Arbeitskomplex, den ich eigentlich eher zu groß als zu beschränkt finde — alt- und neutestamentliche Kritik und Wissenschaft und allgemeine Religionsphilosophie, vom Christentum aus beobachtet und analysiert.

Aber ich kann auch so, von den mir aus erster Hand bekannten Partien Ihrer Untersuchungsobjekte leicht heraussehen, wie tüchtig und höchst genau Herr Professor arbeiten, und wie nützlich solch gediegene, streng durchdachte Gruppierungen und Distinktionen sind. Die vorläufige Ausmerzung jener vier (oder fünf) Triadenarten (S. 393—399) und dann die Analyse der vier nichtchristlichen aber schon *positiven*, als notwendig erachteten, in institutionellen Religionen erwachsenden Dreiheiten (S. 399—408), führen stattlich logisch und lichtverbreitend zu der christlichen Dreieinigkeit (S. 408, 409), und zur Unterscheidung zwischen dem notwendigen Grundbestande der religiösen Erfahrung und deren philosophischer Formulierung oder Zurechtlegung (S. 409, 410).

Erlauben Sie doch, daß ich mich besonders zufrieden erkläre mit Ihren Abweisungen auf S. 393—399, Ihrer Andeutung der populären Auffassungen auch im (populären) Protestantismus (S. 398), und Ihrem feinen und offenen Sinne für das große und wahre im Buddhismus, S. 399—401. Gewundert habe ich mich eigentlich nur auf S. 405, wo Sie zwar schön und genau die Annäherung an eine Dreiheit in dem mir so intim bekannten Deuteronomium schildern, aber, merkwürdigerweise kein Wort über Philos *Vita Mosis* verlieren — eine Schrift die doch ein höchst frappantes Vorspiel zum vierten Evangelium und dessen Insistenz auf Jesus als Mitteiler und Offenbarer einer höheren Welt erscheint.

Es war mir ein wahrer Vorteil und ein sehr reines Vergnügen den wackeren jungen Dr. Samuel Gabrielsson[2] dahier zu begrüßen; und es war mir eine schöne Genugtuung zu entdecken, daß Sie mein „Mystical Element"[3] studieren und mit vielem darin zufrieden sind. Schon nach vier Monaten ist ein neuer Abdruck notwendig geworden; ich erlaube mir, Ihnen mein kurzes Vorwort zu demselben hiermit hochachtungsvoll zu überreichen. Ich wäre natürlich recht zufrieden, wenn auch in Schweden das Buch Absatz und Beachtung findet. Ich lege aber Gewicht darauf, daß dies überall möglichst ruhig, ohne journalistischen Lärm geschieht.

Hochachtungsvoll,
Fr. v. Hügel

Brief Nr. 1, UB Uppsala. Am Kopf schrieb von Hügel seine Adresse, wie hier, oder sie stand schon gedruckt:
13 Vicarage Gate, Kensington, London, W.

1 Söderblom hatte offenbar von Hügel einen Sonderdruck seiner Abhandlung zugehen lassen: The Place of the Christian Trinity and the Buddhist Triratna amongst Holy Triads, in: Transactions of the Third International Congress for the History of Religions, Oxford 1908, II, S. 319-410 (vgl. auf deutsch: Vater, Sohn und Geist unter den heiligen Dreiheiten, Tübingen 1909).

2 Samuel Gabrielsson (1881-1968) (wurde später Pfarrer und Propst in Hedemora) interessierte sich für die liturgische Erneuerung in der schwedischen Kirche.

3 Von Hügel, The Mystical Element of Religion as Studied in Saint Catherine of Genoa and Her Friends, 2 Bde., London 1908.

2. Von Hügel an Söderblom

London, 27. November 1909

Hochgeehrter Herr Professor!

Vom 15. Juli an, als uns unser teurer Freund, Pater George Tyrrell[1], verschied — er, von dem wir zehn Tage vorher meinten er würde uns wohl alle, und mich sicherlich, um viele Jahre überleben — habe ich so massenhaft unmittelbar um mich herum zu tun gehabt, habe ich auch so vieles innerlich neu durchkämpfen und in Leid und Not mir wieder erringen und durchläutern müssen, und ist mir endlich an dem allen meine stets geringe Gesundheit so angegriffen worden, daß ich leider einen großen von entfernter stehenden, jedoch hochgeschätzten Korrespondenten habe bis zur Stunde unbeantwortet lassen müssen. Es ist wahr, daß, als ich den so freundlichen und intelligenten Herrn *Knut B. Westman*,[2] von Uppsala her, in West Malvern begrüßte, und mit ihm so manches, auf jener schönen Hügelkette, traulich besprechen konnte, es mir schon (12., 13. Aug.) nicht schlecht ging. Seitdem habe ich aber in Händen der Ärzte sein müssen, und auch jetzt noch summt es mir so stark im Kopfe, daß ich nachts mehrmals dadurch geweckt wurde, und selbst nur längeres Briefschreiben derartige Symptome gleich wieder ins Leben ruft. Dies alles, bitte, nur um mich bei Ihnen zu entschuldigen.

Es ist ja eben recht viel, wenigstens für mich und mein inneres Leben, ich glaube aber, auch für die religiöse Zukunft des gebildeten Europas wichtiges, vorgefallen.

Die langwierigen Miseren die dem Begräbnisse unseres Freundes folgten, sind ja, eben nur jetzt, endlich, und zwar auf recht betrübende Art, entledigt. Es ist wahr eines, und nur eines, ist in dieser „Unterwerfung" Abbé Bremonds[3] ein Gewinn — Rom hat (wir können über den Grund hierfür nur raten) die erste der drei Klagen des Bischofs von Southwark gegen Henri Bremond (daß er dem Sterbenden nicht einen unbedingten Widerruf abgewonnen habe) ausdrücklich fallen lassen, und hat nur auf die zwei anderen (kirchliches Begräbnis und Charakter der Anrede daselbst) bestanden. Aber, wie Sie wohl gleich gefühlt haben werden, das speziell an diesem ganzen Akte Verletzende liegt nicht in diesen zwei Abbitten, da es sich hier doch nur, in der Substanz, um disziplinäre Dinge, handelt — es liegt in der ‚adhésion sans réserve à toutes les doctrines de l'Eglise et notamment *aux enseignements contenus dans le décret „Lamentabili" et dans l'Encyclique „Pascendi"':* und ganz sicher hing Rom speziell an dieser Forderung.[4]

P. Tyrrells Buch „Christianity at the Cross-Roads" werden Sie wohl jetzt schon in Händen haben; sonst würde ich Ihnen gerne ein Exemplar schicken. Es ist das doch, trotz dieser und jener Unebenheit, Übertreibung etc. (die, so höre ich, sich ja auch bei Andern finden lassen) ein tiefes, aufrüttelndes, nicht nur von der Wahrhaftigkeit sondern auch von der Wahrheit überfließend vieles enthaltendes und in heiligem Ernste austeilendes Buch. Hier in England, auch unter langjährigen Freunden Tyrrells, macht es einen gewaltigen Eindruck, der meistens, von den *razionalistisch-Liberalen,* und wieder von den *unbedingten Rom-feinden,* so gut wie möglich verschleiert wird. So will, z. B. Herr Fawkes[5], ein zum (liberalen)

Anglikanismus zurückgekehrter römisch-katholischer, ja während Jahren, ultramontaner, Geistlicher, das Ganze flugs als „clever", „brilliant", „ingenious" abtun, und sicher wissen, Tyrrell wäre selbst von dieser Art Romfreundlichkeit (die doch sicher nicht von Pius X. anerkannt werden wird) gewiß bald zurückgekommen. Man kann, meiner (in diesen Fragen und im Ideengange Tyrrells weit erfahreneren) Ansicht nach, kaum mehr fehl gehen als Herr Fawkes es hier tut. Und wäre ich Protestant so würde mir eine solche, die tiefsten Fragen intellektuell so leicht nehmende, Haltung immer noch recht unsympathisch sein. Als ob es nicht für den Protestanten (wenn die Forschung wirklich den Kern der Johannes Weiss-Schweitzer-Loisy-Tyrrell'schen Positionen erhärtete) ein genügender Trost wäre, siegreich behaupten zu können, daß nur die zwar von der vor- oder nichtprotestantischen christlichen Renaissance angebahnte, dann aber bald von Rom möglichst unterdrückte, und *allmählich* vom Protestantismus (oft nur höchst widerwillig, aber doch tatsächlich) erlaubte, in gewissen Richtungen stimulierte, Untersuchungsfreiheit, die Entdeckung auch dieser Positionen, mit ihrem Wahrheitskerne, möglich gemacht hat, und Rom hingegen immer noch nichts von dem Allen wissen will. — Es ist zwar andererseits wahr, daß auch der Protestantismus, von seinen früheren Aufstellungen (insoweit sie mehr und anderes als ein Protest gegen die Verpflichtung auf Scholastik und gegen eine *unbegrenzte* Papstgewalt waren) doch gewaltig viel hat fallen lassen müssen. Desto schmerzlicher ist es denn einem wie mir Gesinnten, daß, in solch schweren aber reichen, in allen Kirchen der Umwandlung bedürftigen Zeiten, Roms Haltung die alten Fanatismen für und gegen (Punkte die ja einer Ausgleichung inmitten der gewaltigen *neuen* Probleme durchaus fähig sind) nicht aussterben läßt. Weiser, edler, christlicher bleiben nur aber, auch so, denn immer noch diejenigen, die dadurch mehr und mehr aufs Zentrum, aufs Positive, auf eine alles verwertende Liebe geworfen werden, die auch jetzt nichts von Ausweisungen mit Sack und Pack, geschweige denn von Irreligion wissen wollen.

Tyrrell hat während wohl acht Monaten (Juni 1908—Ende Februar 1909) die Altkatholiken, *auch als Genossenschaften*, die in England sich organisieren wollen, begünstigt; und ein Brief, den Tyrrell an Bischof Herzog in diesem Sinne schrieb, ist von letzterem, ohne alle Erlaubnis, veröffentlicht worden.[5a] Es ist mir sonnenklar, daß diese Annäherung nicht lange stand gehalten hätte. Ja bereits die letzten vier Lebensmonate Tyrrells zeigten mir einen klaren Rückgang. Auch sein Buch hält die große Position von Loisys „l'Evangile et l'Eglise" ein — Reform, Durchgeistigung, von *allen* großen Institutionen und Lehren Roms, und nicht totales Ausscheiden von diesem, und einfaches Stehenlassen von jenem.

Ich erlaube mir Ihnen, heute, folgendes (als Ersatz des im August nicht gesandten) zu schicken: (1) Photographie von G. Tyrrell — ausgezeichnet ähnlich, obwohl vielleicht nicht ernst genug. (2) Die schöne, von Miss Petre[6] zusammengestellte, Memento-Karte. (3) Vier Hauptrezensionen des neuen Buches: (a) ‚Spectator'[7]; (b) ‚Church Times' (Lacey)[8]; (c) ‚Inquirer' (unitarisch; Aufsatz aber von A. L. Lilley)[9]; und (d) ‚the Outlook'.[10]

In der Januar-Nummer des ‚Hibbert Journal' werden Sie einen Aufsatz von mir über G. Tyrrell finden.[11] Ich hoffe er wird Gutes wirken.

Mit freundlichen Grüßen, auch an Herrn Westman, und Dank für Ihren wohlwollenden Brief[12]

Ergebener
Friedrich von Hügel

Brief Nr. 2, UB Uppsala.

1 S. Einleitung zu Tyrrell (1861-1909).

2 K. B. Westman (1881-1967) war Kirchenhistoriker, Missionar, Mitarbeiter Söderbloms, und ab 1930 Professor in Uppsala.

3 Henri Bremond (1865-1933) war Jesuit bis 1904, danach Weltpriester, Verfasser von der Histoire littéraire du sentiment religieux en France, 11 Bde., Paris 1916-33. Nach dem treffenden Wort Loisys war Bremond kein Modernist, sondern während der Streitigkeiten „ist er lediglich in den Dienst des Roten Kreuzes getreten: er hat die Toten aufgelesen und die Verwundeten verbunden" (E. Poulat, Une oeuvre clandestine d'Henri Bremond, Rome 1972, S. 34).

4 Von Hügel zitiert nach der erst wenige Tage vorher in der Presse bekanntgewordenen Unterwerfungsformulierung, die Bremond am 5. Nov. 1909 unterschrieben hatte. Von Hügel läßt noch am 31. Dez. 1909 in einem Brief an Loisy seine Enttäuschung über Bremond spüren, s. Loisy, George Tyrrell et Henri Bremond, Paris 1935, S. 40. Vgl. auch von Hügels Brief vom 20. Nov. 1909 an Lilley, bei Barmann a.a.O., S. 230, Anm. 2.

5 Alfred Fawkes (1850-1930) verfaßte u. a. Studies in Modernism, London 1913. Zu dieser und anderen mit dem Modernismus in Verbindung stehenden Gestalten s. Emile Poulat am in der Einleitung Anm. 15 angemerkten Ort.

5a Zu Herzog s. u. Brief Nr. 58, Anm. 5; über Tyrrells Brief an ihn vgl. Barmann, a.a.O., S. 233.

6 Maude Petre (1863-1942) bewährte sich als treue Helferin Tyrrells besonders ab 1907 während seiner letzten Jahre, wie auch nach seinem Tod. Sie hat sowohl das posthume Werk, Christianity at the Cross-Roads, wie auch die Autobiography and Life of George Tyrrell, 2 Bde., London 1912, und andere Schriften zum Thema Modernismus herausgegeben bzw. verfaßt.

7 In: The Spectator, 6. Nov. 1909, S. 742 f. (anonym).

8 In: The Church Times, 5. Nov. 1909, S. 603 (anonym). Thomas A.

Lacey (1853-1931) war Redaktionsmitglied der Church Times (hoch-kirchlich); 1895-96 hatte er eine führende, wenn auch ganz und gar inoffizielle, Rolle bei den römischen Erörterungen über die anglikanischen Weihen gespielt, s. J. J. Hughes, Absolut Null und Nichtig, Trier 1970 (Register).

9 The Inquirer, 6. Nov. 1909, S. 749, von A[lfred] L[eslie] Lilley (1866-1947) gezeichnet, einem erfolgreichen anglikanischen Kirchenmann, modernistischen Gelehrten und Verfasser von: Modernism, a Record and Review, London 1908.

10 The Outlook, 13. Nov. 1909 (anonym).

11 Father Tyrrell: Some Memorials of the Last Twelve Years of His Life, in: The Hibbert Journal 8 (1910), S. 233-252.

12 Nicht aufgefunden.

3. Söderblom an von Hügel

Hochgeehrter Herr!

Ich verdanke Ihrer Güte eine ganze Reihe von mir ganz besonders wertvollen Mitteilungen und Zusendungen: Ihren tief empfundenen und sehr lehrreichen Brief, voll vom erschütternden Verluste Ihres Freundes und Jüngers und den daran sich anknüpfenden tragischen oder sonderbaren Ereignissen; Ihre Untersuchung über Loisys großzügige Behandlung der Evangelien — von der ich im Rinnovamento[1] nur den Beginn gelesen hatte; Tyrrells Bild, größer und deutlicher als dasjenige das er mir gütigst sandte mit den Worten "It is I, be not afraid", und das ich als eine Reliquie bewahre; weiter die Besprechungen seines posthumen Buches.

Nach eingehender Beschäftigung mit dem Katholizismus und speziell mit den Peripatien der letzten Jahre habe ich einige Voraussetzungen die Unterwerfung[2] des Abbé Bremond besser als die meisten Protestanten verstehen zu können und zu wollen. Als eine wirkliche Änderung der Gesinnung darf man wohl diesen ungeheuren Widerruf[3] nicht auffassen. Dann bedeutet er wohl 1. etwas sympathisches: daß er Katholik und nicht antiklerikaler Marktschreier bleiben wollte, und 2. etwas sehr schwaches: daß er bei sich den Mut und die sittliche Kraft nicht fühlte, die heroische Position seines bedeutenden Freundes aushalten zu können.

Mit Andacht und gespannter Erwartung — leider allzu gespannter — nahm ich Tyrrells Buch in die Hand. Viel ergreifendes, noch mehr schönes findet sich darin, es gibt leuchtende Sätze — wie überall bei ihm — zu denen man gern zurückschaut. Zwei Sachen sind mir im Cross-Roads besonders wertvoll. 1. Die Treue und feurige Liebe des Autors für seine Kirche die ihn so schlecht behandelte. Unter den exkommunizierten Modernisten kommt ihm ein Ehrenkranz zu — denn er blieb treu bis in den Tod. Eine solche Liebe eines solchen Sohnes — ach, was für eine Kraft bedeutet sie nicht für die katholische Kirche. 2. Der eschatologische Christus. Zwar hat er hier seine Reaktion übertrieben und die echte Valeur der betreffenden historischen Forschungen nicht ganz verstanden, wenn er Jesus in die Reihe der Apokalyptiker hineinstellt, anstatt ihn als einen Propheten aus dem echten, vom Täufer erneuten Typus, aufzufassen. Ist das doch eine sehr bedeutsame Verschiedenheit. Aber wie lebendig hat er nicht diese neue Position aufgenommen und weiteren Kreisen geschildert!

Doch kann ich mich einem Gefühl von Enttäuschung nicht ganz entwehren. Besonders wegen der sonderbaren, apologetischen, konfessionellen Weise, in welcher er die eschatologische These ausnützt. Sein Eifer, pro vita sua für den Katholizismus einzutreten, ist, besonders nach seinen vorletzten Veröffentlichungen, psychologisch überaus natürlich und mir persönlich überaus sympathisch. Aber ich glaubte kaum meinen Augen, als ich las, der eschatologische Christus sei der Tod des liberalen Protestantismus[4] — der ja eben, kraft seines Prinzips der freien Forschung, diese Auffassung gezeitigt hat. In den Vorlesungen, die ich gegenwärtig (über a. Tyrrell und von Hügel; b. la philosophie de l'action[5]) halte, habe ich es versucht, meinen protestantischen Zuhörern wahrscheinlich zu machen, daß vielleicht auch im edelsten Katholizismus das Gefühl daß Christentum Wunder ist — natürlich in einem anderen Sinne als gemäß dem populären Wunderglauben — lebendiger gewesen ist als im Protestantismus (cfr. B. Duhm, Das Geheimnis in der Religion[6]). Ich glaube so. Niemand kann der intellektualistischen Nüchternheit mehr überdrüssig sein als ich. Aber Tyrrell verdankt doch „dem liberalen Protestantismus" seine neue Einsicht. Und wir haben in der konfessionellen Polemik übergenug von unklaren, pathetischen Halbwahrheiten. Ein gewisses, natürlicherweise ganz aufrichtiges Schwelgen im Paradoxalen eignet einem Kierkegaard und einem Newman, aber weniger einem Tyrrell. Er teilt doch selber keineswegs den Glauben an Dämonen, Besessenheit, Exorzismen usw., den er im Cross-Roads als einen dem Urchristentum besonders kongenialen Zug im Katholizismus angibt. — Die eschatologische Deutung des gesamten Evangeliums scheint mir die bedeutendste Entdeckung der Gegenwart auf dem geschichtlichen Gebiete zu sein. Aber das originelle bei Jesus ist ja, daß keine apokalyptische Neugierigkeit sondern eine ganz gewaltige Betonung — eine unbarmherzig offenbarende Überstrahlung — des gegenwärtigen Augenblicks daraus gekommen ist. Eschatologie heißt religiös Überweltlichkeit. Und als ein ergreifendes Zeugnis von einem Geiste und von einem Leben, die von der Gegenwart einer überweltlichen Wirklichkeit ganz durchdrungen waren, bleibt uns das letzte Buch Ihres genialen Freundes ein köstliches . . .[7]

Das gegenwärtige Religionsproblem ist der Titel eines Buches, dessen Manuskript schon zum Teil an die Druckerei gesandt worden ist. Ich möchte gern dort Ihr Bild, nebst denjenigen Tyrrells, Loisys, Harnacks und Eukkens, reproduzieren dürfen. Darf ich Sie höflichst bitten, mir eine gute Photographie gütigst übersenden zu wollen?

Ihr mit ausgezeichneter Hochschätzung ergebener

Nathan Söderblom

Brief Nr. 3, UB St Andrews (ms 3067).

1 Il Rinnovamento hieß eine 1907-09 in Mailand erschienene Zeitschrift, an der von Hügel und Tyrrell mitarbeiteten, s. dazu Scoppola, Crisi modernista e rinnovamento cattolico in Italia, Bologna ³1975, S. 185-260, und L. Bedeschi, Carteggio Alfieri-Sabatier, in: Fonti e documenti des Centro Studi per la storia del modernismo, Urbino 2 (1973), S. 82-113. Die Untersuchung von Hügels: L'Abate Loisy e il problema dei Vangeli Sinottici, in: Il Rinnovamento 3 (1908), S. 209-234; 4 (1908), S. 1-44; 5 (1909), S. 229-272 und S. 396-423; s. dazu L. F. Barmann, Baron Friedrich von Hügel and the Modernist Crisis in England, Cambridge 1972, S. 208.

2 Unleserliches Wort; mutmaßliche Wiedergabe.

3 Bremond wurde wegen seiner Teilnahme am Begräbnis eines Exkommunizierten als Kleriker kirchlich gemaßregelt. Um sich von dieser Strafe zu befreien, mußte er die Erklärung unterzeichnen, wovon von Hügel Söderblom im vorausgehenden Brief unterrichtet hat. In seinem am Schluß dieses Briefes erwähnten Werk, Religionsproblemet inom katolicism och protestantism, Stockholm 1910, S. 209, bezeichnete Söderblom dieses Sich-Fügen schlicht als einen teuren Preis, der es Bremond jedoch erlaubt habe, in der Kirche weiterzuwirken.

4 Wörtlich scheint zwar diese Behauptung nirgends in Cross-Roads zu stehen und wird auch nicht so in Religionsproblemet, S. 209-217, angeführt, gibt aber sachlich den richtigen Eindruck wieder.

5 Nämlich von Maurice Blondel (1861-1949), wovon Söderblom im 7. Kapitel des Religionsproblemet, S. 141-149, handelt.

6 Bernhard Duhm (1847—1928), Alttestamentler ab 1888 in Basel, verfaßte u. a. Das Geheimnis in der Religion, Vortrag gehalten am 11. Feb. 1896, Freiburg 1896.

7 Unleserliches Wort.

4. Von Hügel an Söderblom

London, 10. März 1910

Hochgeehrter Herr Professor
wollen freundlichst für einige Tage diese arme Postkarte
als Danksagung für Ihren langen, hochinteressanten, und
höchst liebenswürdigen, dahier am 9. angelangten Brief
annehmen. Ich möchte nämlich doch gleich andeuten, daß
ich *natürlich* mich durch Ihren Vorschlag, der ja durchaus
nicht von einem sensationsjagenden Journalisten oder
zelotenhaften Katholikenfresser, sondern von einem fein-
fühligen Christen und *Gentleman* ausgeht, sehr geehrt
empfunden. Die gewünschte Photographie soll an Sie in
3—4 Tagen abgehen. Verzeihen Sie, daß sie so groß ist. Sie
soll so frappant ähnlich sein, daß meine Frau nur immer
diese und keine neue will. Und das Bild wird im Buche
frischer aussehen, wenn nur einmal die Reduktion erfolgt.

Hochachtungsvoll
F. v. Hügel

Brief Nr. 4, UB Uppsala.

5. Von Hügel an Söderblom

London, 13. April 1910

Hochgeehrter Herr Professor!

Es tut mir aufrichtig leid so spät mit meinem versproche-
nen, und Ihnen ja schuldigen, Brief zu kommen; denn
schön und sehr wohltuend war der Ihrige — schon vom
1. März — und vieles hätte ich Ihnen zu sagen, wenn nur
Zeit und Kraft in größeren Maßen vorrätig wären! Erlauben Sie also daß ich zuerst, in Betreff *Abbé Henri Bremonds* mich mit Ihrer Diagnose vollauf einverstanden
erkläre; nur daß ich *zwei* Stärken und eine Schwäche in
seinem Unterwerfungsbenehmen finde. Ich meine nämlich daß es nicht nur stark von ihm war, nun einmal nicht,
auch jetzt nicht, ein antiklerikaler Marktschreier zu werden, sondern auch stark seine eigene Schwäche so durch
und durch zu kennen. Noch wenige Wochen vor seinem
Tode bestand der liebe P. Tyrrell bei mir auf dem Doppelten, daß zwar Henri Bremond kein heroischer Wille sei,
hingegen aber eine selten große und unbestochene Selbstkenntnis, auch in diesem Fundamentalpunkte, besitze. So
lange ihm, Henri Bremond, keiner zutraute, seinen verstorbenen Freund zu lästern — und keiner hat dies, so weit
ich weiß, probiert — wird ihm das Übrige verhältnismäßig
leicht gewesen sein. Der Akt bedeutet für ihn *sicher nicht*
eine innere unkonditionelle Zurücknahme der Positionen
Tyrrells.

Was das letzte Buch des verstorbenen Freundes selber
anbetrifft, so hat mich Miss Petre (der ich Ihre wichtigen
Kritiken las) gebeten Ihnen beiliegendes Vorwort[1] zur
italienischen Übersetzung eben jenes Buches in der Hoff-

59

nung zu senden daß er Ihnen auf Ihren Haupteinwand vielleicht Antwort gebe. Für meine Person, und dem Ganzen Ihrer Aufstellungen gegenüber, würde ich besonders zweierlei betonen. Ich meine also, *erstens,* daß Ihr, auf dem ersten Anblick imponierender, Einwand: der Boden auf dem Tyrrell stehe, die Einsicht die ihm all seine Ausstellungen selbst nur ermöglicht, ist ihm ja nur, und ganz, von eben jenem *liberalen* Protestantismus errungen und geschenkt, der ihm dann, und zwar allein, durchaus unvereinbar, in tödlichem Konflikte, mit Jesu ganzer Stellungnahme, seinem religiösen Genius, erscheint: ich meine dieser Einwand hält nicht, auf die Länge hin, stand. Denn eines ist doch immer *die Bedingung, der Komplex der Bedingungen,* ohne welche eine beliebige Einsicht nicht gewonnen wäre; ein anderes bleibt *die logische oder ethische Wahlverwandtschaft* dieser, nun einmal errungenen, Einsicht mit oder auch gegen jene Ideen welche tatsächlich das Zustandekommen dieser Einsicht ermöglichten. So sind der politische Liberalismus und Radikalismus die tatsächlichen Vorgänger und Bedingungen der Erweckung oder Erstarkung des Sozialismus gewesen; aber der liebe alte Individualismus und das gemütliche *laissez-faire* eines Herbert Spencer stehen dennoch in schreiendem Kontrast zur eisernen Organisation und unendlichen Staatseinmischung eines *Karl Marx.*

Ich meine es bleibt zuletzt von diesem Einwand nur übrig daß die, sicher sehr genau angegebene, Filiation der Ideen Tyrrell nicht, zuerst oder irgendwo, zu Dank für die Dienste, gerade dem liberalen Protestantismus gegenüber, gestimmt hat. Ich glaube, dies kann einfach von seinem schon, im Grunde, argen Kranksein, und von der Intensität seiner Konzentration auf *das streng religiöse Problem, wie dieses uns* von der Moderne durchdrungenen, aber den Sinn für die Realität der transzendenten Geisteswelt nicht verlierenden Sucher *durchdringt und aufstachelt*.

Ihr *zweiter* Einwand kommt mir hingegen als, in seinem Grade, sehr stichhaltig vor — ich meine natürlich wo Sie sagen Tyrrell hinterlasse den Eindruck als ob er, durch die Feststellung der von Jesus selbst geglaubten und geübten Exorzismen usw., direkt und in Permanenz eben solchen Glauben und solche Praxis in und für die römische Kirche, auch für jetzt und für die Zukunft, verteidigen und billigen wolle; während im Gegenteil, Tyrrell, mit gewaltigen Opfern, gerade die heutige Unmöglichkeit und Schädlichkeit solchen Glaubens tapfer und fest aufgezeigt hat. Ich glaube daß auch hier eine gewaltige Brachylogie, aus feuriger Gedanken- und Gefühlskonzentration entstanden, und nicht eine konfessionelle Hadersucht, ihn bestimmt. Wenigstens weiß ich, aus allernächster Anschauung und mit noch zahllosen Beweisen in der Hand, welch eine gewaltige Erschütterung, welch ein durchbohrendes Schwert es für ihn war, als er zuerst (durch Johannes Weiß' *„die Predigt Jesu vom Reiche Gottes"*[2]) einen durchaus fest an dergleichen[3], naiv realistisch aufgefaßt, Glaubenden, und hiedurch gemütsvoll . . .[4], Jesus unausweichlich vor Augen zu haben schien. Nicht, wenigstens nicht direkt und zuvörderst, um der römischen Kirche zu gefallen, wohl aber um niemand, und besonders um keinen es leicht nehmenden, zu illudieren, also doch um der, jetzt als gewaltig reichhaltig und schwierig eingesehenen, religiösen Wahrheit willen, fühlte er sich gedrängt den Konziliazionstheologen (der ja in uns allen sitzt, und auch sicher seine Arbeit, seine Berechtigung hat) mal ordentlich herauszufordern.

Das Buch ist eigentlich *aus vielen (persönlich freundlichen) Reibungen zwischen Tyrrell und der Gruppe jüngerer römischer Geistlicher entstanden, welche das kurzlebige Nova et Vetera* redigierten.[5] Tyrrell fühlte sich zu dieser Gruppe, durch ihren politischen Radikalismus, oder eher Sozialismus, mehr noch durch ihren tapferen, ja agitatorischen Krieg gegen die häßliche *Corrispondenza Romana*[6] und dergleichen, mächtig angezogen (besonders das zweite verstand auch ich sehr gut, und wollte dergleichen); aber zunehmend fühlte er sich durch ihren (stets stärker hervortretenden) *reinen Immanentismus* abgestoßen. Er bestand sogar darauf daß die Direktion ihm daselbst schon ein tatsächliches Präludium auf das (die Notwendigkeit und Realität der *Transzendenz* so stark betonende) „Cross-Roads" erlaube. Und in diesem Punkt fühlte und fühle ich mich mit ihm glühend eins, wie ich ja auch so gerne glaube daß auch Sie diesen Punkt seine *unübertreibbare Wichtigkeit* mit uns einsehen und schönstens dozieren.

Sie verfolgten wohl sicher die ungemein reichhaltigen und lehrreichen Artikel Loisys in seiner (neu ins Leben zurückgerufenen) „Revue d'Histoire et de Littérature Religieuses" (Paris: Emile Nourry, 14, Rue Notre Dame de Lorette, Paris, 12 fr. 50 jährlich). Besonders ist sein, gegen S. Reinach[7] aber auch Frazer, gerichteter Aufsatz in der zweiten Nummer, „Magie, science et religion"[8], doch allerersten Ranges. Auch im *„Bulletin"* der *„Union pour la Vérité"* hat er höchst lehrreiche Artikel.[9] Und auch von seinem Aufsatze in der diesmonatlichen Nummer des „Hibbert Journal"[10] kann man viel lernen. Aber — eines scheint mir, selbst in diesen Arbeiten (so viel schönes und wahres zugunsten der Unersetzlichkeit der Religion erscheint), als eben doch mit solch einer Behauptung unvereinbarlich. Ich meine, es kommen Beschreibungen von dem was Religion ist, oder was sie bleiben wird, und auch andere Stellen, vor, welche die Religion *rein imma-nentistisch* nehmen, und welche (nach Stellen wo die großen innermenschlichen Resultate eines, bisher in der Religion als *universell* zugegebenen, Glaubens an *transsubjektive, übermenschliche* Kräfte, gerade als *nur durch solchen Glauben ermöglichte* behauptet werden) die Religion der Zukunft auf Ausarbeitung solch innermenschlicher Resultate und auf Aufrechterhaltung der Wichtigkeit eines Ideals für die Menschheit mit tapfer explizitem Fallenlassen irgendwelcher übermenschlicher Realität beschränken.[11] Ich glaube sehr gut die Schwierigkeiten zu kennen welche einem ehrlichen Forscher solche Gedanken bringen können. Aber ebenso klar ist mir doch daß diese (bei Loisy, Gott sei Dank, *nicht instinktiven sondern nur reflektiven)* Anwandlungen, mit Konsequenz durchgeführt, den Tod aller und jeder wirklichen Religion bedeuten würden.

Ich arbeite an einem Aufsatz über Freund *Eucken[12]*, und lese dazu (zum ersten Male *in extenso)* das ungemein eindringliche, tatsachensatte, die Eigenheiten des religiösen Lebens feinstens aufspürende Buch Feuerbachs, „Das Wesen des Christentums"; und freue mich schon darauf, im „Hibbert Journal", oder auch sonst wo, das wahre in der Psychologie, das (verderblich aber höchst plausibel) Falsche in der Philosophie, dieser ganzen Position aufzudecken.

Mit Illusionismus können wir einmal nichts anfangen. Wird der Modernismus Illusionismus, so ist er tot oder lebt nur um zu töten. Und doch läßt sich der Illusionismus

nur wo er mit vollem Bewußtsein und großartig erschrek-
kender Konsequenz, wie bei Feuerbach, erscheint, gründlich untersuchen und aufdecken. Mittlerweile bitte ich Sie,
hochgeehrter Herr Professor, meine Aufstellungen bei
Loisy *nicht als die meinen* mitzuteilen, und auch womög-
lich diese Seite des selten reichen Mannes eben *doch nur als*
eine Seite betrachten zu wollen, *der sicher noch immer das*
Meiste bei Loisy widerspricht. Möge es ihm vergönnt sein
diese Tendenz, zu unserer allem tiefsten Nutzen, zu
durchschauen und meisterhaft aufzudecken!

Es ist mir natürlich recht lieb zu wissen daß Sie sich auch
mit meinen Arbeiten beschäftigen. Ich habe mit Vergnügen eine 28 Seiten lange, gespickt volle, Besprechung
meines Werkes vom Jesuiten *Grandmaison*[13] in der zweiten Nummer (März—April 1910) der *„Recherches de*
Science Religieuse" gelesen, die im ganzen recht wohlwol-
lend ist, und bei der ich über einen wichtigen Punkt mich
habe eines Exzessus belehren lassen. Er hat nämlich recht
zu behaupten, der Mensch als solcher habe wohl die
inquietudo *cordis* dem Endlichen gegenüber, aber nur
wenige, in seltenen Momenten, wären sich der Bedeutung
dieser Unruhe bewußt.

Ihr hochachtungsvollst ergebener

Fr. von Hügel

Brief Nr. 5, UB Uppsala.

---

1 Diese Anlage, ein 3seitiges maschinengeschriebenes Schriftstück,
gezeichnet M[aude] D[ominica] P[etre], wird gegenwärtig unter den
(wenigen) Briefen Tyrrells an Söderblom in der UB Uppsala aufbewahrt.
Jemand, wahrscheinlich von Hügel, hat mit der Hand am oberen Rand
darauf geschrieben: „Introduction to Italian translation." Wegen des
hohen Interesses dieser Äußerung von M. Petre drucken wir sie hier im
Original ab.

„Much has been said and written about this book since its appearance in England, and the prediction of its writer has been fulfilled in that no party can claim the work for its own side, and that many of those are perplexed, who thought to understand him best. To some of us this is the greatest of his works; to others it has seemed out of harmony with his previous position. Can we explain the apparent contradiction?

In Christianity at the Cross-Roads Father Tyrrell tells us, with his usual fearless frankness, that he finds the Gospel in harmony with the Church on certain points which are most distasteful to the modern mind. Does he say this in order to justify those evils against which he raised his voice in ‚Medievalism'? If he finds a certain intolerance in the Gospel would he therefore justify the prevailing intolerance in the Church? and so of other things? This is not his meaning. But for a mind such as his there was no facile solution to any question; ecclesiastical problems are not, as some would imagine, solved by a simple return to the Gospel; we cannot escape from the Pope to Christ and find an end of all our difficulties. For him the Gospel, as well as the Church, was a vehicle of Divine Truth; both of God, and yet both also, in another sense, of man. Oppressed by those who claim to represent Christ we look back to Him, and find that He too has spoken hard words, and was not the Social Reformer we dreamed Him to be.

Is the Church then right when she follows Him in such things—or are both wrong? Neither alternative is acceptable. The Gospel is not there to block the road of progress, to oppose itself between the Church and humanity as though the world learned nothing in the course of its history, and as though the Church had nothing to learn from mankind as well as mankind from the Church. If we can never reach to the full perfection of the Gospel spirit, we may still, in some ways, outgrow its letter; and what did Christ Himself tell us in that respect? What better comparison could we have than that which Father Tyrrell himself gives us in regard to the great military leaders of the past?

The only escape from our difficulty is in a full acceptation of the other-worldliness, the transcendency of the Gospel message and of him who brought it; if we cannot accept this notion of transcendency, then, according to the book before us, we shall at last be disappointed in the Gospel as we were disappointed in the Church—neither is wholly satisfactory for this world, both are directed to a life beyond. For a this-world optimist the Gospel has no lasting message; for material progress it is an inefficient textbook—all this Father Tyrrell would admit; but for those to whom the world is big with a meaning greater than itself, the message of the Gospel can never be exhausted.

What Father Tyrrell tells us then is not that the Church is right in everything for which she can claim Gospel precedent — nor certainly did he mean that she can claim Gospel precedent for all that is done in her name. But what he came to see was that it is not always in the Gospel that we can read the condemnation of certain methods which the best morality now condemns; since ethics are not a fixed, unchangeable science.

Also that it is vain to cast away this or that since the difficulties really apply to the whole — the *letter* killeth, the *whole* of the letter, not only some words and lines of it — the whole needs reinterpretation as life goes on and men advance to higher ideas of civilisation and morality. But such reinterpretation, which would be artificial had the Gospel been directed to this life, is sincere and justifiable when it is understood as directed to another, and a higher life.

Now the Church of the Future will be based on such reinterpretation, of such re-spiritualizing of doctrinal symbols; and therefore it is that the Catholic Church may prove itself best fitted to be the nucleus of that future Church. For we can only reinterpret what we have preserved — that which has been thrown away entirely is as much lost for the spiritual as for the scientific or historical order. If other Churches have better preserved certain parts, the Catholic Church has clung most persistently to the whole. That is why the religion of the future may be grafted on her rather than on other more partial even be they purer presentments of Christianity. M. D. P."

2 Johannes Weiß (1863-1914) veröffentlichte sein bahnbrechendes Buch erstmals 1892, 1900 aber in neuer Fassung. Daß Tyrrell sowohl Weiß als auch A. Schweitzer, Von Reimarus zu Wrede, Tübingen [2]1906, gelesen hat, geht aus seinem Brief an von Hügel vom 9. April 1909 hervor, bei Cross-Roads, London [2]1963, S. 9 vom Hrsg., A. R. Vidler, zitiert.

3 Vor „naiv" hat von Hügel „an solches" eingefügt.

4 Wort unleserlich, etwa „abfixierten".

5 Diese Gruppe scharte sich um Ernesto Buonaiuti (1881-1946), der die Zeitschrift Nova et Vetera (nur 1908 als Halbmonatsschrift erschienen) anonym herausgab. Vgl. Scoppola, a.a.O., S. 279-295; Bedoyère, The Life of Baron von Hügel, London 1951, S. 238; und F. Parente, Ernesto Buonaiuti, Rom 1971, S. 25-35.

6 Die Corrispondenza Romana war eine Art Nachrichtendienst für die integralistische Presse, redigiert von Mgr. Umberto Benigni (1862-1934), die 1907-1912 möglichst alle modernisierenden Priester, Professoren, Bischöfe und ihre Schriften aufspürte und diffamierte; s. Emile Poulat, Intégrisme et catholicisme intégral. Un réseau secret internationale antimoderniste: La „Sapinière" (1909-1921), Tournai 1969, S. 61-

64. Nachdruck: La Correspondance de Rome, eingel. v. E. Poulat, Mailand (Feltrinelli) 1971.

7 Salomon Reinach (1858-1932), Archäologe und Philologe in Paris.

8 Neudruck in: A. Loisy, A propos d'Histoire des religions, Paris 1911, S. 166-217. James George Frazer (1854-1941), Verfasser von The Golden Bough (1890, dann erweitert 1911-15), wollte wie andere Zeitgenossen den Ursprung der Religion aufdecken und sah in der Magie ihr Vorstadium; s. dazu Eric J. Sharpe, Comparative Religion. A. History, London 1975, S. 87—94.

9 Poulat, Bibliographie Alfred Loisy, in: A. Houtin und F. Sartiaux, Alfred Loisy, S. 317, verzeichnet drei solche Artikel; die „Bulletin" heißt aber „Correspondance". Gleichzeitig gibt er S. 346 über die Union pour la Vérité und seinen führenden Geist, Paul Desjardins (1859—1940), Auskunft.

10 Vgl. ebenda S. 318: Loisy, Remarques sur le volume: Jésus ou le Christ, Hibbert Journal 8 (1910), S. 473-497.

11 Von Hügel hat hier „beschränken" durchgestrichen und durch „zu verbinden suchen" ersetzt.

12 Zu den Beziehungen zwischen von Hügel und Rudolf Eucken, Jena (1846-1926) s. K.-E. Apfelbacher und Peter Neuner (Hrsg.), Ernst Troeltsch. Briefe an Friedrich von Hügel 1901-1923, Paderborn 1974, S. 37. Der Aufsatz erschien als The Religious Philosophy of Rudolf Eucken, in: The Hibbert Journal 10 (1912), S. 660-677. Die andere in Aussicht gestellte Arbeit wird wohl Religione ed Illusione gewesen sein, in: Coenobium 5 (1911), S. 5-59.

13 Léonce de Grandmaison (1868-1927), vgl. Poulat in: Houtin und Sartiaux, a.a.O., S. 358.

6. Von Hügel an Söderblom

London, 19. Oktober 1910

Hochgeehrter Herr Professor!

Verzeihen Sie freundlichst wenn ich so spät, und selbst jetzt noch so kurz, mich bei Ihnen um Ihre schöne Gabe, das „Religionsproblemets" Buch, wärmstens bedanke. Sie haben so nicht nur ein wertvolles Geschenk gemacht, aber ich sehe daselbst wie Sie mich mit einem 62 Seiten starken Kapitel beehren. Glauben Sie nur, hochgeehrter Mann, daß mir dies, allzusehr in diesen, für meine Freunde und mich tieftrübenden, schwierigen Zeiten, mir eine wahre Gottesgabe und Seelenerfrischung bedeutet. Und jetzt will das so freundliche, feinfühlige Fräulein Fogelklou[1], für deren Bekanntschaft ich Ihnen wieder wärmstens danken möchte, mir dies Kapitel übersetzen. Ich will mir nachdem ich so Ihre Bemerkungen zu studieren den Vorteil gehabt haben werde, erlauben, Ihnen dann wieder zu schreiben, da ich, so wie ich stehe, leider nur die hübsche Darstellung, die interessanten Porträte, und, es ist wahr, auch die Auswahl Ihrer Probleme bewundern und beherzigen kann. Besonders lieb war mir Bergsons[2] Bild; ich kenne ihn, und schätze seine Arbeiten ungemein, hatte aber noch nie ein Bild von ihm gesehen. Dieses ist denn auch vorzüglich, so auch das des Sabatier[3], und sicher auch die Bilder von Wellhausen und Harnack. Auch der Papst ist gut gelungen, vielleicht ist Hermann weniger gelungen; und meine Frau will das mein Bild, sie weiß nicht genau worin, nicht recht ähnlich ist; merkwürdig da die Originalphotographie ausgezeichnet war. Aber genug von solchen Nebensachen.

Prof. Newsom[4] wird mir sicher viel von Ihnen, hochgeehrter Mann, zu erzählen haben. Welch braver, tüchtiger Mensch und aufgeweckte ehrliche Intelligenz!

Hochachtungsvoll ergebener
Fr. v. Hügel

P. S. Es hat mich recht gefreut zu hören, daß Herr Professor auch Italienisches lesen. Ist doch der Rinnovamento, gerade jetzt wieder, meistenteils vorzüglich. Ich hoffe, Sie finden den wackeren jungen Männern Abonnenten unter Ihren Gesinnungsgenossen in Schweden. Sie werden wohl die wichtige Kundgebung „Ci sono due modernismi?" Fasc. V, VI (1908), S. 402—415 gelesen haben. Mir ist das aus der Seele gesprochen, obgleich ich gute Hoffnung habe daß sich die daselbst Gerügten noch gehörig ändern, bezw. bessern werden. Denn Skepsis ist nun einmal eine Seelenkrankheit, und nichts wert, selbst wenn, wie sicher in gedachtem Falle, die Pazienten doch nur einen kleinen Teil der Verantwortung für ihre Stimmung tragen.

Gefreut hat es mich auch ganz besonders, daß mein tüchtiger, sehr lieber Freund Prof. Eucken so schön bei Ihnen geehrt worden ist. Finde ich ihn auch dem Institutionellen gegenüber verhältnismäßig wenig einsichtsvoll, und ist er auch der psychologischen, wohl auch der erkenntnis-theoretischen Seite der religiösen Frage kaum genügend offen und empfindlich, so freue ich mich immer wieder an seinem feinen, ja feinsten Sinne für das was nun einmal Religion ist, und an seinem edlen Widerwillen gegen allen Naturalismus. Ich verdanke ihm *sehr* viel.[5]

F. v. H.

Brief Nr. 6, UB Uppsala, wo die mittlere Seite im handschriftlichen Original fehlt, aber durch eine maschinengeschriebene Abschrift ergänzt werden konnte.

1 Emilia Fogelklou (1878-1972) befand sich in diesen Monaten gerade in London auf Studienreisen als Stipendiatin der Olaus Petri-Stiftung. Davon berichtet sie in ihren Erinnerungen, Barhuvad, Stockholm 1951, S. 133-140. Sie wurde eine bekannte schwedische Schriftstellerin.

2 Zu Henri Bergson (1859-1941) vgl. u. a. Poulat, a.a.O., S. 330.

3 Paul Sabatier (1858-1928) war der berühmte protestantische Verfasser eines epochemachenden Lebens von Franz von Assisi (1. Aufl. 1893) und überaus tätig in modernistischen Kreisen; vgl. Poulat, a.a.O., S. 399-400.

4 George Ernest Newsom (1871-1934), Pastoraltheologe am King's College, London, war 1916-28 (angl.) Vikar von Newcastle und zuletzt Master of Selwyn College, Cambridge.

5 Dieser Nachtrag scheint eindeutig dem vorliegenden Brief vom 19. Okt. 1910 zuzugehören wegen der Anspielung auf die Würdigung Euckens durch Söderblom, offenbar in Religionsproblemet. Es erhebt sich aber ein Zweifel, weil einerseits die Nachschrift auf ein loses, undatiertes Blatt geschrieben wurde und andererseits, im Hinblick auf das Rinnovamento, eine sonderbare Verschiebung um ein Jahr zutage tritt: Il Rinnovamento war 1909 eingegangen, und von Hügel hatte schon in einem Brief an M. Petre vom 15. Okt. 1909 den Schlußstrich darunter gezogen, vgl. seine Selected Letters, S. 171 f.

7. Von Hügel an Söderblom

London, 6. Juni 1914

Hochgeehrter Herr Professor — ja, Erzbischof!

Es war mit einem Gemisch von Befriedigung und Bedauern, daß mich, durch den mir jetzt sehr lieb und teuer gewordenen Jens Nørregaard, vor nicht vielen Tagen die Nachricht erreichte, Sie seien also zum Oberhaupte — möge ich den richtigen Ausdruck treffen! — zum Oberhaupte der Schwedischen Evangelischen Kirche ernannt worden. So weit — als Zeichen des Vertrauens an hoher Stelle, und als Mittel vielfachen Einflusses begrüße ich dies gerne und warm, mit Ihren sonstigen Freunden, hochgeehrter Mann. Weiß ich ja Ihre selten weitausholende, reiche und genaue Gelehrsamkeit, Ihre Offenheit und Weitherzigkeit, auch Ihren warmen, christlichen Sinn, besonders auch Ihre *onto*logische Überzeugung dankbar und bewundernd zu würdigen. Und Sie werden wohl jetzt, als Erzbischof und Kanzler der Universität Upsala, gute, weitere Gelegenheit bekommen für diesen Komplex von Auffassungen und Sympathien tatkräftig zu wirken. Andererseits tut es mir denn doch auch aufrichtig leid, Ihre Professorlaufbahn zu Ende gehen zu sehen; und selbst für die Ausarbeitung solch größerer Bücher, die wir alle von Ihnen erwarten, ja noch immer erwarten, wird es Ihnen schwer werden — so fürchten wir — die notwendige Kraft und Muße, von nun ab, zu finden. Und doch — Bischof J. B. Lightfoot[1] arbeitete, auch mit der reich bevölkerten Durham-Diözese auf den Händen, rüstig an seinen Apostolischen Vätern weiter: möge Ihnen etwas

71

ähnliches gelingen, ohne aber, wie es bei ihm geschah, sich dadurch das Leben zu verkürzen.

Vor vier Tagen traf ich, in unserer Londoner Religionsgesellschaft, den interessanten jungen deutschen evangelischen Missionar, der in Indien wirkt, aber soeben auch noch — unter Ihnen — in Leipzig studiert hat. Wir sprachen, in obigem Sinne, von Ihnen und Ihrer Ernennung. Schade daß der junge Mann nur so wenige Tage hier zubringen konnte! So gerne sehe ich stets Menschen die von Ihnen empfohlen kommen: haben Sie mir doch in Woltman, Frl. Fogelklou, Lindskog, Nørregaard[2], höchst tüchtige Charaktere und Arbeiter kennen lernen. Auch das ist mir eine Wohltat aus Ihren Händen gewesen!

Es tat mir leid, nach vielem Suchen und Anfragen, kein weiteres Exemplar — weder vom vollen Bericht (wie Sie ihn erhielten) noch von der gekürzten Publikation — meines „Essentials of Catholicism"[3] für Herrn Professor Rudolph Sohm auftreiben zu können. Die Herren von *Liddon House* dahier, die meinen Vortrag druckten, taten dies zu nur wenigen Exemplaren. — Ich schicke aber nun, mit dieser Post, 2 Exemplare meiner neuen Arbeit — Aufsatz I über *Prof. Troeltsch und das Christentum*[4] — und bitte ein Exemplar selber zu behalten, das andere Herrn Prof. Sohm zu überreichen. Einliegend auch ein Briefchen an denselben hochverehrten Herrn.

Ihnen, hochgeschätztem Manne, alles Beste wünschend, freundlich ergeben

Friedrich von Hügel

Brief Nr. 7, UB Uppsala.

1 Joseph Barber Lightfoot (1828-1889), ab 1879 anglikanischer Bischof von Durham, gab 1869 Clement of Rome und 1885 den sehr ausführlichen und grundlegenden Ignatius heraus.

2 Zu E. Fogelklou s. Brief Nr. 6. Woltman habe ich nicht identifizieren können. John (Hans Jonas) Lindskog (1869-1948) war 1903-15 schwedischer Legationspfarrer in London, s. Sundkler, a.a.O., S. 170. Der letzte Name betrifft wohl Jens Nørregaard (1887-1953), seit 1923 Professor für Kirchengeschichte in Kopenhagen.

3 Später abgedruckt in: von Hügel, Essays and Addresses on the Philosophy of Religion, London 1921, S. 227-241. Dort, S. 228-232, bespricht von Hügel Sohms Abhandlung, Ursprung und Wesen des Katholizismus, Göttingen 1909. Rudolph Sohm (1841-1917), ev. Jurist, war seit 1887 Professor in Leipzig. Vgl. jetzt G. Lease, Der Nachlaß Rudolph Sohms, in: Zeitschrift der Savigny-Stiftung für Rechtsgeschichte 92, Kan. Abt. 41 (1975), S. 348-376.

4 Abgedruckt ebenda, S. 144-169; s. dazu Apfelbacher und Neuner, a.a.O., S. 42-46.

8. Friedrich Heiler an Söderblom

München, 29. März 1918

Hochwürdigster Herr Erzbischof!

Verzeihen Sie gütigst, wenn ich mir die Freiheit nehme mein Werk über das Gebet zu übersenden.[1] Ich fühle mich dazu aus tiefstem Herzen verpflichtet, da ich (wie ich auch im Vorwort hervorgehoben habe) gerade aus dem Studium Ihrer Schriften die wertvollsten Anregungen für meine Untersuchungen empfangen habe. Mein Plan, die Universität Leipzig zu beziehen, um Ihr persönlicher Schüler zu werden, wurde leider durch Ihre Berufung nach Uppsala vereitelt. Zugleich gestatte ich mir meinen (von H. Oldenberg[2] in den Gött. Gel. Anz. anerkennend beurteilten) Aufsatz über die buddhistischen Versenkungsstufen beizulegen, auf die in meinem Werke wiederholt verwiesen ist und dessen Schlußausführungen Sie interessieren dürften. Da ich Ihr Urteil ganz besonders hoch schätze, so wäre ich Ihnen für nichts dankbarer als für eine Besprechung meines Buches in einer schwedischen oder außerschwedischen Zeitschrift. Doch wage ich es nicht, Sie ausdrücklich darum zu bitten, da ich weiß, daß Sie durch Ihr Amt voll in Anspruch genommen sind. Mein Verleger Herr Ernst Reinhardt, früher Buchhändler in Paris, der Ihnen von Ihrem dortigen Aufenthalt wohlbekannt ist, hat mich gebeten Ihnen seine Empfehlungen zu übermitteln. Mit dem Ausdruck der größten Hochschätzung bin ich

Ew. Exzellenz dankbar ergebener

Dr. Phil. Friedr. Heiler

Die Zensurvorschriften verbieten es, Postpaketen briefliche Mitteilungen beizulegen, weshalb ich den Brief gesondert schicken muß.

Brief Nr. 8, UB Uppsala.

1 S. Einleitung.

2 Hermann Oldenberg (1854-1920), Indologe, ab 1908 Professor in Göttingen, war Verfasser des Buddha, Berlin 1881 u. öfters; s. seine Besprechung in: Göttingische Gelehrte Anzeigen 179 (1917), S. 170 f.

9. Söderblom an Heiler

Upsala, 4. Mai 1918

Sehr geehrter Herr Doktor!

Was ich von Ihrem schönen Werk denke, können Sie meinem Artikel[1] entnehmen. Leider verbietet mir gegenwärtig die Zeit, eine eingehende wissenschaftliche Rezension und Würdigung zu schreiben. Sie haben mir doch durch diese wunderbare Gabe aus dem Wunderland des Gebets die Wohltat bewiesen, mich wenigstens zu nötigen, ein Buch zu lesen, was mir durch die Überhäufung von religiösen, kirchlichen, akademischen, nationalen und internationalen Pflichten und Liebeswerken sonst jetzt verboten wird — leider. Erst im Frieden kann ich hoffen, die ersehnten Forschungsarbeiten wieder mal aufzunehmen.

Es gibt im Gebiete unserer Studien wenige solcher Arbeiten wie die Ihrige, welche mit einem so umfassenden Gegenstand ernste Methode und eine feste religionsgeschichtliche und -psychologische Orientierung verbinden und einen unbefangenen kritischen Blick mit warmem Sinn für das Geheimnis der Religion vereinigen. Was für eine Freude Sie mir durch Ihr opus magnum bereitet haben, Erquickung, Belehrung und Anregung und Dankbarkeit für die liebenswürdige Weise, in welcher Sie meine Arbeiten verwertet haben, ja, das kann ich Ihnen nicht sagen. Ich beglückwünsche unsere gemeinsame Wissenschaft und die Zukunft der Religionsgeschichte an den deutschen Universitäten zu der ebenso überraschenden als erfreulichen Erscheinung eines bei jungen Jahren schon reifen und durch eine gewaltige wissenschaftliche Leistung vollendeten Forschers. Wäre das Buch vor vier Jahren erschienen, wären Sie auf dem Vorschlag zu meiner Nachfolge in Leipzig sicherlich aufgeführt worden. Unter meinen dortigen Schülern wurde niemand soweit fertig. Der tüchtigste, Dr. Hempel, weilt schon seit drei Jahren als Kriegsgefangener in Frankreich. Herzlich danke ich Ihnen für die sehr freundliche Weise, in welcher Sie meinen Namen mit Ihrem großzügigen Werke und mit Ihren Doktorabhandlungen in Verbindung gestellt haben. Ich habe schon eine schwedische, vielleicht etwas verkürzte Übersetzung angeregt. Vielleicht haben Sie die Güte, an Diakonistyrelsens Bokförlag, Smålandsgatan 31, Stockholm, über Ihre Bedingungen zu schreiben. Einige Druckfehler usw. sollten dann berichtigt werden. Ich sah z. B. S. 440 unten, Anm. 70, steht Tieles Kompendium 319 ff. anstatt 519 ff.; S. 441, Anm. 85: ERE II, 735 anstatt III, 739.

Das Bantugebet S. 53 unten ist kaum antisozial, da es sich wohl um Feinde des Stammes oder höchstens des Klans handelt.

S. 270, Anm. 36. Vertritt der Fremde wirklich die Göttin? (Ich habe leider nicht augenblicklich Gelegenheit die Sache zu untersuchen.)

S. 337. Fraglich ist mir, ja mehr als fraglich, ob „das Haupt meist emporgerichtet ist", nein, ich habe die Maler, die so meinen, nie gemocht.

S. 355. In einem Buche „Svenska Kyrkans kropp och själ" (auch englisch erschienen[2]), das ich baldigst senden werde, werden Sie finden, daß unsere Liturgie dem mittelalterlichen Ritus näher steht als das Common Prayer Book, das von der übergehenden Veränderung im biblizistischen

Sinne des römischen Breviariums durch Kardinal Quiñones und Paul III. abhängig ist.

Zum Worte Pascals S. 201 hat Jalal-ed-Din-Rumi eine wunderschöne Parallele, die ich für Främmande religionsurkunder II, 981 übersetzen ließ. Vgl. Natürliche Theologie, S. 75.

Beim quietistischen Beten S. 283 kann ich nicht umhin, an Epikuros zu denken, der ja jedenfalls eine derartige Frömmigkeit vor Makarios (?) ausgebildet hat.

Überhaupt bildet ja dieser Gegenstand ein embarras de richesse, wo man nicht weiß, wo man bleiben soll. Für die Auffassung des Gebets und für die Arten der Gebetspraxis wesentlich ist die Frage, inwiefern das Gebet bzw. die Versenkung für das wirksame Leben in Liebesbetätigung förderlich ist, oder nicht. Ich denke an die ernsten Ausführungen bei der heiligen Teresa und anderen.

Mir bleibt auch ein embarras de richesse, wenn ich die Stellen vorzeichnen sollte, die ich mit besonderer Genugtuung las oder wo ich eine neue und treffende Beobachtung fand. Wohltuend wirkt z. B. in der Frage von Zauber und Gebet und sonst Ihre Selbständigkeit landläufigen Theorien gegenüber.

Ich muß schließen. Es wird spät. Zwei Kleinigkeiten, über meinen ersten Vorgänger im Erzbistum eine liturgische Untersuchung[3], die ich machte als ich, der sechzigste, 750 Jahre nach ihm die Bischofsweihe empfangen sollte, und einen kleinen Vortrag über Birgitta.[4] Ein Paar weitere Sachen kommen bald.

Hoffentlich besuchen Sie mich einmal in Upsala, wo wir denn die Sache so ordnen, daß ich Sie einlade als Gast der Olaus-Petri-Stiftung der Universität, an der Universität in einigen Jahren eine Reihe von Vorlesungen zu halten.

Senden Sie mir, bitte, einstweilen Ihre Photographie.

Morgen — schon heute! — ist Vocem, bönsöndag. Ich werde in Stockholm bei der Einführung eines Pfarrers vom Gebet reden. Ihnen verdanke ich neue Anregung. Im Heiligtum der Religion weilt Ihr Buch. Gottes Segen wünsche ich, darum bete ich für Sie und Ihren weiteren Gottesdienst, der darin besteht, die Religion mit unermüdlichem Fleiß, kritischer Wahrheitsliebe und kongenialem Sinn zu erforschen.

Ich bin, mein lieber und hochgeschätzter Herr Doktor, Ihr in tiefster Sympathie und warmer Dankbarkeit ergebenster

Nathan Söderblom

Grüßen Sie bestens Ihren Herrn Verleger.

N. Sm.

Brief Nr. 9. Das Original dieses handschriftlichen Briefes ist anscheinend verlorengegangen, aber eine maschinengeschriebene Abschrift findet sich in der UB Uppsala. Auch im Depositum Heiler, UB Marburg, liegt eine maschinengeschriebene Abschrift (mit einigen weggelassenen Stellen), deren sich Emmanuel Jungclaussen bedient hat bei seiner Studie, Werk im Widerspruch, in: Die größere Ökumene. Gespräch um Friedrich Heiler, Regensburg 1970, S. 24-91 (Abdruck hier S. 28-29).

1 Söderblom, Bönen. För Bönsöndagen, in: Stockholms Dagblad, 5. Mai 1918, ein ungewöhnlich langer und lobender Zeitungsartikel (freundliche Mitteilung von Frau Anne Marie Heiler, Marburg).

2 Söderblom, On the Character of the Swedish Church, in: The Constructive Quarterly 3 (1915), S. 506-545, abgedruckt in: Svenska kyrkans kropp och själ, Stockholm 1916, S. 1-26.

3 Söderblom, Ärkebiskop Stefans invigning i katedralen i Sens är 1164, in: Kyrkohistoriskt årsskrift 15 (1914), S. 381-410.

4 Söderblom, Birgitta och reformation, in: Vår lösen 7 (1916), S. 343-351.

10. Heiler an Söderblom

München, 15. Mai 1918

Hochverehrter Hochwürdigster Herr Erzbischof!

Für die übergroße Freundlichkeit, die Sie mir und meinem Buche zuteil werden ließen, die so anerkennende, lange Besprechung meines Werkes, den überaus herzlichen Brief, die gütige Widmung mehrerer Ihrer wertvollen Schriften, sage ich Ihnen meinen herzlichsten Dank. Sie haben mir eine Freude bereitet, wie ich sie mir nie erträumt hätte, eine Freude, für die ich Ihnen nicht genug danken kann. Ihre Besprechung meines Buches ist, was mich besonders freut, die *erste*, die erschien, erst am 11. Mai kam die zweite aus der Feder des Universitätsprofessors Hugo Koch.[1] Ich glaube, Sie haben mir zuviel des Lobes gespendet, ich bin ja erst ein Anfänger. Meine eigene Leistung ist schließlich doch nur ein unermüdlicher Sammeleifer. Die großen religionsgeschichtlichen Richtlinien verdanke ich ja dem Studium Ihrer Schriften; gerade in der Sonderung der beiden religiösen Haupttypen[2], die Sie mit Recht als den Schwerpunkt des ganzen Werkes bezeichnet haben, bin ich ganz besonders von den Resultaten Ihrer Untersuchungen abhängig. Desgleichen schulde ich die Gewinnung des richtigen Ausgangspunktes für die Geschichte des Gebets Ihren Abhandlungen über die primitive Religion.[3] Wenn ich aber das im Gebet sich offenbarende religiöse Leben richtig erfaßt und verdolmetscht habe, so verdanke ich das persönlichen Gebetserfahrungen, also göttlicher Gnade. Ich selbst halte mein Buch nur für eine Vorarbeit zu einer monumentalen

Geschichte des Gebets, an die sich, wie ich hoffe, die künftige Religionswissenschaft heranwagen wird. Der Gegenstand ist ja so unerschöpflich reich und vielseitig, daß man ihn nicht oft genug anpacken kann. Ich sehe das jetzt, da ich — denn ich komme vom Gebet nicht los — die mittelalterliche Gebetsfrömmigkeit im einzelnen untersuche, es öffnen sich immer wieder neue Perspektiven. Ich selbst fühle die Unvollkommenheit meines Werkes sehr stark, trotzdem es sich mir bestätigt, daß ich die Grundlinien der Geschichte des Gebets richtig gesehen habe. Prof. Koch sagt in seiner Besprechung, mein Buch sei „nicht *ab*schließend, aber *auf*schließend". Es wäre mir die größte Genugtuung, wenn meine Arbeit den Anstoß zu einer eindringenderen Erforschung des christlichen Gebetslebens geben würde. Schmerzlich hat es mich am Reformationsjubiläum berührt, daß mir unter den zahllosen Schriften über Luther keine über seine Gebetsfrömmigkeit begegnete. Vielleicht füllt nachträglich ein evangelischer Theologe diese empfindliche Lücke aus.

Sie wunderten sich, daß ich als Katholik Luthers Persönlichkeit wie der evangelischen Frömmigkeit mit so verständnisvoller Sympathie gegenüberstehe. Dies gibt mir Anlaß, Ihnen einiges aus meiner inneren Entwicklung mitzuteilen. Ich entstamme einer streng katholischen Familie, nahm von Jugend an eifrig am katholischen Gottesdienstleben teil und kannte keinen höheren Wunsch als katholischer Geistlicher zu werden. In den letzten Jahren meiner Gymnasialzeit begann die religiöse Krise; ich beschäftigte mich damals ständig mit dem griechischen Neuen Testament[4], was zur Folge hatte, daß mir die bibelkritischen und dogmengeschichtlichen Probleme in ihrer ganzen Schwere aufgingen; die Fundamente der katholischen Dogmatik gerieten für mich ins Wanken. In dieser Zeit kam von Rom die Forderung des Antimodernisteneides; zahlreiche meiner Freunde und Bekannten waren damals in schwerer Gewissensnot; aber sie halfen sich mit Reservationen und Interpretierungen und schworen, nicht mit Preisgabe ihrer Überzeugung, wie vielfach geglaubt wird, sondern weil sie den Bruch mit der Kirche und das Scheiden von ihrem Beruf nicht wagten. Für mich selbst begann nun ein stetes qualvolles Schwanken in der Berufsfrage, mit der stärksten Neigung zum theologischen Studium und zum Priesterberuf rang der innere Widerspruch gegen das offizielle Kirchensystem. In dieser zwiespältigen Seelenstimmung begann ich meine Universitätsstudien. Ich studierte erst semitische und arische Philologie, dann Philosophie und Psychologie, fand aber nirgends rechte Befriedigung. Mein Lieblingsstudium war immer Theologie. In der Hoffnung, mit der Kirche doch wenigstens zu einem äußeren Kompromiß zu kommen, ließ ich mich von meinem 3. Universitätsjahre als Theologe immatrikulieren. Vorlesungen hörte ich aber meist nur bei dem mir geistig nahestehenden Prof. Adam[5], wohl dem tüchtigsten katholischen Dogmenhistoriker Deutschlands, und dem kritischen alttestamentlichen Exegeten Goettsberger.[6] Alle anderen Vorlesungen waren mir eine Qual: nur tote Dogmatik. (Nur die Anstandspflicht erforderte es, diese Theologen, die mir innerlich ganz fremd blieben, in meiner Dissertation aufzuführen.) So stillte ich meinen theologischen Heißhunger im privaten Studium der protestantischen Theologie. In meinem 2. Universitätsjahre fiel mir Ihre Neubearbeitung des Tieleschen Kompendiums in die Hand; es hatte für mich einen solchen Reiz, daß ich es halb auswendig lernte. Dieses

Buch wies mir den Weg zu Ihren anderen Schriften und zu der vergleichenden Religionswissenschaft, die meinen Neigungen zusagte. Im Frühjahr 1914 nahm sich Aloys Fischer[7] meiner an und erklärte, mir den Weg zur Habilitation für Religionswissenschaft in der philosophischen Fakultät ebnen zu wollen. Er veranlaßte damals dieses Werk. Fischer als Psychologe dachte an eine psychologische Arbeit; ich selbst bin kein großer Freund von der eigentlichen Religionspsychologie; ich schuf ein religionsgeschichtliches Werk; nur Fischer zuliebe habe ich dem Untertitel das Wort „religionspsychologisch" eingefügt. Mein neunmonatlicher Heeresdienst und der Lungenspitzenkatarrh, den ich mir durch Infektion bei Lungenkranken, die ich pflegte, zuzog, verzögerten die Fertigstellung des Buches. Schließlich mußte ich noch mehrere Monate nach einem Verleger suchen, Mohr und Hinrichs lehnten ab. Doch hatte diese Verzögerung die heilsame Folge, daß ich mein Buch noch ergänzte und teilweise umarbeitete. Trotzdem sich durch die Beschäftigung mit dem Gegenstand meine religiösen und wissenschaftlichen Anschauungen sehr geklärt hatten, trug ich mich noch im verflossenen Herbst ernstlich mit dem Gedanken, mich zum Priester weihen zu lassen und mich der Seelsorge zuzuwenden; denn ich habe ein unausrottbares Bedürfnis nach dem Dienst im Heiligtum; ich beneide jeden, der mit ehrlicher religionswissenschaftlicher Forscherarbeit die Verkündigung des Evangeliums verbinden darf. Der Plan scheiterte aber schon daran, daß ich dann auf die Veröffentlichung meines Buches in der jetzigen Form hätte verzichten müssen, was ich nie über mich gebracht hätte. Jetzt sind die Brücken mit der katholischen Theologie endgültig abgebrochen, da mein Buch in katholischen

Kreisen, wie ich nicht anders erwartet habe, nicht geringen Anstoß erregt hat. Es läuft, obgleich unbeabsichtigt, von selbst auf eine Apologie des evangelischen Frömmigkeitsgeistes hinaus.

Den Gedanken eines Übertrittes in eine evangelische Landeskirche habe ich oft erwogen. Was mich davon zurückhält, ist einmal Pietät gegen meine Eltern, ferner die Neigung zum Sakramentalismus, die ich mit Tyrrell teile und die der Protestantismus nicht befriedigen kann. Ich bin im Grunde evangelischer Christ; trotz aller Sympathie für die Mystik bin ich selbst kein eigentlicher katholischer Mystiker wie es die echten katholischen Modernisten sind (Hügel und meine Freunde Philipp Funk[8], früher Redakteur des „Neuen Jahrhunderts" und Joseph Bernhart[9], ein hochbegabter jetzt aus dem Kirchenamt ausgeschiedener Geistlicher). (Sie haben hierin in „Religionsproblemet" den Nagel auf den Kopf getroffen.) Aber der *äußere Rahmen* meines persönlichen Christentums ist das mystisch-sakramentale Gottesdienstleben der katholischen Kirche. Mit dem starren Dogmatismus und dem politisch-hierarchischen Institut der katholischen Kirche habe ich völlig gebrochen. Aber das eucharistische Mysterium, der Mittelpunt ihres Gottesdienstlebens, fesselt mich an diese Kirche, der ich doch sonst so entfremdet bin. Vom Standpunkt des Kirchenrechtes aus bin ich natürlich als exkommuniziert zu betrachten. Doch dieser Konflikt, den ich klar und scharf sehe, hindert mich nicht — so wenig wie den sterbenden Tyrrell — weiterhin an dem sakramentalen Leben der katholischen Kirche teilzunehmen. Die Halbheit und Inkonsequenz dieses Standpunktes erkenne ich wohl. Aber vielleicht wird dieses merkwürdige mixtum von katholischer und evangelischer

Frömmigkeit irgendwann und irgendwo noch in der Geschichte realisiert werden. Mich beschleicht bisweilen die stille Hoffnung, daß im Laufe der Zeit noch eine Synthese zwischen dem echten evangelischen Geist und den wertvollen religiösen Formen der katholischen Kirche gefunden werden wird. Das Herz des Christentums freilich muß biblisch-evangelisch sein; aber der sakramentale Symbolismus und das universalistische Ideal der una sancta lassen sich, wie ich glaube, in den Dienst des inneren Christentums stellen, ohne daß dieses (wie es im Katholizismus aller Jahrhunderte der Fall war) dadurch ständig bedroht wird.

Ich will mich noch in diesem Sommer an der philosophischen Fakultät der hiesigen Universität mit einer größeren Monographie über die buddhistische Versenkung für Religionswissenschaft habilitieren. Falls das bayrische Kultusministerium aus prinzipiellen Gründen Schwierigkeiten machen sollte, steht mir nach der Zusage von Prof. Krueger (Nachfolger von Wundt[10]) die Habilitation in Leipzig offen. Ich hoffe in der religionsgeschichtlichen Lehrtätigkeit einen Ersatz für die theologisch-kirchliche Wirksamkeit zu finden, die mir versagt blieb.

Für die Anregung einer schwedischen Übersetzung sage ich Ihnen herzlichen Dank. Ich werde sogleich an den angegebenen Verlag schreiben. Mit meinem Verleger[11] habe ich bereits Rücksprache genommen. Er verzichtet Ihnen zuliebe auf eine Übersetzungsgebühr und wünscht nur, daß sein Verlag in der Übersetzung genannt wird. Ich selbst stelle *keinerlei* Bedingungen. Doch wäre ich, da ich für mein Buch (dessen Auflage nur 700 Stück beträgt) kein Honorar erhielt, sondern sogar einen Druckzuschuß leisten mußte (der von meinem Onkel beglichen wurde), für ein kleines Honorar sehr dankbar; die Festsetzung seiner Höhe würde ich ganz dem Stockholmer Verlag überlassen. Ich könnte mir dann (was ich sonst nur in beschränktem Umfang kann) Bücher kaufen und so das Rüstzeug für weitere wissenschaftliche Arbeit mir verschaffen. Wenn jedoch das Erscheinen der Übersetzung dadurch irgendwie erschwert würde, verzichte ich natürlich gerne darauf. Mit einer Kürzung der Einleitung und der Kapitel A—C und J wäre ich einverstanden. Das methodologische Kapitel sollte ganz wegfallen[12]. Auch die Anmerkungen könnten beschränkt werden. Dagegen möchte ich im Kapitel über das Gebet der religiösen Genien[13] einige Ergänzungen anbringen. Einzelheiten müßten in allen Kapiteln verbessert werden. Für Ihre kritischen Bemerkungen zu den einzelnen Stellen danke ich Ihnen vielmals. Für weitere Winke bin ich Ihnen sehr verbunden.

Ich selbst dachte schon lange daran, Ihr Buch „Religionsproblemet", das ich für die treffendste Darstellung des katholischen Modernismus halte, ins Deutsche zu übersetzen. Es wurde mir auch von anderer Seite (Phil. Funk, Prof. Schnitzer) dieser Wunsch ausgesprochen. Gerade hier in Süddeutschland, zumal in Schwaben, der eigentlichen Heimat des deutschen Modernismus (Prof. Schnitzer[14], Prof. Koch, Prof. Fendt[15], Funk, Bernhart sind alle Schwaben, ich selbst stamme von schwäbischen Eltern) würde eine Übersetzung Ihres Buches, das ich mit tiefer Bewegung las, lebhaft begrüßt; denn in Süddeutschland versteht niemand schwedisch. Ich möchte Ihnen heute diesen Plan unterbreiten. Meinen Verleger Reinhardt hoffe ich — wenigstens nach dem Krieg — dafür zu gewinnen.

Ihrem Wunsche gemäß sende ich Ihnen eine Photogra-

phie, leider einstweilen nur eine Amateurphotographie;
die Kriegsbestimmungen verbieten mir nämlich die Übersendung der auf Karton aufgezogenen Photographie. Ich
selbst wäre Ihnen für die Übersendung Ihrer Photographie dankbar.

Nochmals sage ich Ihnen vielen Dank für ihre große
Liebenswürdigkeit und bin mit dem Ausdruck der größten Verehrung

Ihr ergebenster
Friedrich Heiler

Brief Nr. 10, UB Uppsala.

1 Hugo Koch (1869-1940) war bis 1910 Professor für Kirchengeschichte
an der Akademie (Priesterseminar) Braunsberg gewesen, dann wegen
Modernismus bei seinen Untersuchungen über Cyprian entlassen. Er
übersiedelte nach München, wo seine Rezension vom „Gebet" in der
Süddeutschen Zeitung, 11. Mai 1918, erschien (nur mit „H.K." gezeichnet, wie mir wiederum Frau Heiler mitteilt).

2 Die beiden Haupttypen der höheren persönlichen Religiosität werden
im „Gebet" gleich zweimal prinzipiell angegangen, zunächst einmal
mehr geschichtlich (Gebet[1] S. 204-207, 2.-5. Aufl. S. 232-235), dann
mehr systematisch-phänomenologisch (1. Aufl. S. 212-214, 2.-5. Aufl.
S. 248-250). Beide Male zieht Heiler Söderblom an erster Stelle heran,
und zwar: Tieles Kompendium, 4., durch Söderblom völlig umgearbei-
tete Aufl., Berlin 1912; Natürliche Theologie und allgemeine Religionsgeschichte, Leipzig 1913; Studiet av religionen, Stockholm 1908; Religionsproblemet; und seinen in Hastings Encyclopaedia of Religion and
Ethics, Edinburgh 1910, erschienenen Artikel, Communion with Deity.
Söderblom nennt die zwei Typen u. a. „persönlichkeitsverneinende" und
„persönlichkeitsbejahende" Mystik, letztere auch „Offenbarungsmy-
stik" oder auch „prophetische Religion". Heiler übernimmt die Unterscheidung der Sache nach, zieht aber vor, terminologisch klarer den
einen Typ einfach „die Mystik" zu nennen und ihr die „prophetische
Frömmigkeit" als den anderen Typ gegenüberzustellen, Das Gebet,
S. 248 f.

3 An wichtiger Stelle im „Gebet" (S. 119) bemerkt Heiler: „Helles Licht
wurde auf die Vorstellung vom Urheber [bei den primitiven Stämmen]
durch die tiefschürfenden Untersuchungen Nathan Söderbloms gewor-

fen", mit Anführung einer Reihe seiner Aufsätze und vom Werden des Gottesglaubens. Untersuchungen über die Anfänge der Religion, übers. von R. Stübe, Leipzig 1916. S. dazu E. J. Sharpe, Comparative Religion. A History, S. 159 (Söderblom überwand den Engpaß vieler sich auf der Suche nach dem evolutionistisch gesehenen Ursprung der Religion umherirrenden Zeitgenossen).

4 Heiler, Vom Werden der Ökumene, Stuttgart 1967, S. 12 f.; s. ebda., S. 6 f., zur gleichzeitigen (1907) antimodernistischen Enzyklika Pius' X., *Pascendi.*

5 Karl Adam (1876-1966) war bis 1915 an der Universität München, dann in Straßburg, seit 1919 in Tübingen. Ein Brief Heilers zu seinem Gedächtnis vom 4. April 1966 erschien in: Tübinger Theologische Quartalschrift 146 (1966), S. 257-261.

6 Johann Baptist Goettsberger (1868-1958) war 1903-35 Professor für AT in München und Mitbegründer (mit J. Sickenberger) der Biblischen Zeitschrift.

7 Aloys Fischer (1880-1937) war Psychologe und Erziehungswissenschaftler, zugleich ein kirchlich gesinnter Katholik.

8 Funk (1884-1937), zuvor Seminarist in Tübingen, begeisterte sich wie Bernhart für die Erneuerung des deutschen Katholizismus nach den Vorstellungen C. Muths, des Begründers der Zeitschrift Hochland, ging aber zeitweilig bedeutend weiter zugunsten des Modernismus. 1929 wurde er Professor für Geschichte an der Universität Freiburg. Vgl. August Hagen, Gestalten aus dem Schwäbischen Katholizismus, Stuttgart 1949-54, III, S. 244-283.

9 Bernhart (1881-1969) war ein bekannter Schriftsteller und hinterließ auch seine (unvollständigen aber hochinteressanten) Erinnerungen, hrsg. v. M. Rößler, Köln 1972. S. auch O. Karrer, in: Tendenzen der Theologie im 20. Jahrhundert, hrsg. v. H. J. Schultz, Stuttgart-Olten, 1966, S. 187-192.

10 Felix Krueger (1874-1948) führte als Leipziger Ordinarius 1917-38 die Schule Wundts weiter.
Wilhelm Wundt (1832-1920) war seit 1875 Professor in Leipzig, wo er sowohl die Philosophie als auch die empirische Psychologie (1879 erstes Institut für experimentelle Forschung, 1910-20, 10 Bände der Völkerpsychologie) förderte.

11 Ernst Reinhardt (1872-1937), schweizerischer Herkunft, eröffnete seinen Laden und seinen Verlag um die Jahrhundertwende in München (s. auch Brief Nr. 8). 1917 ließ er sich für die Drucklegung des umfangreichen Werkes von Heiler gewinnen, obwohl es eigentlich

außerhalb seines verlegerischen Interessengebiets lag. Es wurde ihm aber ein Erfolg, da fast 15 000 Exemplare in 5 Auflagen verkauft wurden, allerdings zu unrentablen Preisen. Daraus entspann sich ein sehr herzliches und freimütiges Verhältnis zwischen Autor und Verleger.

12 Das Gebet, S. 16-26 (Einleitung, III).

13 Ebda., S. 220-247 (Kap. F. I.).

14 Joseph Schnitzer (1859-1939), Kirchenhistoriker, kam 1902 von Dillingen an die Universität München, nahm dort an den reformkatholischen Bestrebungen der „Kraus-Gesellschaft" teil (wie auch der Vater Heilers), während er sich mit den neueren exegetischen Strömungen vertraut machte, und holte 1908 zu einem leidenschaftlichen Protest gegen die Enzyklika *Pascendi* aus, in: Internationale Wochenschrift für Wissenschaft, Kunst und Technik (1908), S. 129-140. Daraufhin wurde über ihn von Rom aus die *suspensio a divinis* verhängt, die erwartete öffentliche Exkommunikation wurde hingegen nie ausgesprochen. Er mußte sofort aus der theologischen Fakultät ausscheiden und konnte erst 1913 seine Lehrtätigkeit wieder aufnehmen, als er zum Honorarprofessor an der philosophischen Fakultät ernannt wurde. 1924 veröffentlichte er das Hauptwerk seiner späteren Jahre, Savonarola, ein Kulturbild aus der Zeit der Renaissance, München 1924; s. Heiler, Ein Vorkämpfer des deutschen Reformkatholizismus, Joseph Schnitzer, in: Eine heilige Kirche 21 (1939), S. 297-313. S. jetzt Norbert Trippen, Theologie und Lehramt im Konflikt. Die kirchlichen Maßnahmen gegen den Modernismus im Jahre 1907 und ihre Auswirkungen in Deutschland, Freiburg 1977, wie auch: Aus dem Tagebuch eines deutschen Modernisten. Aufzeichnungen des Münchener Dogmenhistorikers Joseph Schnitzer aus den Jahren 1901-1913, hrsg. von N. Trippen unter Mitarbeit von Alois Schnitzer.

15 Leonhard Fendt (1881-1957) konvertierte (s. unten, Brief Nr. 11) und wurde später (1927—1945) ein bekannter evangelischer praktischer Theologe in Berlin, vgl. ³RGG II, Sp. 898.

11. Heiler an Söderblom

München, 1. Oktober 1918

Hochverehrter Hochwürdiger Herr Erzbischof!

Seit meinem letzten Brief vom 15. Mai in dem ich Ihnen meinen inneren Entwicklungsgang und meinen damaligen religiösen Standpunkt ausführlich darlegte, haben sich bedeutsame innere und äußere Wandlungen abgespielt. Die philosophische Fakultät der hiesigen Universität hat meine Habilitationsschrift über „die buddhistische Versenkung", die Ihnen in diesen Tagen vom Verlag (entsprechend den neuen Zensurvorschriften) zugehen wird, angenommen. Ich werde in 14 Tagen meine Probevorlesung halten und noch in diesem Semester meine akademische Lehrtätigkeit eröffnen können. Wichtiger als diese äußeren Ereignisse sind die inneren Erkenntnisse und Erlebnisse, die mir die letzten Wochen brachten. Nach langen inneren Kämpfen hat sich die Entscheidung für mein künftiges Leben vorbereitet; unter Schmerzen und Wehen wird in mir der Entschluß geboren, meine Mutterkirche zu verlassen und mich der evangelischen Theologie und dem evangelischen Kirchendienst zu weihen. Die entscheidenden Gründe sind rein religiös; doch darf ich nicht verhehlen, daß die äußeren wirtschaftlichen Schwierigkeiten, mit denen ich zu kämpfen habe, mir die rein wissenschaftliche und akademische Tätigkeit auf die Dauer nicht ermöglichen. Ich schrieb Ihnen bereits, daß ich — wenn anders das cor facit theologum seine Gültigkeit hat — mich allzeit als Theologe gefühlt habe, obgleich meine wissenschaftliche Entwicklung mir das Verbleiben bei der katholischen Theologie unmöglich machte. Ich schrieb Ihnen auch, daß mein persönlichstes Streben nie auf die rein gelehrte und akademische Wirksamkeit als Religionsforscher gerichtet war, daß ich vielmehr mit der denkbar stärksten Sehnsucht nach dem Dienst im Heiligtum der Religion verlangte. Dieses lebhafte religiös-theologische Interesse, das mich in meiner isolierten Stellung als überkonfessionalen Gelehrten stets quälte, spüre ich gerade jetzt am stärksten, da ich im Begriffe bin meine Dozententätigkeit an der philosophischen Fakultät zu beginnen. Ich fühle, daß eine Lehrkanzel in der philosophischen Fakultät nicht der rechte Platz für mich ist, wegen des Hörerkreises wie wegen des Lehrerkollegiums. Meine Vorlesungen werden wohl nur von religiös oder philosophisch interessierten Laien besucht werden, den Theologiestudierenden wird jedoch wegen meines nicht-katholischen Standpunktes die Teilnahme verwehrt sein. Ich aber möchte zu Theologen reden, möchte junge Theologenherzen wecken und zünden, möchte, daß der Same meines Wortes auf fruchtbares Ackerland, nicht auf die Straße falle. Weil ich mich als christlicher Theologe, nicht als Vertreter einer farblos-neutralen Religionswissenschaft fühle und bekenne, darum begegnet mein wissenschaftliches Streben bei manchen Mitgliedern der philosophischen Fakultät — trotz des liebenswürdigen Entgegenkommens, das man mir bewiesen hat und das ich dankbar anerkenne — nicht dem von mir gewünschten Verständnis. Manche wollen aus mir einen Religions*archäologen*, andere einen Religions*philologen* machen, wieder andere einen Religions*psychologen* oder -*philosophen*. Mir aber ist es nicht um Archäologie oder Philologie, nicht um Psychologie oder Philosophie zu tun, sondern um die

Religion. Man wünscht, daß ich Religionswissenschaft als *Profan*wissenschaft betreibe, von einem möglichst untheologischen und areligiösen Standpunkt aus; für mich aber ist Religionswissenschaft die Wissenschaft vom Heiligsten, das die Menschheit hat, und diese Wissenschaft können nur religiöse Menschen betreiben. Man wünscht, daß ich das Christentum möglichst beiseite lasse — denn das sei die Domäne der Theologen — und mich mit den außerchristlichen Religionen begnüge; für mich aber ist das Christentum das A und O aller meiner wissenschaftlichen Arbeiten; und wenn man mich auf die außerchristlichen Religionen abdrängt, hat man mir alle Freude an der Religionswissenschaft genommen. Ein Religionsforscher, der die höchste und reinste Erscheinung der Religionsgeschichte beiseite rückt, behält nur ein Fragment von der Religion in Händen. Man ist von den persönlichen Bekenntnissen, mit denen ich mein „Gebet" und meine „buddhistische Versenkung" abschloß, etwas unlieb berührt; aber diese religiösen Bekenntnisse sind für mich die Formulierung der Endresultate meiner wissenschaftlichen Forschung.

So betrete ich denn die Lehrkanzel der philosophischen Fakultät in dem Bewußtsein, meiner innersten Geistesart nach einer anderen Fakultät anzugehören. Aber meine tiefste Sehnsucht zielt gar nicht auf eine akademische Lehrkanzel, sondern auf eine Kirchenkanzel, die religiöse Verkündigung steht mir noch höher als das wissenschaftlich-theologische Lehramt. So sehr ich das streng wissenschaftliche Suchen und Forschen liebe und ihm all meine verfügbare Kraft weihe, so tiefe persönliche Befriedigung ich allzeit aus der wissenschaftlichen Arbeit geschöpft habe, so hungere und dürste ich doch nach dem Dienst am

Gotteswort, nach Predigt und Seelsorge. Was ich seit Jahren fühlte und ahnte, daß mein Beruf nicht die Wissenschaft, sondern das Priestertum ist, das drängt sich mir nun mit voller Wucht auf. Aber der Weg zum Priestertum ist mir in der Kirche verschlossen, der ich von Geburt an angehörte und deren eifriges Glied ich — trotz aller Opposition gegen Dogma und Autorität — bis in die jüngste Zeit war. Der Weg ist mir verschlossen, weil ich durch mein Werk über das Gebet auch nach außen hin bezeugt habe, daß ich die „unfehlbare" Lehrautorität dieser Kirche nicht anerkenne, daß sie mir nicht die einzige ist, „außer der es kein Heil gibt". Ich könnte mir die Pforte zum katholischen Priestertum nur öffnen, wenn ich meinen wissenschaftlichen Überzeugungen abschwören würde, wenn ich in Sack und Asche dafür Buße täte, daß ich das evangelische Frömmigkeitsleben mit derselben Liebe und Wärme schilderte wie das katholische, wenn ich Reue darüber äußerte, daß ich Luther unter die großen Beter, unter die religiösen Genien rechnete, ja in dieselbe Linie stellte, auf der die Propheten und Psalmisten, Jesus und Paulus stehen. Eine solche Absage an meine wissenschaftlichen Prinzipien käme einer geistigen Selbstentmannung gleich. Und doch könnte ich mich dazu verstehen, wenn meine persönliche Frömmigkeit die Frömmigkeit der Kirche wäre, mit anderen Worten: wenn ich Mystiker wäre. Die Mystik ist die katholische Herzfrömmigkeit, die Religion aller wahrhaft innerlichen Katholiken; sie ist es, die dem starren, dogmatischen und hierarchisch organisierten Gesetzeskirchentum Leben und Wärme einhaucht. „Ein Mystiker, der nicht katholisch wird, bleibt Dilettant", hat Harnack gesagt. Ich möchte hinzufügen: „Wer Mystiker ist und nicht katholisch bleibt, würde die Wurzeln seiner Frömmigkeit zerstören". Obgleich der Mystiker innerlich über alles Kirchentum erhaben ist, so braucht er doch die Kirche als die Stätte, in der er wohnt und Ruhe findet. Er hat im großen Dom eine stille Seitenkapelle, da kniet er vor dem Altar und erfährt, der Welt, der Kirche und sich selbst entfremdet, die beseeligende Einigung mit seinem Gott. Und wenn er dieses Glück erfahren hat, dann trägt er willig und freudig das schwere Joch des hierarchischen Kirchentums; er, der im Herzen keine menschliche und göttliche Autorität kennt, verbirgt seine innere Freiheit und unterwirft sich in passivem Quietismus den harten Forderungen der kirchlichen Oberen. Gehörte ich diesem Frömmigkeitstypus an, so könnte ich jeden Tag den Modernisteneid schwören und mir durch die Preisgabe des wissenschaftlichen Wahrheitssinnes das Recht an den Altar zu treten erkaufen.

Nichts ist bezeichnender, als daß einer meiner Freunde, der geist- und gemütsvolle Philipp Funk, erst katholischer Theologiestudierender, dann Schriftleiter des „Neuen Jahrhunderts" und begeisterter Vorkämpfer des katholischen Modernismus, sich jetzt zum Priester weihen lassen will. Sein Schritt überrascht mich nicht im mindesten, ich nehme ihn ihm auch nicht, wie andere es tun, übel; denn er ist immer ein warmherziger Mystiker gewesen und zieht jetzt nur die Konsequenz. Für mich hingegen ist die Rückkehr zur katholischen Theologie und der Eintritt ins katholische Priestertum eine Unmöglichkeit. Ich habe gewiß die größte Achtung vor der mystischen Frömmigkeit, die in der katholischen Kirche ihre Heimstätte und ihren Nährboden hat; sie offenbart ja eine Zartheit und Wärme, eine Innigkeit und Tiefe, die nur der ganz kennt, der sie einmal selbst gekostet hat. Aber ich bin nur kurze Zeit meines Lebens (vom 16. bis 19. Lebensjahr) ein eigentlicher Mystiker gewesen. Dann ging mir im Studium des Neuen Testamentes die ganze Größe und Herrlichkeit des biblisch-evangelischen Christentums auf; und von da an empfand ich die Mystik trotz aller Sympathie doch als ein Christentum mit heidnischem Zusatz. Trotz meiner bis in die jüngste Zeit währenden Hochschätzung des mit der Mystik verkoppelten Sakramentalismus habe ich seither doch stets als evangelischer Christ gedacht, gefühlt, gebetet. Aus meinem Werke ist auch ganz deutlich erkennbar, daß ich bei allem Verständnis für die Mystik mit Entschiedenheit auf der Seite des biblisch-prophetischen Frömmigkeitstypus stehe. Daher die überaus freundliche, ja teilweise begeisterte Aufnahme meines Buches bei den evangelischen Theologen, daher die herbe Enttäuschung und frostige Zurückhaltung der katholischen Theologen, daher auch die Kritik moderner Philosophen, die nur auf der Basis der Mystik, nicht auf der der biblischen Offenbarungsreligion eine Weiterentwicklung des Religiösen für möglich halten.

Meine persönliche biblisch orientierte Religiosität richtet sich jedoch nicht nur gegen den verborgenen Lebensquell des Katholizismus: die Mystik, sondern auch gegen sein organisierendes Prinzip: den Synkretismus. Der Katholizismus hat sich mir nach langem und sorgfältigem Studium als complexio oppositorum zu erkennen gegeben, als eine grandiose Verschmelzung von Heidentum und Christentum, von hellenistischer Mystik und biblischem Christentum, von primitivem Zauberkult und persönlicher geistig-sittlicher Religion, von Werkgerechtigkeit und Gnadenglaube, von Autoritätsgehorsam und innerer

Freiheit, von Individualismus und Herdengeist. Aus unendlich vielen und verschiedenartigen Elementen ist der Dom des Katholizismus aufgebaut; aber das Evangelium Jesu ist nur ein Baustein unter vielen anderen, nicht der Grundstein und Eckstein. Aber gerade dieses ist für mich die höchste und inhaltsreichste Position, die ich in der ganzen Religionsgeschichte finde.[1]

Die Zensurbeschränkung der Briefe auf 8 Seiten zwingt mich für heute abzubrechen und die Gedanken in einem späteren Briefe fortzuführen. Die Habilitationsschrift ist heute vom Verlag an Sie abgesandt worden.

Mit dem Ausdruck der Verehrung und Dankbarkeit

Ihr ergebenster

Fr. Heiler

Brief Nr. 11, UB Uppsala.

1 Hier klingen im Umriß die Gedanken an, die Heiler sowohl im Wesen des Katholizismus (1920) wie im reiferen Werk, Der Katholizismus, seine Idee und seine Erscheinung (1923) auszuführen vermochte.

12. Heiler an Söderblom

Hochverehrter Hochwürdigster Herr Erzbischof!

Ich knüpfe den abgebrochenen Faden meines letzten Briefes wieder an. Der Katholizismus hat sich mir als Synkretismus enthüllt. Aber dieser imponierende Synkretismus — mag durch ihn das Christentum noch so groß und weit geworden sein, mögen ihn katholische Modernisten wie Tyrrell noch so preisen — er ist für mich nicht das *reine,* echte persönliche Christentum, dem ich angehören möchte. Eine Reformarbeit innerhalb der Kirche, wie sie der Modernismus versucht hat, scheint mir hoffnungslos; man müßte den Synkretismus, der dem Heidentum Wohnung unter dem Kirchendach gestattet, zerstören und der Mystik die Vorherrschaft im Frömmigkeitsleben entreißen; man müßte das Evangelium Jesu und von Jesus zur höchsten religiösen Norm, die religiöse Persönlichkeit zur Autorität und zum Kirchenprinzip erheben. Aber das hieße dasselbe tun, was die Reformatoren schon getan haben.

So glaube ich denn, daß das Bekenntnis zur evangelischen Kirche für mich eine unentrinnbare Konsequenz ist. Diese Konsequenz stand längst gebietend vor mir, aber der Sakramentalismus war noch das lockere Band, das mich (wie ich Ihnen schon im Mai schrieb) mit *der* Kirche noch verknüpfte, der ich doch sonst so entfremdet war. Aus diesem Grunde habe ich auch schon den Gedanken erwogen, der Schweizer christkatholischen Kirche beizutreten, deren greisen Bischof Eduard Herzog ich wegen seiner Frömmigkeit und Gelehrsamkeit verehre. Allein der Alt-katholizismus ist heute nur mehr eine langsam absterbende kleine Sekte, die kaum wieder zum Leben erwachen wird. Sie vermag keinen starken religiösen und kirchlichen Rückhalt zu bieten. Andererseits habe ich in der letzten Zeit ein volles Verständnis für das alles Magisch-Dingliche aus dem Kult verbannende evangelische Persönlichkeitsprinzip erlangt. Die tiefen Eindrücke, die ich während der Sommerferien in evangelischen Pfarrhäusern des Schwabenlandes und in evangelischen Kirchen empfing, haben mir den Blick für die hohen Werte des keuschen, geistig-persönlichen Wortgottesdienstes geöffnet, den ich (allerdings mehr unter massenpädagogischem Gesichtspunkte) in meinem Werke über das Gebet noch kritisiert hatte; die in nicht zu ferner Zeit zu erwartende Neuauflage wird in diesem Punkte (wie auch in anderen) bedeutsame Änderungen bringen. So hat sich auch die letzte Verbindung mit dem Katholizismus gelöst und ich glaube mich *ganz* als evangelischer Christ betrachten zu dürfen. Seit kurzer Zeit habe ich aufgehört am liturgischen Leben der katholischen Kirche teilzunehmen und besuche nun den evangelischen Gottesdienst. Und ich habe erfahren, daß man auch ohne Sakramente, ohne Beichte, Eucharistie und Tabernakel ein ernstes und kräftiges Frömmigkeitsleben pflegen kann, ja daß der rein geistige, aller sinnlichen Nützen entbehrende Gottesumgang, der Glaube, der Gott nur in den Tiefen des persönlichen Innenlebens gegenwärtig weiß, viel höher steht als die am Sakrament sich nährende Frömmigkeit. Der innere religiöse Aufschwung, den ich gerade in dem Augenblick erfuhr, da ich mit dem mystischen Sakramentalismus der katholischen Kirche brach, ist mir ein Zeugnis des Geistes dafür, daß ich auf der rechten Bahn wandle.

So ist es eine Reihe von Motiven, die mich zum Übertritt in die evangelische Kirche drängen. Der lang gehegte Wunsch, als Theologe zu forschen und zu lehren, als Diener Christi und seiner Gemeinde zu predigen und zu wirken, scheint sich nun der Erfüllung zu nähern. Die deutschen Landeskirchen haben jetzt bitteren Mangel an Geistlichen; der Krieg hat fürchterliche Lücken in die Reihen der jungen Theologen gerissen. Und doch sind in dieser schweren Zeit Männer, die mit der ganzen Kraft ihrer Persönlichkeit und der ganzen Liebe ihres Herzens sich für die religiösen und kirchlichen Aufgaben einsetzen, doppelt nötig. Ich würde mir einen Gewissensvorwurf machen, wollte ich jetzt nicht auf die Stimme der Zeit hören und mich der reinen Wissenschaft widmen, da der Herr um Verkünder seines Evangeliums wirbt. „Wehe mir, wenn ich nicht das Evangelium predigte!" (1 Kor 9. 16).

Gewiß sind die evangelischen Landeskirchen nicht das Ideal der christlichen Kirche; aber sie machen auch gar keinen Anspruch auf Absolutheit und Unfehlbarkeit. Gewiß habe ich, der frühere Katholik und der Religionshistoriker, ein offenes Auge für die Mängel und Schattenseiten der evangelischen Kirchen. Aber der Protestantismus scheint mir das zu bieten, was im Katholizismus unmöglich ist — und ich darf wohl hinzufügen, was in keiner Religionsgemeinschaft der Erde möglich ist: die Verbindung von freier und kritischer Religionsforschung mit lebendiger Frömmigkeit. In der evangelischen Kirche kann man bei der ehrlichsten und wahrhaftigsten wissenschaftlichen Arbeit zugleich Priester im Heiligtum der

Religion sein, Diener Jesu Christi, Verkünder seines Evangeliums und Helfer seiner Gemeinde. Das ist es, was ich in der evangelischen Theologie und Kirche zu finden glaube und aus diesem Grunde wünsche ich in ihre Dienste zu treten.

Eine Schwierigkeit bleibt noch nach Lösung der inneren Probleme: die Stellung meiner Familienangehörigen zu einem Konfessionswechsel. Ich entstamme einer gläubig-katholischen Familie und habe mir den Austritt aus dem theologischen Studium unter manchen Schwierigkeiten erkämpft. Ein *förmlicher* Konfessionswechsel — der innere ist ja schon vollzogen, das fühlt auch meine Familie — würde natürlich meinen Eltern, zumal meinem Vater, der im katholischen Lehrerverein eine führende Rolle gespielt hat, einen herben Schmerz bereiten*, der auch mir leid tut. Ich hoffe jedoch, daß sie sich nach einiger Zeit damit abfinden werden, sie haben sich auch damit ganz gut abgefunden, daß ich nicht katholischer Geistlicher wurde und daß ich jetzt eine wissenschaftliche und religiöse Position einnehme, die von streng katholischer Seite befehdet wird. Überdies würde ihnen die materielle Sicherstellung, die mir eine Verwendung im evangelischen Pfarrdienst bringen würde, eine große Erleichterung bedeuten, da ihnen infolge der finanziellen Schwierigkeiten des Krieges die Sorge um eine vielköpfige Familie nicht leicht ist. Diese äußere Erleichterung, glaube ich, würde den inneren Schmerz, den ihnen mein Übertritt zum Protestantismus bringen würde, mildern. Aber ganz abgesehen davon meine ich, daß die Verwirklichung des persönlichen religiösen Lebensideals höher steht als die pietätvolle Rücksicht gegen Eltern und Familienangehörigen. Das Wort des Evangeliums: „Wer Vater und Mutter mehr liebt als mich, ist meiner nicht wert" gilt auch heute noch.

Die praktische Durchführung eines Eintrittes in den evangelischen Kirchendienst ist naturgemäß auch mit Schwierigkeiten verbunden. Bei einem meiner Freunde, Dr. theol. L. Fendt, ging es sehr leicht; er hatte nur ein Colloquium vor dem Konsistorium in Magdeburg zu bestehen und wurde bald darauf Pfarrer. Allein Fendt war schon 13 Jahre katholischer Geistlicher; mehrere Jahre Subregens des Priesterseminars Dillingen, dann kurze Zeit ao. Dogmatikprofessor dortselbst. Ich habe wohl ein vollständiges theologisches Studium hinter mir (sechs theol. Semester, dazu zwei theol. Kriegssemester, die gerechnet werden, ferner noch sechs philosophische Semester; ich war auch nach meiner Promotion 1. 3. 1917 noch Studierender an der hiesigen Universität), ich habe jedoch kein theologisches Examen gemacht, nur das philosophische Doktorexamen summa cum laude. Ich wäre jedoch imstande, das evangelisch-theologische Examen sogleich abzulegen, da ich nicht bloß mit der historischen, sondern auch mit der systematischen und praktischen Theologie hinreichend vertraut bin; ich könnte es wohl ebensogut bestehen wie die vielen Kriegsteilnehmer, die jetzt nach kurzer Vorbereitung dieses Examen machen. Vielleicht wäre es mir auch möglich auf Grund meiner Schriften und eventuell einer weiteren kleineren Abhandlung den Licentiaten- oder Doktortitel an einer evangelisch-theologischen Fakultät zu erlangen um mich so als *Theologe* zu legitimieren. Schwer würde mir hingegen noch ein Studium an einer evangelischen Universität fallen, so sehr mir ein solches am Herzen läge. Einmal bekomme ich im Falle eines Konfessionswechsels von meinen Eltern keine Unterstützung mehr und möchte auch eine solche gar nicht fordern; ich habe auch keine Hoffnung, daß mein Onkel, dem das Buch gewidmet ist, mir dann wie bisher noch finanzielle Hilfe gewähren wird. Ferner würden mir die Professoren der philosophischen Fakultät, die ohnehin über meinen Übergang zur *Theologie* wenig erfreut sein werden, es sehr verübeln, wenn ich, nachdem ich durch ihr Entgegenkommen zum akademischen Lehramt gelangt war, wieder Studierender würde. Ich persönlich würde das selbstverständlich in keiner Weise als Degradation empfinden.

Eine weitere Frage ist, in *welche* deutsche Landeskirche ich übergehen soll. Nun stehe ich *religiös* der „orthodoxen" Theologie näher als der typisch-„liberalen". *Wissenschaftlich* freilich, d. h. methodisch, stehe ich entschieden auf dem Boden der *kritischen* Theologie. Ich möchte darum nicht eine Orthodoxie mit einer anderen vertauschen.

In all den vielen Fragen, die ich Ihnen ausgesprochen habe, den inneren wie äußeren, erbitte ich nun, Hochverehrter Herr Erzbischof, Ihren geschätzten Rat. Vielleicht ist es nicht unbescheiden, wenn ich zugleich heute schon um Ihre Vermittlung bei deutschen Theologen und Kirchenmännern Sie bitte. Vielleicht ist es Ihnen möglich mit Herrn Prof. Deißmann[1], der demnächst nach Upsala kommt und der mich literarisch und brieflich kennt, über diese Angelegenheit zu sprechen. Mit der Bitte, meine langen Ausführungen zu entschuldigen und mit dem Ausdruck der größten Dankbarkeit und Hochschätzung bin ich

Ihr ganz ergebener
Friedrich Heiler

Ich danke Ihnen herzlich für die Anregungen, die mir Ihre Ausführungen über Nirvâna in La vie future . . .[2] gaben und die ich in den Anmerkungen meiner Habilitationsschrift[3] wiederholt anführen zu dürfen mich freute.

* (Übrigens weniger wegen des objektiven Faktums — ich habe im Laufe der Zeit meinen Vater doch bedeutend beeinflußt, sondern wegen des „Geredes", wegen des Urteils katholischer Kreise.)

Brief Nr. 12, UB Uppsala.

1 Adolf Deißmann (1866-1937), Neutestamentler in Berlin und Verfasser von Licht vom Osten (1908), das Heiler frühzeitig gelesen hatte, wandte sich immer mehr ökumenischen Anliegen zu und gab den großen deutschen Bericht über die Stockholmer Life-and-Work-Konferenz vom Jahre 1925 heraus.

2 Söderblom erwarb an der damaligen evangelisch-theologischen Fakultät der Sorbonne den Doktortitel, weshalb sein Werk, La vie future d'après le Mazdéisme . . . Etude d'eschatologie comparée, Paris 1901, französisch erschien.

3 Heiler, Die buddhistische Versenkung. Eine religionsgeschichtliche Untersuchung, München 1918.

13. Söderblom an Heiler

Uppsala, 15. Juni 1919

Mein lieber und sehr verehrter Herr Doktor!

Habe ich Ihnen für die quantitativ kleine aber qualitativ wirklich große Abhandlung über Luther einen richtigen Dank gesagt? Jetzt lese ich im Reformationsheft von Revue de la Métaphyique et de la Morale den Artikel von Imbart de la Tour[1], das inhaltlich bedeutendste, was ich von römischer Seite über Luther gelesen habe.

Wollen Sie mir erlauben, in einem Hirtenbrief, oder vielmehr wahrscheinlich in einem Büchlein über Evangelische Katholizität, Auszüge aus Ihren für die charakteristischen Merkmale der zwei abendländischen Religionstypen sehr bedeutsamen Briefen an mich zu veröffentlichen[2]? Sie gehören nämlich der religiösen Welt, vielen suchenden Seelen und Forschern, nicht nur mir.

Wäre nicht die Reise so weit und so teuer, würde ich Ihnen den Vorschlag machen, in Juli und August hier in Schweden bei uns auszuruhen. Die großen Kirchentage in Vadstena 2.—7. August würden Sie interessieren. Wie ist es mit Ihrer Möglichkeit auch im Sommer zu besuchen? Jedenfalls hoffe ich Sie an unserer Universität im Jahre 1920 oder 1921 hören zu dürfen über ein religionsgeschichtliches Thema: warum nicht eine geschlossene Zusammenstellung über Wesen und Hauptformen des Gebets mit charakteristischen Proben. Sie werden dann von der Olaus Petri-Stiftung an unserer Universität eingeladen, die Honorar und alle Kosten bezahlt. Aber brauchen Sie nicht schon jetzt ein wenig gründliche Ruhe?

Mit den besten Wünschen und wahrhaftiger Geistes-
freundschaft Ihr erg.

Nathan Söderblom

Mit Prof. Dr. J. Stzygowski[3], Wien, Universität, sollten
Sie sich in der religiösen Frage in Verbindung setzen.

N. Sm.

Brief Nr. 13, UB Marburg. Die Datierung ist nicht ganz einwandfrei zu
lesen; zudem bringt Heiler, in Hågkomster 14, S. 211, einen Auszug aus
diesem Brief mit Datierung vom 3. März 1919.

1 Pierre Imbart de la Tour (1860-1925), Pourquoi Luther n'a-t-il créé
qu'un Christianisme allemand?, Revue de Métaphysique et de Morale 25
(1918), S. 575-612.

2 Nach dem folgenden Brief von Söderblom (vom 3. 7. 1919) gab Heiler
die gebetene Erlaubnis, aber ob Söderblom die Briefe (wohl Nr. 10-12),
etwa in Enig kristendom (mir nicht zugänglich; Stockholm, 1919, S. 65-
126: Evangelisk katolicitet) tatsächlich verwertet hat, entzieht sich
meiner Kenntnis.

3 Zweifellos richtiger: Josef Strzygowski (1862-1941), Kunsthistoriker,
seit 1909 Professor in Wien.

München, 4. Juli 1919

Hochverehrter Hochwürdigster Herr Erzbischof!

Da die Verbescheidung des Einreisegesuchs längere Zeit dauert, habe ich bereits jetzt dieses an die Schwedische Gesandtschaft in Berlin gesandt, die es an das Ministerium des Äußeren in Stockholm weiterleiten wird. Am hiesigen Schwedischen Generalkonsulat wurde mir gesagt, die Einreise werde nur in besonderen Fällen genehmigt. Ich weiß darum nicht, ob die Empfehlung meiner Universitätsbehörde, der ich die Mittel zu meiner „Studienreise" verdanke, genügen wird. Ich wäre Ihnen daher dankbar, wenn Sie beim Ministerium des Äußeren die Genehmigung meiner Einreise gütigst befürworten würden. Das Einreisegesuch dürfte ungefähr gleichzeitig oder ein paar Tage nach Eintreffen dieses Briefes in Stockholm sein. Ich zweifle nicht daran, daß auf Ihre freundliche Fürsprache das Ministerium mein Gesuch genehmigen wird.

Wenn die Genehmigung, die mir die Gesandtschaft in Berlin telegrafisch übermitteln wird, rechtzeitig eintrifft, würde ich an den Kirchentagen in Vadstena teilnehmen. Falls ein gedrucktes Programm hierfür besteht, so würde ich Sie herzlich bitten mir ein solches zu übersenden. Ist eine Anmeldung in Vadstena wegen der Unterkunft erforderlich?

Entschuldigen Sie gütigst, daß ich Ihre Zeit mit diesen meinen Bitten und Anfragen in Anspruch nehme. Ich freue mich sehr auf meine schwedische Reise, trotzdem ich auch wegen meiner Unerfahrenheit im Reisen und meines wechselnden Gesundheitszustands etwas bange. Mit dem Ausdruck tiefster Verehrung und herzlicher Dankbarkeit

Ihr ergebenster
Friedrich Heiler

München, 15. Juli 1919

Hochverehrter Hochwürdigster Herr Erzbischof!

Herzlichen Dank sage ich Ihnen für Ihre gütige Erwirkung der Einreise. Anbei sende ich Ihnen den Vortrag (12 Seiten Maschinenschrift und 2 Seiten Handschrift). Durch Weglassung der eingeklammerten, für den Druck bestimmten Sätze, beträgt er gerade 1/2 Stunde. Ich würde Sie bitten, mir das Manuskript nicht mehr nach Deutschland zuzusenden, da ich am 28. des Monats reise, sondern es mir erst in Vadstena zu übergeben. Falls Sie es erlauben, würde ich den Vortrag der „Neuen Kirchlichen Zeitschrift" oder dem „Geisteskampf der Gegenwart" zum Druck überlassen.

Ich werde nun doch wahrscheinlich einen evangelischen Ruf nach Breslau als Nachfolger von Scholz[1] ablehnen, sofern die Bedingung des Konfessionswechsels aufrecht erhalten bleibt. Ich möchte einen solchen nicht mit einer Berufung in Zusammenhang bringen, da sonst auf seiner Lauterkeit doch ein Schatten läge. Ich werde jedenfalls noch Gelegenheit haben vor der Entscheidung Ihren Rat zu vernehmen.

Mit dem Ausdruck der tiefsten Verehrung und Dankbarkeit verbleibe ich

Ihr ergebenster
Fr. Heiler

Brief Nr. 15, UB Uppsala. Diesem Brief war ein am 3. Juli 1919 auf schwedisch geschriebener Brief (UB Marburg) von Söderblom vorausgegangen, der Heiler für die Erlaubnis dankt, seine Erfahrungen nach besten Kräften anzuwenden. Heilers Schriften über die Mystik habe er, Söderblom, erhalten, befürworte aber keine Synthese, sondern eher ein Nebeneinander von evangelischem Vertrauen und echter Mystik im christlichen Herzen. Er sende ihm auch eine Einladung zur Generalversammlung der Staatskirche in Vadstena, wo Heiler einen kurzen Vortrag über evangelisches Christentum und Mystik halten möge (erschienen in Heiler, Das Geheimnis des Gebets, München 1919, S. 7-21, wie auch in schwedischer Übertragung von Yvonne Söderblom in: Religionen och tiden, Stockholm 1919, S. 35-51). Heiler möge bis Oktober Söderbloms Gast sein, ihn vom 9.-18. August auf einer Visitationsreise in Hälsingland begleiten und Vorträge in Stockholm und Uppsala halten. Für Unkosten in Schweden und auf der Rückreise werde gesorgt. Über zukünftige Olaus-Petri-Vorlesungen müsse gesprochen werden. Mit einer Erwähnung der politischen Streitigkeiten um die Staatskirche (s. Sundkler, a.a.O., S. 122 f.) schließt Söderblom, um dann hinzuzufügen, daß Heiler seinen Vortrag wohl auch auf schwedisch halten könne, er solle ihn deshalb vorausschicken, damit er rechtzeitig übersetzt werden könne. Vgl. Heilers Schilderung, in: Erinnerungen an Erzbischof Söderblom, EhK 18 (1936), S. 169 ff.; der Vortrag fand am 3. August 1919 in Vadstena statt.

1 Heinrich Scholz (1884-1956), Religionsphilosoph, war 1917-19 Professor in Breslau, 1919-28 in Kiel und dann in Münster.

16. Heiler an Söderblom

Denklingen (Schwaben), 20. Juli 1919

Hochverehrter Hochwürdigster Herr Erzbischof!

Herzlichen Dank sage ich Ihnen für den freundlichen Brief und das Telegramm aus Hemsjö.[1] Leider ist es mir nicht möglich, Ihrer gütigen Einladung entsprechend, sogleich nach Hemsjö abzureisen. Einmal habe ich meinem Verleger versprochen, ihm vor meiner Abreise den Rest des Manuskripts für die Neuauflage meines Werkes[2] abzuliefern, damit der schon begonnene Druck (15 Bogen sind schon gesetzt) vollendet werden kann. Sodann bin ich vor einigen Tagen an üblen Magenstörungen[3] erkränkt, so daß ich erst in einigen Tagen reisefähig sein werde. Ich werde darum nicht früher als ich ursprünglich plante (28. Juli) die Fahrt antreten können. Ist mein Gesundheitszustand bis dahin gut, so werde ich direkt nach Hemsjö fahren und hoffe dann bis Mittwoch dorthin zu kommen. Dauert aber der Magenkatarrh noch an, so werde ich die Fahrt zwei- oder dreimal unterbrechen müssen, ich werde dann, was mir sehr schmerzlich ist, nicht mehr nach Hemsjö kommen können, sondern gleich nach Vadstena fahren, wo ich dann am 2. oder 3. August ankommen werde. Jedenfalls gebe ich Ihnen von Saßnitz aus noch telegraphische Nachricht.

Mein Vortragsmanuskript sandte ich bereits am letzten Mittwoch (23. Juli) an Sie. Das in Ihrem letzten Brief vorgeschlagene Thema: „Warum bin ich evangelischer Christ?" hätte mich noch mehr gelockt wie das zuerst angegebene. Wenn ich nicht unwohl und voll Arbeit wäre, würde ich es noch bearbeiten.

In der freudigen Hoffnung, Sie bald persönlich zu sehen, und mit Ausdruck tiefer Verehrung und Dankbarkeit

bin ich Ihr ergebenster

Friedrich Heiler

Brief Nr. 16, UB Uppsala.

1 Brief und Telegramm waren nicht aufzufinden.

2 Das Gebet, zweite Aufl. im Dez. 1919 erschienen, mit Jahresangabe 1920.

3 Erst 1934 wurde richtig auf Zwölffingerdarmgeschwür diagnostiziert.

17. Söderblom an Heiler

Upsala, 17. Januar 1920

Lieber Dozent und Freund!

Haben Sie Dank für Ihren Brief, so ansprechend wie freundlich durch seine persönliche Aufrichtigkeit und durch die Klarheit, womit sowohl innere wie äußere Verhältnisse dargelegt werden. Es hat Gott gefallen, Sie einen schweren Weg zu führen. Unter allen Umständen ist es eine mißliche und schmerzliche Sache, die Heimat zu wechseln, aber besonders ist das der Fall, wenn es sich um die geistige Heimstätte der Seele in Christi Kirche handelt. Doch Sie haben nicht die Heimat gewechselt, sondern, soweit ich verstehen kann, ist Ihre Entwicklung ganz folgerichtig aus den Voraussetzungen des Christentums hervorgegangen. Sie sind den Weg gegangen nach Gottes Weisung und Christi Evangelium und Sie sind dadurch in neue Gebiete gekommen, hinein in das Evangelium und in die prophetische Form des Gottesumganges. Ich verstehe gut Ihre Schwierigkeiten und bitte Gott, daß er Ihnen wie bisher auf dem Wege weiterhelfe, den sein Wille vorsteckt. Schmerzlich ist es wahrlich, daß Sie sich im römischen Gottesdienst fremd fühlen. Aber das kann nicht anders sein. Sicher hat Gott gemeint, daß Sie aufrichtigen und frommen Seelen helfen sollen zu sehen, was der Kern ist in Christi Werk und unserem Glauben und auf diese Weise von innen heraus die evangelische Katholizität zu verwirklichen, für welche wir bestimmt sind, treu zu arbeiten, erstlich und letztlich durch des Geistes Wirken in unseren eigenen Herzen, darnach durch Wort und Werk.[1]

Ich habe ans Dekanat der philosophischen Fakultät über Ihre Zukunftsaussichten geschrieben und gleichzeitig habe ich Herrn Professor Otto[2] gefragt, ob er etwa für Ihre Zukunft in Marburg bestimmte Pläne hat. Ich glaube, die Sorge um den morgigen Tag wird sich schon ohne Schwierigkeit mit der Hilfe Gottes lösen. Während des Jahres, im Frühling oder Herbst, hoffen wir, daß Sie beide zu Besuch kommen.

Für Sie kam „Der Kaplan" von Bernhart[3] an. Ich nahm mir die Freiheit, es mit Interesse zu lesen. Vielleicht möchten Sie auf meine Rechnung ein Exemplar kaufen und es behalten, obwohl dieses Exemplar eine freundschaftliche Widmung vom Verfasser an Sie enthält.

Gestern fand hier mit großer Wonne noch eine Weihnachtsbescherung statt, als die drei jüngsten Kinder den Inhalt des Pakets teilten und Jon Olof, Yvonne und Lucie je für sich ein Buch von Ihnen erhielten. Durch mich senden sie ihre Danksagungen.

Von den 77 österreichischen Kindern, die heute angekommen sind, wird nun das eine nach dem anderen in die ihnen zufallenden Familien abgeholt. Zwei Söhne von Strzygowsky, zwei von Much[4] mit vielen Professorenkindern. Wir haben für die Kümmernis des deutschen Volkes viel Verständnis, allein nach dieser Nacht muß ein Morgen kommen.

Gerade jetzt kommt der sehr freundliche Brief von Ihrem Herrn Vater an, der so viel in unseren Gedanken ist, seitdem wir erst die geistige, dann die persönliche Bekanntschaft mit seinem Sohn gemacht haben. Besonders freue ich mich über die Frömmigkeit und die Ergebung Gottes Fügungen gegenüber, wovon dieser Brief zeugt. Teilen Sie Ihrem Herrn Vater meine Hochschät-

zung mit! Herzlichen Dank für die Grüße auf der Postkarte.

Mit allen unseren guten Wünschen und mit innigem
Wunsch für Friede, Klarheit und Segen und in der Hoffnung, bald von Ihnen weiter zu hören

Ihr ergebener
Nathan Söderblom

Brief Nr. 17, UB Marburg (erster Absatz erschien in der Übersetzung
von Heiler, der wir folgen, in: EhK 13 (1931), S. 298). Der eingangs
erwähnte Brief Heilers war nicht mehr aufzufinden; schon am 26. Dez.
1919 hatte ihm Söderblom einen tröstenden Brief (Abschrift von UB
Uppsala freundlicherweise gewährt) geschrieben, in dem Moment, als
Heiler nach München aufbrach (s. Einleitung). Warum Söderblom
seinem jüngeren Freund so ernst zuzureden hatte, wird zwar aus den
ziemlich allgemeinen Anspielungen (nur keine Flucht vor den Verant-
wortungen und Kämpfen des Lebens!) nicht deutlich, ist aber mit dem
Hinweis Heilers (EhK 18, 1936, S. 175) in Zusammenhang zu bringen,
wonach Söderblom mit seinem Vorhaben, sich in Schweden dauerhaft
einzurichten, nicht einverstanden war.

1 Ab hier mit Ausnahme des Schlußsatzes in eigener Übersetzung.

2 Rudolf Otto (1869-1937), Theologe und Religionswissenschaftler, ab
1917 in Marburg, stand seit langem mit Söderblom in Briefwechsel,
betrieb auch „bestimmte Pläne", um Heiler nach Marburg zu bringen,
was ihm bald gelang. Am 20. 1. 1920 konnte er Heiler mitteilen, die
Marburger Fakultät habe einen Antrag für ihn dem Ministerium zugeleitet; bereits im März wurde dieser genehmigt, s. unten Anhang, VII.

3 Bernharts autobiographischer Roman, Der Kaplan, erschien erstmals
1919 beim Musarion Verlag, München, Neudruck 1972 in: Bernhart,
Erinnerungen (s. oben zu Brief Nr. 10, Anm. 9), S. 83-281.

4 Vielleicht Rudolf Much (1862-1936), Germanist.

114

18. Heiler an Söderblom

Denklingen (Schwaben), 18. Februar 1920

Hochverehrter Hochwürdigster Herr Erzbischof!

Für Ihren letzten Brief sage ich Ihnen herzlichen Dank. Ich habe sogleich mit meinem Verleger Rücksprache genommen, er wird gerne die Übersetzung in Verlag nehmen. Ich selbst werde sie alsbald in Angriff nehmen. Da ich viel Arbeit habe, lasse ich mein Stenogramm der Übersetzung durch eine befreundete Lehrerin in Kurrentschrift übertragen. Wesentliche Kürzungen würde ich, wenn Sie einverstanden sind, nur bei der Darstellung der französischen Philosophie vornehmen. Sonst würde ich mich auf formale Kürzungen beschränken. Die zugesandte Korrektur habe ich sogleich erledigt und dabei zugleich die Anfertigung des Inhaltsverzeichnisses (Registers) begonnen. Wenn Sie nichts dagegen haben, werde ich den Nachtrag über Sufismus meinem Kolleg entnehmen, weil hier die neuesten Forschungen von Nicholson[1] und Goldziher[2] verwertet sind.

Ich bin zur Zeit aufs Land geflüchtet, einmal um meine durch die Geisteskrankheit meines Bruders[*3] angegriffenen Nerven auszuruhen, sodann um mich, wie wir sagen, etwas „herauszuessen", da in München die Lebensmittelverhältnisse sehr schlecht sind. Die zugewiesenen Rationen sind unerträglich knapp, die im Schleichhandel verkäuflichen Lebensmittel unerschwinglich teuer. Wir sind auf dem Wege zu Wiener Zuständen. Nach Schweden werde ich im März nicht kommen können, da ich von den Lundenser Studenten keine weitere Nachricht erhalten habe und darum keine eigentliche Veranlassung zu der weiten Fahrt habe. Auch habe ich soviel zu tun, daß mir die Reise zuviel Zeit rauben würde. Sonst gäbe es ja für mich nichts Idealeres als den drückenden Verhältnissen meines unglücklichen Vaterlandes zu entfliehen und wieder in das Land meiner Sehnsucht zurückzukehren.

Übrigens würde mir eine zweite Rückkehr von Schweden nach Deutschland unter den jetzigen Verhältnissen viel schwerer fallen als im Dezember, wo mich die günstigen Nachrichten meiner Eltern in die Heimat lockten.

Meine Vorträge über Katholizismus[4] sind jetzt deutsch bereits im Druck. Ich habe noch nie ein Manuskript mit solchem Bangen dem Druck übergeben wie dieses; jetzt wird — nach den vereinzelten Angriffen von Katholiken — der Angriff auf der ganzen katholischen Front einsetzen. Der jetzige Münchener Erzbischof[5] ist ein streitbarer Hierarch, ein fanatischer Vorkämpfer des Ultramontanismus, der gewiß nicht schweigen wird. Aber dieser Konflikt ist unvermeidlich, ob jetzt oder später, spielt keine Rolle.

Meine Predigtwirksamkeit und mein Abendmahlsempfang[6] ist katholischerseits als offene „Apostasie" betrachtet worden. Nach deutschem evangelischen Kirchenrecht ist übrigens wie nach schwedischem der Abendmahlsempfang die Form des Übertritts. *Staats*rechtlich hingegen ist nach den derzeitigen Bestimmungen eine Anmeldung des Übertrittes am „Standesamt" notwendig. Ich erwäge zur Zeit, ob ich nicht diese letzte staatsrechtliche Konsequenz noch ziehen soll[7] und würde Sie um Ihren Rat bitten. Jedenfalls wäre ich Ihnen dankbar, wenn Sie mir eine kurze Bestätigung in 2 Exemplaren übersenden würden, daß ich in Schweden das heilige Abendmahl empfangen und dadurch meinen Übergang zum evangelischen Christentum vollzogen habe.

Mit der Bitte, all Ihre Angehörigen und Ihre Sekretärin Frl. Rodling[8] herzlich zu grüßen, verbleibe ich voll Verehrung und Dankbarkeit

Ihr ergebenster

Fr. Heiler

---

* *Es ist jetzt erfreulicher Weise eine Besserung eingetreten, so daß wieder Hoffnung auf Genesung besteht.*

Brief Nr. 18, UB Uppsala. Söderblom hatte am 5. 2. 1920 auf schwedisch gefragt, wie es mit Marburg gehe. Der Dekan der philosophischen Fakultät in München habe ihn freundlicherweise unterrichtet, was dort für Heilers Zukunft unternommen werde. Noch meine er, fünf Jahre an der gerade im Aufbau begriffenen schwedischen (kirchlichen) Hochschule in Hankow, China, wäre für Heilers weitere Forschung vorteilhaft.

Er nehme Heilers Angebot an, die Korrekturen der neuen Auflage des Tieleschen Kompendium der Religionsgeschichte (5. Aufl., Berlin 1920) durchzusehen. Was eine deutsche Übersetzung von Religionsproblemet angehe, solle Heiler dadurch nicht Wichtigeres vernachlässigen. Er werde vier Exemplare vom „Gebet" nach England und Amerika weiterleiten.

1 Reynold A. Nicholson, The Mystics of Islam, London 1914.

2 Ignác Goldziher (1850-1921), Vorlesungen über den Islam, Heidelberg 1910.

3 Hans Heiler war das vierte Kind, ist Jurist geworden und im Zweiten Weltkrieg gefallen.

4 Heiler, Das Wesen des Katholizismus, München 1920.

5 Michael von Faulhaber (1869-1952) wurde 1917 zum Erzbischof von München-Freising.

6 In Schweden hatte Heiler Predigten gehalten (s. Das Geheimnis des Gebets. Kanzelreden in schwedischen Kirchen, München 1919) und sich der evangelisch-lutherischen Abendmahlsgemeinschaft angeschlossen. In einer nicht datierten Erklärung aus den fünfziger Jahren an den

117

hessischen Landesbischof Wüstemann (Kopie bei Frau A. M. Heiler, Marburg) berichtet er folgendes: „Auf dem schwedischen Kirchenkongreß in Vadstena im August 1919, an welchem ich auf Einladung von Erzbischof Söderblom teilnahm, bat ich diesen, mich zum Abendmahl zuzulassen. Aufgrund seiner Einwilligung empfing ich am 7. August 1919 in der dortigen Birgittenkirche das lutherische Abendmahl. Söderblom verlangte dabei nicht nur keine Erklärung meines Austrittes aus der römischen Kirche, sondern betrachtete eine solche als unerwünscht. Erzbischof Söderblom teilte Professor Rudolf Otto in Marburg mit, daß ich dadurch den Anschluß an die evangelische Kirche vollzogen habe. Auf diese Mitteilung stützte sich die theologische Fakultät der Universität Marburg in ihrem Antrag an den preußischen Unterrichtsminister auf Errichtung eines Extraordinariats für vergleichende Religionsgeschichte: ‚Wir bitten auf das genannte Extraordinariat Herrn Dr. Heiler . . . zu berufen. Herr Dr. Heiler, ursprünglich katholischer Theologe, hat sich in Schweden dem Protestantismus angeschlossen, wie uns durch den Herrn Erzbischof von Upsala D. Söderblom bestätigt ist' (Staatsarchiv Marburg 307, Marburger Theologische Fakultät Acc. 1950/1 Nr. 8-10)."
Vgl. Heiler, Erinnerungen an Söderblom, EhK 18 (1936), S. 171; s. ferner im Anhang das Konzept eines Briefes von Söderblom an R. Otto vom 13. Okt. 1919 (UB Uppsala).

7 Er hat sich offenbar dagegen entschieden, oder aber der Schritt hat sich durch den Wohnortwechsel nach Marburg erübrigt.

8 Seit September 1919 war Gerda Rodling die „unvergleichbare" (so Sundkler, a.a.O., S. 147) Sekretärin des überaus mitteilungsfreudigen Erzbischofs.

Evangelisch — Katholisch 1920—1923

19. Von Hügel an Heiler

London

Geehrter Herr Professor!

(Ich hörte vor wenigen Tagen von Dr. Yngve Brilioth[1] aus
Upsala, daß Sie soeben Professor in Marburg geworden
seien; ich will aber dennoch diesen Brief an die mir von
Ihnen gegebene Münchener Adresse richten!)

Bitte, verzeihen Sie, daß ich meinem ersten Drange nicht
folgte, und Ihnen nicht gleich, durch eine Postkarte, den
Empfang Ihres Buches, „Das Gebet" anzeige. Ich wollte
aber dennoch doch wenigstens Einiges darin mir tüchtig
überlegen, ehe ich schrieb und dankte. Und so sind denn
leider nahe an zwei Monate verflossen — das Buch, mit
der freundlichen Zueignung, traf hier schon am 31. Januar
ein — ehe ich auch nur ein Wort an Sie richte. Bitte, bitte
um Verzeihung und vielen, vielen Dank, auch für die
vielfältige, sehr genaue, Verwertung meines „Mystical
Element"!

Ich habe, selbst jetzt, nur die zwei Vorworte und die
Einleitung, „die Idee des gottesdienstlichen Gebets"
(S. 467—474), und dann „das Wesen des Gebets"
(S. 486—495) durchgenommen[2]; dies alles aber mit samt
den Anmerkungen und mit vielfachem Durchdenken.
Aber auch jetzt noch fehlt mir, aus Mangel einer tüchtigen
Kenntnis der Zentralmasse Ihres großen Werkes, die

möglichst volle Kenntnis Ihrer Stellungnahme in den bewältigten Teilen. Viel eigene saure Arbeit an einem meistens ganz anderen Gegenstande verbietet mir wohl noch auf längere Zeit hin, diese Zentralmasse durchzuarbeiten. Ich habe Sie also ganz möglich in diesem oder jenem Punkte mißverstanden; wo ich jetzt nicht Ihrer Meinung bin, wird es mich gewaltig freuen, wenn es sich ergibt, daß ich Sie falsch verstanden habe.

Es ist mir aber das „Nein"sagen stets schwer gewesen; ja, wo ich viel bewundere, bleibt es für mich geradezu schmerzlich. Und Ihr Buch bewundere ich viel und tief, aus mehreren Gründen, besonders aber, weil es so durch und durch religiös, *autonom*, transzendent, metaphysisch, realistisch ist — bravo, bravissimo; und es zugleich liberal bestrebt ist, historisch-kritisch und psychologisch-philosophisch den Gegenstand zu durchdringen und darzustellen. Und dazu kommen eine Fülle weniger ausgedehnter Gesichtspunkte die mich, als prächtig wahr und packend, laben und erfreuen. Aber trotzdem will sich das Nein — leider — auch nicht unterdrücken lassen, und betrifft zwei oder drei, eigentlich zusammenhängende, Punkte, die mir meine sonst reine Freude nicht selten trüben und einengen.

Mehr oder weniger überall zeigt sich Ihre Überzeugung, daß die großen religiösen Genien zwar in dankbarem Zusammenhang mit ihren geistigen Vorgängern bleiben — danke schön für diese herrliche Einsicht — daß dieselben aber nichts vom *Dinglichen* wissen. „Dinglich" ist mein Wort, drückt aber, meine ich, Ihre Ansicht nicht unrichtig aus.

Da finde ich mich denn aber doch gleich vom Täufer und Paulus, ja von Jesus selber, eines anderen belehrt. Was heißt in der Lukanischen Kindheitsgeschichte — gerade wo sie vollhistorisch zu sein scheint — τὰ τοῦ πατρός μου? Doch wohl sicher: „meines Vaters Haus" — der Tempel. Dahin — zu etwas Lokalem, Dinglichem, zieht es also mächtig das Jesuskind. — Und als letzte Handlung von Jesu aktivem Erdenleben finden wir Ihn diesen selben Tempel, in hoher Entrüstung, reinigen — er setzt sein Leben darein. Doch, in beiden Fällen, nicht als Anbequemung an den niederen, lokalen, dinglichen Standpunkt der Menge, aber, ganz sicher, als *selber von diesem „Aberglauben" beseelt* — der Tempel ist Ihm nun einmal etwas besonders Heiliges. — Was ist denn das lange *Fasten* Jesu? doch nicht unhistorisch? und, wenn historisch, doch nicht etwas Undingliches? — Was war, zuvor, *die Taufe* Jesu? Es ist da doch etwas Dingliches gegenwärtig, und der Kontakt mit diesem Dinglichen ist durchaus *nicht* einfacher Ausdruck schon vorhandener Gnadenfülle, sondern wirkt mit, zur Erlangung eines Zuwachses von geistigem Leben. — Was war *der Saum von Jesu Gewand?* Die besten Ausleger sehen darin die zwei niederen der vier Quasten am himmelblauen *Zizith*-tuche, das jeder gesetzeseifrige Jude damals trug. Doch ein Ding, nicht wahr? — Wiederum *heilt* Jesus *den Blinden,* nicht einfach durch Gebet. Er nimmt Lehm, und knetet ihn, und benetzt ihn mit seinem Speichel, und belegt des Blinden Augen damit: nur darnach kommt Gebet und Heilung. — Ich meine, diesem Allen gegenüber — die Tatsachen lassen sich ähnlich bei Paulus verfolgen — erscheint das religiöse Leben auch der Größten wirklich frei von jener Subtilität, jenem Doktrinarismus Luthers, welche zwar erlauben den rein geistig erweckten Glauben in sinnlichen Formen auszudrücken, aber streng verbieten irgend welch Sinnliches oder Sachliches als Anregungsmittel des Geistigen zu gebrauchen. Was ist denn aber das doch eine kuriose, in Gottes weiter Welt, wo sie dazu nicht abgerichtet ist, nicht zu findende Psychologie, die, z. B., mir erlaubt mein Kind zu küssen *weil* ich es liebe, mir aber streng verbietet es zu küssen, *um* es zu lieben! Warum nicht dies Letztere? Ist denn das Sinnliche notwendigerweise eine Sackgasse? Stammt es denn vom Teufel, oder gar vom Papismus? Ist es nicht auch von Gott, auf das Geistige angelegt, und als Brücke zum Geistigen, wie vom Geistigen, zu gebrauchen? Warum sollen, wie können, meine Sinne, mein Leib, wenn ich bete, draußen bleiben? — Hoffentlich finde ich später daß Sie nicht wirklich das so meinen! Es wird mich dann riesig freuen zu finden, daß Sie keine solche Subtilitäten in das tiefste, schlichteste Christliche hineintragen! Schön und mich tief befriedigend ist Ihr ganzer Absatz „Das gottesdienstliche Gemeindegebet im Urchristentum", S. 470, 471; und auch die ersten 6 Zeilen von Absatz b) „Das gottesdienstliche Gebet in der katholischen Kirche", S. 471.

Besonders lieb sind mir die Absätze 1 und 2 von c), S. 474—476: es ist das Alles mit hoher Meisterschaft durchdacht, durchlebt, dargestellt. Die vier Zeilen zu Ende des 2. Absatzes, S. 476, „Es ist unzweifelhaft . . . Wortgottesdienst"[3] sind — fünfzig Jahre haben mich davon innigst überzeugt — gewaltig, ergreifend wahr. Aber wirklich merkwürdig ist es mir darnach im 3. Absatz und in Ihrer Gutheißung von Herrn Ménégoz' Brief (ein sehr interessanter Brief) zu merken was Sie aus dem soeben gemachten Zugeständnis für einen Schluß ziehen. Für einen religiösen Realisten und Metaphysiker wie Sie scheint doch dies Zugeständnis die Kontroverse endgül-

tig, und zwar zu Gunsten des katholischen Sakraments-
gottesdienstes, zu beenden. Aber mitnichten; beendigt
wird die Kontroverse, ja; aber wer hätte es vorhergesagt
(innerhalb des Rahmens dieser S. 467—476) — zu Gunsten des protestantischen Wortgottesdienstes! Denn jetzt
heißt es „der evangelische Gemeindegottesdienst, d. h. die
opferlose, geistige Anbetung Gottes durch eine Versammlung reifer christlicher Persönlichkeiten" bleibe das *Ideal*
des „Gottesdienstes", S. 476. Sind denn Leben und Wahrheit so scharf einander entgegengesetzt? Ist die Tatsache
jenes mehr und inniger Betens — die Sie für unzweifelhaft
halten — nicht entscheidend?

Warum überhaupt ist „die" rein „geistige Anbetung Gottes die höchste Form des Kultus"? Diese „reifen christlichen Persönlichkeiten" bringen doch auch ihre Leiber und
Sinne mit, selbst in diese hochgeistige Versammlung?
Warum also nicht auch die Sinnesbestätigung, und das
schön kreatürliche, schlichte, demütige Geständnis des
Nutzens solcher Betätigung, mit ins *Ideal* des Kultus für
alle Menschen ziehen? Ist der Doketismus für die Menschwerdung wahr? Und ist er falsch, warum ist sein Äquiva-
lent für den Gottesdienst wahr? Ist gerade für solche
hochgebildete Herrn nicht die Subtilität, der Hochsinn,
und dergleichen Miseren — ist nicht all das, eine sehr reelle
Gefahr? Und ist nicht gerade das sinnliche Element des
Kultus das rechte Heilmittel dagegen, wie ja schon das
Sinnfällige an der Menschwerdung, bei Augustinus, als
„*sanans tumorem et nutriens amorem*" erscheint? So bei
ihm; — warum, warum, nicht auch bei uns?

Ich merke wie Sie, S. 229 und wohl anderswo, und wie
auch Herr Ménégoz, S. 477, das große Wort des Vierten
Evangelium über das Gebet, „die Anbetung im Geiste und

in der Wahrheit", als auf Ausscheidung alles Sinnlichen auslegen. Das läßt sich aber, bei guter historischer Kritik, absolut nicht durchführen. Diese Worte bilden ja Teil einer durch und durch sakramentalen Schrift, die uns im Dialog mit Nikodemus die Wassertaufe und ihre strenge Notwendigkeit, in der großen Rede in Capernaum das Brot (und den Wein) der Eucharistie als echten Genuß des Fleisches und des Blutes Jesu, und wiederum die Notwendigkeit dieses Genusses vorhält; und dann, in der Eröffnung der Seite des toten Jesus und dem Hervorfließen von Wasser und Blut, uns Jesus als den Ursprung der zwei Hauptsakramente darstellt. So auch in Bezug auf Unterordnung, auch der reifsten geistlichen Persönlichkeiten, unter die Träger der sichtbaren äußeren Kirchengewalt: der Lieblingsjünger wartet, zuerst angekommen, am offenen, leeren Grabe, bis Petrus, der zweitschnelle, daselbst ankommt; der Lieblingsjünger geht dann erst, nach und hinter Petrus, in das Grabmal.

Ich merke zuletzt in Ihrem so echten, reichhaltigen Buche nur noch eines an. Sind Sie mit der christlichen Mystik bis zu deren mittelalterlichen Vertretern gelangt, so machen Sie, sehr schroff, deren Abhängigkeit von Plotin — eigentlich Proclus (Pseudo-Dionysius) geltend. Auch ich glaube, mit Ihnen, daß Proclus oft viel zu voll ausgeschöpft worden ist, und dann leicht zu Agnostizismus und Pantheismus verführte. Aber selbst einen Augustinus und einen Franz von Assisi werden Sie kaum durchschlüpfen lassen: ich meine, es muß doch etwas an Ihrer Methode Schuld sein, daß Sie diese Größen nicht einfach als solche gelten lassen können. Hier, bei Augustinus wenigstens, haben wir es, was das nicht direkt Christliche anbelangt, mit dem sehr großen und zarten *Plotin* zu tun. Aber —

und dies ist wo ich hinaus will — Sie scheinen nichts von der doch streng parallelen Abhängigkeit des Johannesevangeliums von der Philosophie des *Philo* (bezw. *Plato)* einzusehen. Letztere ist denn doch klar beweisbare Tatsache. Ist dem aber so, und Sie behalten, ohne Nörgeln, das Johannesevangelium als eine echt tiefchristliche Schrift — und wahrhaftig, das gegenteilige Urteil wäre zu barock — dann ist im *Prinzip* nichts gegen Augustinus oder Seuse[4] auszusetzen. Und ich glaube, das ist die allein wahrhaft stichhaltige, umsichtige, Stellung die wir einnehmen können.

Ich erlaube mir zwei zusammenhängende Aufsätze von mir über „Religion und Illusion", und „Religion und Realität"[5] zu schicken, um mit Ihnen dasjenige recht tüchtig zu unterstreichen, was wir, Gott sei Dank, so tief und so treu zusammen haben — was uns hält, viel mehr als wir es halten!

Ich würde Ihnen auch gerne mein „Eternal Life" Buch schenken; weiß aber nicht, ob Sie es nicht vielleicht schon besitzen.

Also nochmals vielen, vielen Dank, und bestes Glück und schönsten Segen für Ihr Forschen und Schaffen.

Hochachtungsvoll
Friedrich von Hügel

Brief Nr. 19, von Georg K. Frank, Die Briefe Friedrich von Hügels an Friedrich Heiler, in: Ökumenische Einheit 3/II (1952), S. 29-52 (im folgenden abgek.: Frank), hier nach S. 31-34 mit etlichen Verbesserungen unter Heranziehung der Originalbriefe durch die Güte von A. M. Heiler, Marburg, abgedruckt. Dieser Brief steht auch in englischer, nicht ganz befriedigender Übersetzung zu lesen in von Hügel, Selected Letters (1896-1924), London 1927, hrsg. v. B. Holland. Obwohl der Baron keine Datumsangabe schrieb, muß der Brief wohl von März oder April 1920 stammen.

1 Yngve Brilioth (1891-1959), Kirchenhistoriker, zu Forschungen über die Oxfordbewegung (vgl. sein Werk, The Anglican Revival, London 1925) gerade in Oxford zugegen, war 1928-1938 Professor für praktische Theologie in Lund und 1950-58 Erzbischof von Uppsala.

2 Da die Seitenzählung von der hier kommentierten zweiten Auflage auch in den weiteren Auflagen gleichgeblieben ist, bedarf es keines besonderen Hinweises auf die 5. Aufl. (1923) oder deren Nachdruck (1969).
Zur Ergänzung der hier vorgetragenen Kritik an Heilers „Gebet" s. von Hügels Rezension, in: The International Review of Missions 10 (1921), S. 266-270. In der 5. Aufl. hat Heiler selbst die wichtigsten Teile zitiert, S. 617-618. Die Übereinstimmung mit von Hügels Kritik an Troeltsch (wie übrigens auch an Evelyn Underhill) ist frappant, vgl. Apfelbacher und Neuner, a.a.O., S. 46.

3 „Es ist unzweifelhaft, daß im katholischen Sakramentsgottesdienst vor dem in der Eucharistie gegenwärtigen Gott, vor dem *numen praesens,* mehr und inniger gebetet und angebetet wird als im evangelischen Wortgottesdienst."

4 Heinrich Seuse oder Suso (ca. 1295-1366), Mystiker aus dem Dominikanerorden.

5 Die beiden Schriften erschienen in: The Quest 9 (1918), S. 353-382 und 529-562.

Marburg, 2. Mai 1920

Hochverehrter Herr Baron!

Verzeihen Sie gütigst, daß ich heute erst Ihren liebenswürdigen Brief beantworte, der mir so große Freude bereitete.
Erst war Krankheit, dann die Umsiedelung nach Marburg
der Grund meines Zögerns. Da ich nun äußerlich mich
hier eingerichtet habe, darf ich die Antwort nicht länger
aufschieben. Vielen, vielen Dank sage ich Ihnen für Ihre
große Freundlichkeit, mit der Sie mir schrieben, ganz
besonderen Dank aber für Ihre kritischen Bemerkungen.
Mittlerweile sind nun meine schwedischen Vorträge über
Katholizismus erschienen, die ich durch meinen Münchener Verleger Ihnen zugehen ließ (da nach den neuen
Bestimmungen Privatpersonen nicht mehr Bücher ohne
besondere Erlaubnis schicken dürfen). Es ist eine religiöse
Bekenntnisschrift, die manches, was Sie in meinem großen
Buche beanstandeten, in noch deutlicherem Lichte zeigt.
Sie werden aus ihr erkennen, daß mein Standpunkt hin-
sichtlich der Beurteilung des „Dinglichen" in der Religion
ein schwankender ist; ich pendle zwischen begeisterter
Hochschätzung des Sakramentalismus und jenem von
Ihnen getadelten „Doktrinarismus" der Reformatoren hin
und her. Dieses Schwanken betrifft überhaupt meine
Stellung zum Katholizismus und Protestantismus. Sie
werden dem Ton jener schwedischen Vorträge ankennen,
wie schwer und schmerzlich religiöse Konflikte mein
Leben ausfüllen, und werden die Entwicklung meiner

religiösen Anschauungen daraus besser ablesen, als wenn ich Ihnen jetzt einen gedrängten Abriß gäbe. Viel hat für mich Söderblom bedeutet, den ich so hoch verehre. Unter seinem Einflusse stehend, habe ich mich über den Standpunkt Tyrrells, den ich beim Beginn meiner theologischen Universitätsstudien einnahm[1], hinausentwickelt und mich mehr und mehr dem Protestantismus genähert. In Schweden brachte ich diese Annäherung durch die Teilnahme am evangelischen Abendmahl zum Ausdruck, die nachträglich als „Konversion" zum Protestantismus ausgelegt, aber von mir nicht als solche intendiert wurde. Dieser Abendmahlsempfang war auch der Anlaß zu meiner Berufung in die protestantisch-theologische Fakultät zu Marburg. Nach schmerzlichem Schwanken nahm ich den Ruf an, mitbestimmt durch traurige Familienverhältnisse. So bin ich nun hier Professor der Religionsgeschichte in der protestantisch-theologischen Fakultät. Sobald dieses „fait accompli" geschaffen war, gingen mir neue Erkenntnisse auf; heute sehe ich das Problem Katholizismus — Protestantismus in einem anderen Lichte als bei der Annahme des Rufes und bei der Abfassung meiner schwedischen Vorträge. Der trostlose, öde Zustand des norddeutschen Protestantismus — in Schweden wie in der protestantischen Diaspora meines Heimatlandes steht es besser um den Protestantismus — verstärkt meine Erkenntnis, daß mein Übergang zur protestantischen Theologie ein verfehlter Schritt war. Das ist so bitter und schmerzhaft, aber ich muß nun demütig mich in mein Geschick fügen und hoffen, daß die Zukunft mir andere Möglichkeiten schenken wird. Besser das Schicksal Tyrrells, der in der Exkommunication starb, die völlige Vereinsamung, als die Wirksamkeit in der preußischen Landeskirche. Der deutsche

Protestantismus ist dem Verfall geweiht und ich habe das Gefühl, auf ein sinkendes Schiff gegangen zu sein.

Gestern war ich in der Kirche der heiligen Elisabeth, die jetzt evangelisch ist, und wohnte dort einem Gottesdienst bei. Wenig Menschen, ohne tiefe Andacht, eine tödlich langweilige, rhetorische Predigt — und das alles in diesem herrlichen gotischen Dom, einem der ältesten Deutschlands. Dann ging ich in die kleine katholische Kirche[2] und wohnte der Messe bei, hörte aus dem Munde eines jungen Geistlichen eine naive, aber warme Marienpredigt. Die fromme Gemeinde, die die Kirche bis auf den letzten Platz füllte, sang dieselben Marienlieder, die ich in meiner bayerischen Heimat als Kind schon sang. Das war alles sehr wenig evangelisch, aber es war so fromm, so andachtsvoll, so erbaulich, so warm religiös, so ganz anders als in der „evangelischen" Kirche. Jener protestantische „Doktrinarismus" ist sehr schön auf dem Papier, aber er raubt den Menschen die lebendige Religion. Diese „primitive" Religion — so anstößig sie auch sein mag für das puritanische Denken — ist wirkliche Religion, keine matte Abstraktion. Aber solche Erlebnisse sind nötig um vom Protestantismus wieder zum Katholizismus „bekehrt" zu werden.

Wenn ich eine Bitte aussprechen darf, so ist es die, meine Schrift über Katholizismus brieflich zu kritisieren.[3] Ich bin niemandem für Kritik so dankbar wie Ihnen. Eine große Freude würden Sie mir bereiten, wenn Sie „Eternal Life" und Ihre Schrift über Katholizismus[4], die ich nirgends bekommen konnte, mir übersenden wollten.

Mit dem Ausdruck tiefer Verehrung

Ihr
Friedrich Heiler

Brief Nr. 20, St Andrews University Library (ms 2640).

1 Nach Heiler, Vom Werden der Ökumene, S. 7, lernte er die Tyrrell-sche Art, mit den historisch-kritischen Erkenntnissen über die eschato-logische Einstellung Jesu fertigzuwerden, zunächst aus einer Rezension durch Schnitzer (Das neue Jahrhundert, 1910, S. 157-162, 172-176 und 181-184) kennen, dann durch die Lektüre von Cross-Roads und anderer Werke Tyrrells und Loisys.

2 Kugelkirche genannt, auch vorreformatorisch.

3 Dies ist, soweit ersichtlich, nie geschehen.

4 Von Hügel, Eternal Life: A Study of Its Implications and Applications, Edinburgh 1912. Zur Schrift über den Katholizismus s. oben, Brief Nr. 7, Anm. 3.

21. Von Hügel an Heiler

London, 31. Mai 1920

Vielen Dank für Ihren traulichen, sehr interessanten Brief und für das „Wesen des Katholizismus". Ich werde, wenn ich einmal wieder etwas freier bin, diese Vorträge sehr genau lesen und Ihnen darüber offen berichten. Wäre es nicht gut, wenn jetzt einige Zeit zur vollen Umsicht verliefe, ehe Sie wieder in diesen Fragen Position nehmen? — „Eternal Life" ging heute an Sie ab; ein Kapitel darin[1] habe ich für Sie besonders angemerkt. Die Aufsätze über Katholizismus (es sind deren zwei[2]) kommen später nach — der ältere ist vergriffen, der zweite kommt aus Amerika. Habe soeben in Oxford vor 1000 Menschen stark gegen den betr. „Doktrinarismus" gesprochen.[3]

F. v. Hügel

Brief Nr. 21 (bei Frank, S. 34).

1 Schon in der 2. Aufl. (1913); das letzte Kapitel handelt von „Institutional Religion", S. 323-378.

2 Der zweite Katholizismusaufsatz ist demnach The Convictions Common to Catholicism and Protestantism, seit 1921 nachgedruckt in: von Hügel, Essays and Addresses, S. 242-253.

3 Christianity and the Supernatural, ebda., S. 278-298.

Upsala, 1. Juli 1920

Lieber Professor und Freund!

Ihr tief wehmütiger Brief ist für mich eigentlich keine Überraschung. Wie ich Ihnen mehrmals geschrieben und Ihnen und anderen gesagt habe, gehören Sie zu jenen, welche verurteilt sind, Pilger auf Erden zu sein. Keine äußere Kirchengemeinschaft kann völlig dem innersten Bedürfnis der Seele entsprechen. Wären Sie in der evangelischen Christenheit geboren, so hätte diese Tatsache bei Ihnen nicht eine so schmerzliche Erfahrung hervorrufen müssen, denn da hätten Sie Freiheit zum Gottesumgang und zu geistiger Selbständigkeit in der Gemeinschaft der Heiligen gehabt, ohne daß das Gewissen in Konflikte hätte kommen müssen. Wie es nun ist, bitte ich Sie, Ihre evangelisch-katholische Linie geradeaus weiterzugehen. Hätten Sie sich in Ihrer neuen Umgebung zufriedengestellt gefühlt, so hätte ich darin eine gewisse Untreue gegen Sie selber erblickt. Das ist selbstverständlich, daß Sie auch bei uns in Schweden nicht das geistige Heimatgefühl besitzen können, dessen Sie nun ein für allemal, wie viele andere Söhne der Kirche Christi, beraubt sind. Aber das vermindert nicht Ihre Aufgabe, und eigentlich haben Sie einen doppelten Reichtum dadurch, daß sich Ihre Seele dem Evangelium und der mystischen Innerlichkeit auch in anderer Form geöffnet hat. Ihre reiche Erfahrung in jungen Jahren muß eine Gabe Gottes für Ihren Beruf als Religionsforscher bedeuten, aber vor allem als ein von Gottes Gnade und Barmherzigkeit angenommenes Kind. Wann werden Sie möglicherweise einen Besuch hier in

Uppsala oder anderswo in Schweden machen können, um neue Kräfte zu gewinnen? Mit Reisekosten wird wohl irgendwie abgeholfen werden.

Was die norddeutsche evangelische Christenheit betrifft, so hat sie doch trotz ihrer Armut an Andacht und Gefühl sicher große Gaben vom Evangelium in der Form eines unbedingten Respektes vor der Wahrheit, Gewissenhaftigkeit, Charakterstärke, Berufstreue und Gottvertrauen. Gern möchte ich mit Ihnen über die Probleme sprechen, die die gegenwärtige Lage für uns aufstellt.

Mit erneutem herzlichen Dank für Ihre Hilfe mit meiner neuen Auflage, mit einem Glückwunsch zum unvergleichbaren Erfolg Ihres „Gebets" und mit inniger Fürbitte zusammen mit dem Ansuchen, daß Sie auch für mich in meinem schweren Beruf beten möchten,

Ihr stets ergebener
Nathan Söderblom

Brief Nr. 22, UB Marburg (von Heiler übersetzt und in EhK 13, 1931, S. 298 f. abgedruckt, von mir auf Grund einer Photokopie der Abschrift in der UB Uppsala ergänzt). Für den Zeitraum zwischen dem 18. 2. 1920 (Brief Nr. 18) und dem 4. 8. 1920 (Brief Nr. 25) sind die Briefe Heilers an Söderblom nicht auffindbar, während acht Briefe von Söderblom an Heiler in den UB Marburg und Uppsala aufbewahrt liegen. Am 17. März 1920 beglückwünschte Söderblom z. B. Heiler zur Berufung nach Marburg. Wiederholt waren Einzelheiten der Drucklegung von Tieles Kompendium zu regeln. Söderblom berichtete über seine fortgesetzten Bemühungen, das „Gebet" in aller Welt bekanntzumachen. Am 15. Juni 1920 gab er seiner Freude über die 2. Aufl. vom „Gebet" Ausdruck und wiederholte seine Einladung, wieder nach Schweden zu kommen. Besonders interessant ist seine Würdigung von Heilers Wesen des Katholizismus (Brief vom 7. Mai 1920): „Das Wesen des Katholizismus, wofür ich herzlich danke, bedeutet eine höchst wesentliche Vertiefung unserer Auffassung und dürfte zu einer weniger willkürlichen und mehr soliden und fruchtbringenden brüderlichen Diskussion zwischen den römischen und den evangelischen Teilen der Kirche Christi führen" (UB Marburg).

Marburg, 8. Juli 1920

Hochverehrter Herr Baron!

Verzeihen Sie vielmals, daß ich Ihnen erst heute herzlichen Dank sage für die liebenswürdige Übersendung Ihres herrlichen Buches Eternal Life. Ich bin in meiner neuen Stellung überlastet von Arbeit und komme nicht, wie ich wünsche, zum Briefschreiben. Vielen, vielen Dank für das Buch, das mir große Freude bereitet und das ich in den Ferien ausführlicher studieren werde. Es hat mich manches am Katholizismus in objektiverem Lichte betrachten lassen.

Das quälende Heimweh nach meiner Mutterkirche, das mich in den ersten Wochen meines Hierseins befallen hatte, hat sich allmählich wieder verloren, seit mir einerseits klar wurde, daß mir die Rückkehr zur katholischen Kirche durch die wissenschaftliche Wahrhaftigkeit versperrt ist, und ich andererseits in einem engen Gemeinschaftskreise[1] den religiösen Anschluß fand, den ich brauche. Ich wirke neben meiner akademischen Lehrtätigkeit auch praktisch-religiös, halte Studentengottesdienste um das darniederliegende religiöse Leben etwas zu heben. Es wäre gewiß schöner, wenn ich am sakramentalen Leben meiner Mutterkirche teilnehmen könnte, aber ich halte es für viel opfervoller und darum verdienstvoller nun im Protestantismus auszuharren und für eine Vertiefung des flach gewordenen religiösen Lebens zu arbeiten. Ich glaube ja nicht mehr an eine große religiöse Zukunft des Protestantismus und am wenigsten des deutschen, aber es gibt doch so viele suchende Einzelseelen, denen man helfen kann, und das stärkt und ermuntert. Nur „katholische" Herzen können da helfen. Die liberale protestantische Theologie Deutschlands ist im Zerfall begriffen und ist unfähig religiös aufbauend und reinigend zu wirken. Blind für das mystische Element in der Religion, versinkt sie immer wieder im Rationalismus und Moralismus. Wie anders ist mein väterlicher Freund Erzbischof Söderblom, eine tiefe religiöse Persönlichkeit, wie ich sie nie bei deutschen protestantischen Theologen gefunden habe. Ich freue mich darauf im August wieder zu ihm nach Schweden zu kommen.

Darf ich Sie vielleicht um die Adresse von Evelyn Underhill[2], der Verfasserin von Mysticism, bitten. Ich möchte ihr mein „Gebet" übersenden und sie um die Überlassung ihres schönen Buches bitten, da bei der derzeitigen Valute der Kauf englischer Bücher eine Unmöglichkeit ist.

Mit dem Ausdruck tiefer Verehrung und herzlicher Dankbarkeit

Ihr ergebenster

Friedrich Heiler

Brief Nr. 23, UB St Andrews (ms 2641).

1 In der von der Elisabethkirche wenige Schritte entfernten „Michelchen" genannten Kapelle gestaltete seit kurzem eine Gruppe Studenten und Studentinnen gemeinsame Betstunden. Mit seinen reichen Erfahrungen konnte ihnen Heiler nur willkommen sein, zumal sie von der Jugendbewegung herkamen und keinem allzu ausgeprägten Konfessionalismus huldigten.

2 Evelyn Underhill (1875-1941), Verfasserin von Mysticism, London 1911 und öfters, war eine Zeitlang der römisch-katholischen Kirche zugeneigt, aber durch das Antimodernistentum abgestoßen. Um 1922 entschied sie sich, aus ihrer Kirchenlosigkeit zur anglikanischen Kirche zurückzukehren und sich gleichzeitig unter die geistliche Obhut und Führung Baron von Hügels zu stellen; s. Christopher Armstrong, Evelyn Underhill, Oxford 1975, S. 197, 200-209.

24. Von Hügel an Heiler

London, 14. Juli 1920

Danke aufrichtig für den freundlichen Brief, der mir ja zwar eine Schwankung angibt, die mir unmöglich lieb sein kann. Immerhin ist das alles innerhalb einer gewissen, sehr reellen Positivität, dafür kann ich ja Gott tief danken. — Die Adresse ist: Mrs. Stuart Moore, 50 Campden Hill Square, London, W 8. „Evelyn Underhill" war ihr echter Name vor ihrer Verheiratung. Vielleicht ist sie augenblicklich von Hause weg; aber gegebene Adresse findet sie sicher. Ihr „Mysticism" ist ohne Zweifel ihr bedeutendstes Werk, obgleich sie seitdem eine bessere, adäquatere Einsicht in das Historische und Institutionelle erworben hat, aber nur, nachdem sie zuerst probiert hatte, das ganze Leben Jesu in ein rein mystisches zu verwandeln — ein verzweifeltes Unternehmen.

F. v. Hügel

Brief Nr. 24 (bei Frank, S. 34). Postkarte.

Marburg, 4. August 1920

Hochverehrter Hochwürdiger Herr Erzbischof!
Leider bin ich nunmehr erkrankt, so daß mir der Arzt das
Reisen verboten hat. Ich muß deshalb hier in Marburg
bleiben und die Sehnsucht nach Schweden resigniert ertra-
gen. Ob es mir noch möglich wird, nach Schweden im
September zu kommen, weiß ich noch nicht; es hängt
davon ab, ob ich so kräftig bin um Vorträge zu halten, da
ich sonst die teure Reise nicht bestreiten kann. Wäre es
nicht möglich, daß Sie, hochverehrter Herr Erzbischof,
hier in Marburg auf der Hin- oder Rückfahrt nach der
Schweiz aussteigen und wenigstens einige Stunden hier
weilten? Nicht nur ich, sondern auch Prof. Rudolph Otto
würden sich so sehr darüber freuen. Sie passieren ja
Marburg auf der Fahrt Frankfurt—Berlin. Falls Ihre
beschränkte Zeit es erlaubte, würden Sie uns die größte
Freude bereiten. Vielleicht haben Sie dann die Güte mir
ein Telegramm zu schicken, damit ich Sie auf dem Bahn-
hof abhole.
Mein Gesundheitszustand ist kein guter, weil nicht nur ein
Organ, sondern mehrere angegriffen sind. Die vielen
seelischen Erschütterungen, die ich im Laufe der letzten
Jahre durchmachen mußte, bleiben trotz alles willentli-
chen Widerstandes nicht ohne Wirkung auf den Körper.
In der Hoffnung, daß mir das Glück beschieden ist Sie in
diesem Jahre noch zu sehen, verbleibe ich mit dem
Ausdruck der Verehrung

Ihr dankbar ergebener
Friedrich Heiler

Brief Nr. 25, UB Uppsala. Am 28. Juli 1920 hatte Söderblom aus Helsingborg an Heiler über beider Reisepläne geschrieben, er setzte sich sogar ein, um Heiler die Einreiseerlaubnis zu vermitteln.

Marburg, 5. Februar 1921

Hochverehrter Hochwürdigster Herr Erzbischof!

Verzeihen Sie gütigst, wenn ich Sie heute mit einer doppelten Bitte belästige. Einmal bitte ich Sie einem lieben Schüler von mir, Rudolf Köhler[1], der bei einem schwedischen Pastor die Osterferien *März und April* zubringen soll (in *Dref bei Braås*, Småland) die Aufenthaltsbewilligung bei Utrikes-departementet[2] zu erwirken. Auf dem gewöhnlichen Amtswege ist sie nicht rechtzeitig bis zum Semesterschluß zu erlangen. Das zweite Anliegen, mit dem ich mich an Sie wende, ist das Schicksal meines Freundes Joseph Bernhart, des bedeutendsten derzeitigen katholischen Modernisten Deutschlands.[3] Er hat vor mehreren Jahren sein Priesteramt niedergelegt, sich später verheiratet und lebte ganz der wissenschaftlichen und belletristischen Publikation. Durch die Ungunst unserer wirtschaftlichen Verhältnisse ist er in finanzielle Not geraten; die literarischen Einnahmen reichen kaum aus um das Leben zu fristen. Seine Frau wie er sind kränklich geworden und bedürfen einer gründlichen Erholung und Auffrischung ihrer Kräfte. Es wäre mir schrecklich, wenn dieser hochbegabte und edelgesinnte Mann zusammenbrechen würde. Ich würde Sie darum herzlich bitten ihn und seiner Frau in einem schwedischen Hause einen längeren Aufenthalt zu vermitteln. Der Gastgeber würde an beiden gewiß große Freude haben und reiche geistige Anregung empfangen. Bernhart würde gerne auch Vorträge halten* über religionsphilosophische Themata,

139

deutsche Mystik, religiöse Kunstgeschichte und aus seinen feinen Novellen vorlesen.

Bernhart hat eine Reihe bedeutender Werke auf dem Gebiet der mittelalterlichen Mystik veröffentlicht (Bernhardinische und Eckhartsche Mystik[4], Meister Eckhart übersetzt und eingeleitet[5]; eine Geschichte der mittelalterlichen Mystik ist z. Z. im Druck[6]), ferner über Fénelon, ein feines religionsphilosophisches Essay „Tragik im Weltlauf", ein großes kunstgeschichtliches Werk „Ars sacra"[7], eine kunstgeschichtliche Studie über Grünewald.[8] Aus seiner reichen belletristischen Publikation brauche ich nur sein köstliches Büchlein, „der Kaplan", hervorzuheben, das Sie ja selbst besitzen.[9] Es ist mir ein besonderes Herzensanliegen, die Zukunft dieses hervorragenden Mannes gesichert zu wissen. Er hat wie alle katholischen Modernisten innerlich viel zu kämpfen gehabt. Seine theologische Position ist die Tyrrells.

Sie würden mir eine sehr große Freude machen, wenn Sie etwas für meinen Freund tun könnten. Es gibt gewiß begüterte schwedische Familien, die gerne einen deutschen Gelehrten und Schriftsteller aufnehmen werden.

Verzeihen Sie gütigst diese Belästigung. Ihre verehrte Familie und Ihre Sekretärin bitte ich vielmals zu grüßen. Mit dem Ausdruck tiefer Verehrung und herzlicher Dankbarkeit verbleibe ich

Ihr ergebenster
Friedrich Heiler

* er ist ein sehr guter Redner

Brief Nr. 26, UB Uppsala. Auch hier ist eine Lücke in der erhaltengebliebenen Korrespondenz, welche auch die vier aus dieser Zeit vorhandenen Briefe Söderbloms an Heiler nicht ganz auffüllen. Heilers Bruder Josef war im September 1920 gestorben, s. unten Brief Nr. 35. Vorher war Söderblom von den für seine Life-and-Work-Pläne äußerst wichtigen Konferenzen in Genf, August 1920, nach Uppsala zurückgekehrt, erwähnt sie in seinem Brief vom 1. Sept. 1920 mit wenigen Worten und legt Heiler nachdrücklich nahe, gerade wegen seiner Gesundheit nach Schweden zu kommen und sich zu erholen. Heilers Anfrage wegen Unterkunft in Schweden für eine ihm bekannte Dame beantwortete Söderblom am 9. 9. mit dem Hinweis, die dem Hilfswerk zur Verfügung stehenden Mittel reichen nicht mehr aus, wenigstens in der Stockholmer Gegend, um weitere Fälle anzunehmen.

Noch ein Antwortbrief vom 20. 11. 1920 spricht von der außerordentlichen Freude, Heilers „Gebet" in schwedischer Übersetzung vorstellen zu dürfen und läßt durchblicken, daß Heiler auch ihm gegenüber von einem Tiefstand der Theologie geschrieben hatte. Am 7. 1. 1921 berühren seine Antwortzeilen wiederum „Das Gebet", dem er eine seelsorgliche Wirkung zuschreibt, und die China-Reise des Professors K. B. Westman (s. o. Brief Nr. 2, Anm. 2).

1 Rudolf Köhler scheint derselbe zu sein, der 1925 als Berliner Pfarrer eine Auseinandersetzung mit der dialektischen Theologie verfaßt hat.

2 Dem Außenministerium.

3 S. oben Brief Nr. 10, Anm. 9.

4 Bernhart, Bernhardinische und Eckhartsche Mystik in ihren Beziehungen und Gegensätzen, Kempten 1912.

5 Meister Eckhart, ausgewählt und übers. v. J. Bernhart, Kempten 1914.

6 Bernhart, Die philosophische Mystik des Mittelalters von ihren antiken Ursprüngen bis zur Renaissance, München 1922.

7 Ars sacra, Blätter heiliger Kunst mit begleitenden Worten von Joseph Bernhart. 1. Serie, Kempten 1908.

8 J. Bernhart, Die Symbolik im Menschwerdungsbild des Isenheimer Altars. Vortrag gehalten in der kunstwissenschaftlichen Gesellschaft Münchens, München 1921.

9 S. oben Brief Nr. 17, Anm. 3. Söderblom antwortete am 14. Febr., er habe ans Außenministerium wegen Köhler geschrieben, leider könne er zur Zeit das Ehepaar Bernhart nirgends unterbringen, vielleicht könnte da Dompropst Pfannenstil in Schonen oder Prof. Aurelius in Lund besser helfen. Auch Schweden sei nämlich jetzt von der ökonomischen Krise erfaßt worden. In einem handschriftlichen Zusatz teilt er mit: „Prof. K. Budde ([1850-1935], Alttestamentler, 1900-21 Prof. in Marburg) schreibt erfreuliches über Ihre Wirksamkeit!"

27. Söderblom an von Hügel

Upsala, 28. Februar 1921

Revered layman-Bishop in the Church of Christ,

As yourself I believe as to prayer rather in a(n) et-et than in a(n) aut-aut, but it is necessary, especially to a younger mind, to make clear distinctions in order to grasp especially such an intimate and great matter as prayer. And you are yourself a master in distinctions.

I congratulate my young friend professor Heiler — a child and a mystic and a wonder of knowledge and philological acuteness — on the entrance you have given him into the English speaking world.

I have never read such a human treating of the Roman Catholic doctrine of supernatural holiness as the article you kindly gave me.[1] To myself its most interesting part treats the celibacy. There are also other fine examples. But the whole reasoning is very foreign to my conception and experience of God's work in human beings.[2] And I doubt whether a Roman Catholic theologian would not find your division or distinction too vague. Even in quite simple and everyday ethical issues the supernatural help and power is to me necessary, and the most heroic deeds of Christian love do not depass to me the terminus: good. No one of your examples surpasses what Miss Brändström[3] has achieved during the war for prisoners in Siberia and Russia. Where men failed, where the strongest men went away because they found the misery more than desperate and the dangers too great, that young virgin went on in superhuman and bright heroism. If I ask her whence the power came, she answers: Nothing was mine. Everything was God's help. As her father, the old General[4], now dying, said to somebody, who asked him if he was not anxious since we had not heard anything about his daughter since several months and since news came in of cruel death, inflicted upon other servants of our Red Cross, he said: Why should I bear fright? She walks the road of her heavenly Father. But any suggestion that she has accomplished anything but her simple duty would seem to her and her father as unevangelical. As to myself, I would answer with the parable in Luk. 17,10.[5]

Always thankful for everything that comes from your pen, I am

sincerely yours
Nathan Söderblom

Brief Nr. 27, UB St Andrews (ms 3068). Der Briefwechsel von Hügel-Söderblom aus dem Frühjahr 1921 wurde u. a. durch den Besuch Söderbloms in London und Peterborough veranlaßt, während dessen er im Gremium der vom Baron im Jahre 1904 ins Leben gerufenen „London Society of the Study of Religion" einen Vortrag hielt und noch dazu drei längere Gespräche mit ihm hatte, nach Bedoyère, a.a.O., S. 169, 322. Der erste Brief beginnt aber mit einer Erwähnung der Rezension von Hügels über „Das Gebet" von Heiler, s. oben zu Brief Nr. 19, Anm. 2.

1 Christianity and the Supernatural, The Modern Churchman 10 (1920), S. 101-121, Neudruck in von Hügels Essays and Addresses, S. 278-298, über den Zölibat: S. 285 f.

2 Worauf er mehrmals zurückkam, s. u. Briefe Nr. 31, 32, 36.

3 Elsa Brändström wurde 1888 in Petersburg geboren und wohnte da auch 1906-1920 bei ihrem Vater; sie vollzog während und nach dem Kriege in Sibirien wie in Sachsen erstaunliche Leistungen im Roten Kreuz und in anderen karitativen Werken.

4 Per Henrik Edvard Brändström (1850-1921), Vater von Elsa, war 1906-20 envoyé extraordinaire und ministre plénipotentiaire beim kaiserlichen Hofe zu Petersburg (1918 nach Schweden zurückgekehrt).

5 Söderbloms Wahlspruch: „Wenn ihr alles getan habt, so sprecht: wir sind unnütze Knechte gewesen; wir haben getan, was wir zu tun schuldig waren."

London, 7. März 1921

Hochgeehrter Herr Erzbischof,

wenn ich Ihnen schon jetzt gleich auf Ihren schönen Brief
vom 28. Februar antworte, so ist das nicht um, unbescheiden, ein weiteres Schreiben Ihnen abzulocken. Ich weiß
nur zu gut wie ungemein beansprucht und wie kostbar
Ihre Zeit — *für uns alle* — ist. Ich will deshalb denn auch,
was die direkten Gegenstände Ihrer Bemerkungen angeht,
nur warm für Ihre Freundlichkeit (auch gerade in Ihrer
Kritik) danken und besonders hervorheben, wie sehr mir
der Fall von Fräulein Brändström imponiert — wie sehr
ich Gott für solch ein Leben danke; und wie wenig
glücklich ich mich ausgedrückt haben muß wenn die von
mir zitierten Fälle als für mich in Konkurrenz mit solchen
Ihrigen gedacht waren. Meine Fälle waren mir durch
Gottes Fügungen und nur für mich vorgeschrieben. (Daß)
sie größer, kleiner, gleich groß als andere waren — das
blieb und bleibt absolut, auch für mich, unausgemacht.
Nur zweierlei (außer der reinen Tatsache, die ja auch als
solche keiner leugnen kann, nämlich daß ich *de facto* so,
und nicht anders, zu Gott gebracht wurde, was ja doch,
meine ich, keiner weiteren Analyse fähig ist) stand und
steht mir dabei fest: 1. daß zwar in allem etwas tiefem
Guten, Natur und Übernatur zusammenwirken — beide
von Gott kommend, beide *Gaben;* und 2. daß zwar auch
das übernatürlichste Leben durchaus nicht die asketische,
weltfliehende Form zu nehmen braucht, diese Form aber
immer noch durchaus legitim, und von Gott selber (durch

die geistigen Früchte auch dieser Form) gesegnet bleibt.
Ihre Jungfrau und ihr herrlicher alter Vater — sie sind von
Gott; mein Dominikanermönch und mein eheloser Welt-
geistlicher — sie auch waren von Gott — demselben
Gotte. *Das* glaube ich nun stille weiter; und mein streng
evangelischer Erzbischof wird, irre ich, mich in meinem
Irrtum wohl ruhig weiterziehen lassen!

Ich schreibe aber eigentlich um zu sagen, daß ich von
unserem tüchtigen Herrn Hellerström[1] höre daß Sie, edler
Mann, auf vierzehn Tage, im April, nach London kommen. Ich bin jetzt in Fundamentalfragen für ein neues
Buch vertieft, wobei mir Ihr schönes, tief bohrendes Buch
über den Ursprung des Gottesglaubens[2] herrliche Dienste
bieten wird. Ich will also hiermit sagen, daß wenn es Ihnen
irgendwie möglich wäre mir während jener Tage zu
erlauben Ihre hochwerte Bekanntschaft zu machen, ich,
auch durch ein halbes Stündchen Verkehr, viel bei Ihnen
lernen könnte und möchte. Das netteste wäre freilich,
wenn Sie — warum nicht mit Hellerström? — zu uns
hierher, sage fürs *lunch* um 1 Uhr, oder für einen Spazier-
gang in den schönen Kensington Gardens kämen (zwischen 3 und 5 Uhr). Aber ich kann, natürlich, auch zu
Ihnen, was wohl weniger gemütlich aber weniger zeitraubend sein würde.

Ich habe ja jetzt eine stattliche Schar von schwedischen
Freunden, und sehr schön wird es für mich sein, wenn Sie
(auch durch den tüchtigen Schwiegersohn[3], Vater der
lieben Enkelin) kurz vor Ankunft in England wissen
lassen, ob und wie und wann ich Sie sehen darf. Bringen
Sie doch, bitte, ein Bild von Frl. Brändström mit!

In dankbarer Hochachtung
Friedrich von Hügel

Brief Nr. 28, UB Uppsala.

1 A. O. T. Hellerström (geb. 1881) war Nachfolger von Lindskog als Legationspfarrer in London, 1915-29.

2 Zu Söderblom, Das Werden des Gottesglaubens, zuerst 1914 schwedisch, s. oben Brief Nr. 10, Anm. 3.

3 Yngve Brilioth verheiratete sich 1919 mit Brita Söderblom, s. Sundkler, a.a.O., S. 168, und war 1919-22 in England zu Studienzwecken (vgl. oben, Brief Nr. 19, Anm. 1).

29. Von Hügel an Söderblom

29. März 1921

Hochgeehrter Herr Erzbischof,

es ist uns allen eine Ehre und ein großer Vorteil daß sie uns in unserer *LSSR*[1] einen Vortrag halten werden, und zwar über ein Ihnen so durch und durch vertrautes Thema. Ich schreibe eigentlich um Sie zu bitten — wenn das irgend möglich ist — mir Ihren Vortrag, sage eine Woche vor dessen Mitteilung, zukommen zu lassen. Die anderen Vortragenden haben alle freundlichst mir diesen Dienst erwiesen: nur so kann derselbe Taube darnach seinen kleinen Beitrag zur Diskussion liefern. Ich würde das Manuskript, ohne Fehl, Ihnen zur Versammlung bringen.

Hochachtungsvoll
F. von Hügel

Brief Nr. 29, UB Uppsala. Von Hügel hat zwar das Jahr 1912 geschrieben, es muß aber eindeutig 1921 heißen.

1 S. oben Brief Nr. 27.

30. Heiler an von Hügel

Brackwede (Westfalen), 30. März 1921

Hochverehrter Herr Baron!

Verzeihen Sie daß ich Ihnen erst heute herzlich danke für Ihre so überaus freundliche Besprechung meines Werkes. Die sich drängenden Arbeiten am Semesterschluß, dazu meine Verlobung[1] mit all dem äußeren Drum und Dran der Vorbereitung auf die Hochzeit, lassen mich erst in der Stille der Osterwoche zum Schreiben kommen. Ihre Besprechung und Kritik hat mir ganz besondere Freude bereitet, und ich danke Ihnen darum aufs herzlichste. Ihrer Kritik an meiner Stellung zum Sakramentalismus (die ich übrigens der demnächst erscheinenden 4. Stereotypauflage[2] beifügen werde) stimme ich größtenteils bei. Ich möchte den „puritanischen" Gottesdienst der Gemeinde durchaus nicht mehr als *das* Ideal des Gottesdienstes bezeichnen, wohl aber als *ein* Ideal, das *neben* der katholischen Sakramentsliturgie seine Berechtigung hat. Ich habe seit dem letzten Sommer reiche Erfahrungen mit Wortgottesdiensten gesammelt, da ich in einer kleinen Gemeinde, die sich in Marburg um mich geschart, regelmäßig Gottesdienste gehalten und solchen von Freunden gehaltenen beigewohnt habe. Neben Schriftlesung und Predigt, dem gebundenen und freien Gebet, der Psalmodie im Wechselchor, dem Choral der Gemeinde, pflegen wir besonders den „silent worship". Ich habe stets sehr tiefe Eindrücke von dieser Art des „unsakramentalen" Gottesdienstes empfangen. Es besteht hier ein ganz enger persönlicher Kontakt zwischen Liturg und Gemeinde, den ich im römisch-katholischen Gottesdienst stets schmerzlich vermißt habe. Freilich sind solche Gottesdienste nur in engeren Kreisen möglich, und darin liegt ihre Begrenzung. Aber sie stellen doch einen besonderen religiösen Wert dar, der innerhalb der katholischen Kirche nicht voll verwirklicht ist. Damit will ich aber nicht bestreiten, daß die größere *Wert*fülle (nicht nur *Lebens*fülle) dem katholischen Gottesdienst wie der katholischen Kirche überhaupt eignet. Ich bedaure ja auf Grund meiner Erfahrungen und Enttäuschungen diese Kirche verlassen zu haben. Aber der Rückweg ist mir versperrt, weil an Bedingungen geknüpft, die eine Preisgabe meiner wissenschaftlichen und religiösen Wahrhaftigkeit bedeuten. Andererseits hat das Leben und Wirken innerhalb des Protestantismus mir eine Kenntnis des letzteren und damit ein Verständnis der Mutterkirche vermittelt, das mir sonst nicht möglich gewesen wäre. So muß ich eben mein Schicksal tragen. Einen (wenn auch unvollkommenen) Ersatz für die verlorene alte Heimat gibt mir meine treue Marburger Gemeinde und meine Schülerschaft, an der ich viel Freude erlebe. Aber der Riß, der durch meine Seele geht, wird nie heilen können.

Ich arbeite jetzt an einem größeren Werk über den Katholizismus, das als Neuauflage der vergriffenen unglücklichen Schrift des Vorjahrs erscheinen soll. Ich habe *sehr* viel hierfür von Ihnen gelernt. Mit dem Ausdruck des tiefen Dankes und der aufrichtigen Verehrung bleibe ich

Ihr ergebenster
Friedrich Heiler

Brief Nr. 30, UB St Andrews (ms 2642). Von Hügel hatte wie erwähnt Heilers „Gebet" in The International Review of Missions 10 (1921), S. 266-270 besprochen.

1 Mit Anne Marie Ostermann aus einer Pfarrerfamilie in Brackwede, die 1921 ihre Universitätsstudien zum Abschluß brachte.

2 Erschienen Herbst 1921; s. „Das Gebet", S. 617-618.

31. Söderblom an von Hügel

Very revered Baron von Hügel,
I am sorry to say that I must have my manuscript during my journey, because I have not had time to revise the translation. As soon as I come to London I hope to be able to send the manuscript with a good photograph of Miss Brändström.

Let me thank you — too rapidly — for your fine letter. I am deeply convinced, that the men and experiences you mention have come to yourself from God. And in this sacred realm comparisons are to me repugnant. I go so far as to think that the difference you make between good and more-than-good cannot be maintained. Even the most heroic . . .[1] and acts seem to me to be good and cannot be more than good. And God can reveal Himself to a poor human life even in very simple and ethical facts of everyday life.

For many years I have dreamt of meeting you, to whom I owe so much in spiritual things — and who has bestowed upon so many of my friends the most genuine goodness. I hope that Rev. Hellerström has reserved for us a couple of hours for having the privilege of calling on you e. g. Wednesday at 1 o'clock or at 3 o'clock.

Believe me, revered Baron, your with sincere admiration
Nathan Söderblom

Brief Nr. 31, UB St Andrews (ms 3069). Von Hügel fühlte sich noch nach den Unterredungen mit Söderblom nicht ganz verstanden, vgl. seinen Brief an Loisy vom 14. Okt. 1921 (in: A. Loisy, Mémoires, Paris 1931, III, S. 412).

1 Wort unleserlich.

32. Söderblom an von Hügel

London, 12./13. April 1921

My dear and most revered Baron von Hügel,
We continued first in the Society, then three alone. It has become very late. But I must not finish this day without saying to you: to have provoked, indirectly, the moving insight you allowed us into the pathetic sincerity of your inner life, is, in itself, more than worth my voyage to England.[1] We should have gone home everybody after it to consider in silence before God our own experience.
I must add one thing. Luther is to me in no wise an authority *quand même*. The Church of Christ needs all the prophets and servants of the Master. And we have to learn from all of them. Luther's opposition to asceticism was, in his personal case, well-founded. But he led an extremely laborious and self-forgetting life. Nothing is to me more dangerous for Christianity than the Comfortable Religion without asceticism, especially the asceticism afforded by the tasks and duties, inwards and outwards, that God gives me. Comfortable Religion is to be found in different quarters. It has had and has a typical and unrefined[2] form inside Lutheranism. I hate it, I try to condemn it in my life and the life of my clergy. A Christianity without true and searching asceticism can never conquer the world. And I am glad that Harnack has preached that so consistently. Already therefore I see of course also a wide scale of different grades of goodness. There are enormous distances between "good" and "good". But what I meant to say in my letter was, that as far as I can see, much less experienced in God's school than you, every heroism,

153

every amount of superhuman goodness is necessary for salvation for that soul.

This night — already yesterday — I made no confession, only an analysis.

Sincerely, thankfully yours,
Nathan Söderblom

Brief Nr. 32, UB St Andrews (ms 3070). Gedruckter Briefkopf: „27, Knightsbridge, Hyde Park Corner, S. W." Der Vortrag in der London Society of the Study of Religion hatte am selben Dienstag, dem 12., stattgefunden.

1 Hauptziel der Reise war allerdings Peterborough, wo Söderblom der Versammlung des europäischen Ausschusses von Life and Work zusammen mit Bischof Woods vorstand.

2 Wort schwer lesbar.

Marburg, 5. Juni 1921

Hochverehrter Hochwürdigster Herr Erzbischof!
Verzeihen Sie, daß ich erst heute Ihren Leipziger Brief
beantworte. Ich wollte es nicht eher tun, als ich Klarheit in
der Sache bekommen hatte. Ich war zuerst geneigt Ihrem
Rate zu folgen, habe aber dann immer mehr Bedenken
gefunden. Vor allem ist mir gesagt worden, daß das
Leipziger Klima für meine schwache Lunge Gift sei, wie
überhaupt für meinen Gesundheitszustand der Aufenthalt
in einer großen Industriestadt nicht zuträglich ist. Ferner
ist nach meinen Erkundigungen die Qualität der Leipziger
Theologiestudenten mit der der Marburger nicht zu ver-
gleichen. Leipzig ist ‚Examens'-Universität, die theologische Fakultät fast nur von Sachsen besucht. Unsere Fakultät zählt nur ein Drittel hessische Studenten, alle anderen
kommen aus den verschiedensten Teilen Deutschlands.
Der wissenschaftliche Eifer unserer Studenten ist weit
größer als an anderen Universitäten. Überdies hat das
Ministerium nunmehr auf Antrag meiner Fakultät, die
mich hier zu halten suchte, mir zugesichert 1. Umwandlung meiner Professur in eine etatsmäßige innerhalb dieses
Jahres, 2. Ernennung zum Ordinarius, 3. Prüfungsrechte,
4. Promotionsrechte in der theologischen und philosophischen Fakultät. Es eröffnen sich mir dadurch hier viel
größere Wirkungsmöglichkeiten als in Leipzig, wo ich als
Extraordinarius neben Haas[1] dort nur wenig hätte ausrichten können. Da Haas prüft, müssen die Studenten
eben zu ihm gehen. All diese Momente wiegen viel

schwerer als die unleugbaren Vorteile, die mir Leipzig geboten hätte. Ich hoffe, daß Sie, hochverehrter Herr Erzbischof, diese Gründe würdigen, und meinen Entschluß gutheißen werden. (. . .)

Für all Ihre Bemühungen in Leipzig sage ich Ihnen herzlichen Dank. Grüßen Sie Ihre liebe Familie vielmals von mir. In Dankbarkeit und Verehrung bleibe ich

Ihr ergebenster
Friedrich Heiler

Brief Nr. 33, UB Uppsala. Schon am 2. April 1921 hatte Söderblom Heiler sein Bedauern mitgeteilt wegen der Unmöglichkeit, für Bernhart einen Erholungsaufenthalt in Schweden zustandezubringen, und seine Glückwünsche zur Verlobung vorgetragen. Aus Leipzig hatte er am 9. Mai folgendes geschrieben (Abschrift in UB Uppsala): „Als ich hier den principem universitatis, den unentwegt scharfsinnigen und geistlichen Prof. R. Kittel traf, als ich in der Thomaskirche die Motette hörte, als ich dem Kleeblatt Prof. Gerhard Kittel, Lic. Stange und Lic. Sommerlath begegnete, von ihren liturgischen Andachten in der Paulinerkirche, von ihren geistlichen Freizeiten zu jedem Semesterschluß für suchende oder wachende Seelen hörte, als ich heute am Gottesdienst und Abendmahl teilnahm; ja so dachte ich und sagte: hierher muß Heiler kommen. Hier finden Sie eine geistliche Umgebung, die zudem wechselseitig befruchtend wirkt. Innerlich freue ich mich, daß Sie hierher kommen."

Ferner findet sich in der UB Uppsala die Abschrift eines handschriftlichen Briefes von Söderblom, „The Palace, Peterborough", datiert vom 19. 10. 1921, der aber doch zum April zu gehören scheint. Deutsch geschrieben, lautet er: „Lieber Freund,

In Ihrem neuen Heim Gottes Segen und Frieden [anläßlich der Hochzeit vom 14. April 1921]!

Streng vertraulich bitte ich Sie, *wenn* ein Ruf nach Leipzig kommt (es ist unsicher), dahin zu gehen. Baron von Hügel und andere sprechen von Ihnen. Ich empfehle Das Gebet — und Gebet!"

1 Hans Haas (1868-1934) war Missionar in Japan gewesen, dann seit 1915 Ordinarius für vergleichende Religionswissenschaft in Leipzig.

Marburg, 18. Juli 1921

Hochverehrter Hochwürdiger Herr Erzbischof!

Einer meiner Schüler wäre bereit unter meiner Aufsicht Ihr Werk Religionsproblemet[1] zu übersetzen. Falls es Ihnen erwünscht ist, würde ich Sie um Zusendung eines Exemplars bitten, da ich mein eigenes Exemplar ständig benütze. Für die freundliche Zusendung Ihrer Weiherede in Reval[2] sage ich Ihnen herzlichen Dank; ich habe mich sehr über Ihre schönen Worte gefreut. Leider werde ich auch in diesem Jahre nicht nach Schweden kommen können. Mit vielen herzlichen Grüßen an Sie und Ihre verehrte Familie bleibe ich Ihr allzeit dankbar ergebener

Fr. Heiler

Brief Nr. 34, UB Uppsala (Postkarte). Schon am 13. Juni 1921 hatte eine fröhliche Runde dem Erzbischof eine Postkarte mit dem einfachen Gruß zugeschickt: „Svenska kolonien i Marburg sänder en vördsam hälsning", dazu sechs Unterschriften: Friedrich und Anne Marie Heiler, Torsten Bohlin, Erik Härdelin, Ernst [. . .]sson und Hilding Pleijel. Bohlin (1889-1950) dozierte zu dieser Zeit in Uppsala, wurde nach einigen Jahren an der Akademie in Åbo (Turku, Finnland) Professor für systematische Theologie in Uppsala, dann Bischof in Härnösand (1934). Pleijel (geb. 1893) war 1930-60 Professor für Kirchengeschichte in Lund.

1 S. o. Brief Nr. 3.

2 Vgl. Sundkler, a.a.O., S. 279-281, und Ågren, Bibliografi, Nr. 426; ein bedeutendes Bekenntnis Söderbloms zum evangelischen Episkopat.

35. Von Hügel an Heiler

London, 24. November 1921

Geehrter Herr Professor!

Vielen Dank für die drei Hefte, die alle Hochwichtiges besprechen und von mir genau studiert werden müssen. „Die Versenkung"[1] wird mich wohl in allem wohltuend ansprechen. Und Ihres (schon verstorbenen) Bruders Arbeit hoffe ich mit großer Zustimmung zu benützen.[2] Der „Gottesdienst"[3] hingegen wird mir sicher lehrreich, aber ich fürchte, auch sehr schmerzlich sein, Sie wissen ja schon genügend warum. Ich würde Ihnen gerne mein eigenes Buch[4] schicken, wenn ich nicht noch einige Zeit auf mehr Einkünfte zu warten hätte. Wie hat uns Alle — auch hier — der Krieg verarmt und bedrängt.

Ergebener
F. v. Hügel

Brief Nr. 35 (bei Frank, a.a.O., S. 35).

1 S. o. Brief Nr. 12, Anm. 4.

2 Josef Heiler, Das Absolute. Versuch einer Sinnerklärung des „transzendentalen Ideals", München 1921, eine philosophische Doktorarbeit des nächstälteren Bruders, Josef, der schon von der Front leidend zurückgekehrt war und 1920 starb.

3 F. Heiler, Katholischer und evangelischer Gottesdienst, München 1921.

4 F. von Hügel, Essays and Addresses, 1921; s. o. Brief Nr. 7, Anm. 3.

36. Söderblom an von Hügel

My dear Baron von Hügel,
in your room there might be a beautiful thing, a flower, which you feel inclined to look at, a book, which you must take down from the shelf even during your work. There is something on one page that you have a desire to read once more. In the new book you have graciously given me, there are two such pages.

The first one is remarkable even because it shows you, most revered layman-bishop,[1] in a new shape. You are a teacher within the various parts of piety and Church, as few are in our times. Here you prove involuntarily that you might perhaps have been able to write novels as well as mysticism and theology. In your book „Essays and Addresses on the Philosophy of Religion" appear eight horse bus drivers who have driven you in London and become your friends.[2] You picture them concisely and untranslatably with their own funny way of speaking. The self-satisfied sturdy Scotchman, the Englishman with his partly unconscious self-irony and assurance and the drunken touching Irishman appear lively to us by the warmhearted humour of the author. The application? Well, one must ask oneself what the weather-beaten horse bus drivers have to do in an article about Heaven and Hell. It is true, they have departed this life and you are thinking of how, with these friends of yours, the supernatural powers of grace have been acting in the hidden in different ways but yet obviously how unable they might have been themselves to find expression for the higher meaning of life. One can almost dare a guess that the memory became strong in the revered writer's soul. His delight and power to fabulate made him write down the page. As we now read this passage it is to us more valuable than he himself can imagine. It proves openly and eloquently the secret of his influence. How can it be that this old, fine nobleman, now in London, where his home under the hostesship of an admirable wife, a grande dame in the truly aristocratic meaning of the word, and at the same time a pure and self-forgetting Christian, forms a pilgrim's resort for seeking and religiously thinking personalities from various countries and communions and where his Society for Research in Religion gathers Anglicans, Nonconformists, Jews, Roman Catholics, Agnostics and even one Lutheran in a small selected circle to confidential and clever discourses about religious problems, how can it be that you, devoted to your Roman Church with more strongly marked thankfulness as you are getting older, but, within the frame of your life-experience, wide-hearted and wide-seeing, how can it be that you enjoy affection, awe and respect from everyone who has come into connection with you, and even from widely separated groups?

It has of course something to do with spiritual gifts, sincere truth-seeking and ripe wisdom of life. But the humorous memorial of the horse bus drivers reveals to us the very kernel of the answer. The explanation is simple, perhaps indecently simple. But it is without doubt right, for it contains what, anyhow at last, is the principal question about each man. The secret is the sincere kind-heartedness which your person gives out, the personal interest for man as man, whether he is pope or cabman, Englishman or German, professor or Sister of Charity.

And I would like to say that this very living, absolutely personal interest, not in order to convert or to influence but only simply to grasp and love the human, the divine in each man and therefore also to find an individual, who might be uninteresting to common eyes, to find him worthy of attention and interest — I would like to say that this quality means the genuine evangelic feature of Baron von Hügel, which prevents you from plunging into any exclusive systematizing of life or teaching and keeps your soul pure and willing to learn.

A second passage stands out in the book in the same way. It deals with Father Perry, the Jesuit astronomer,[3] who was sent to a station in the southern ocean in order to observe the transit of the planet Venus. It explains to me, in an admirable way, the calmness and the creating-not-for-the-moment-but-once-for-all of Jesus awaiting the catastrophe.

The kindheartedness brings also with it the quality which perhaps appears most clearly in this book. One gets the word comprehensiveness on one's tongue.

You are eager to get all with you. You make truth of the word: "In my Father's house are many mansions." In your heart and therefore also in your Christian thought there is room for Valdes[4] and Kierkegaard, Sohm and Troeltsch as well as for the Roman authorities. Instances are taken from a seriously tormented workman's wife in Ireland or from a hidden country-parson in France as well as from the great, recognized Saints.

This wide-hearted universalism has reference not only to men, but above all to the ideas.

But you do not content yourself with being an eclectic, a lover and favourer of all good thoughts, however hard it

161

might be for them to get on well with each other. Nor do you gain the necessary unity by means of a historic view, however anxious you might yet be to lay stress on the many different states of pedagogic wisdom. The book we are speaking of here shows, more clearly than your earlier works, how everything is planned on system. The lectures and articles collected in this book show essentially the noble striving of thought, not to give up anything of value before a right place has been obtained for it in a great connection.

No one can read your descriptions of strong and heroic holiness without observing how those figures remind us of others in our own experience of life, known or unknown, who correspond to the only right definition of Saints: Saint is the one who reveals to us something of God's power.

The thoughts above and still others have been in my heart since I received and read your beautiful collection of essays. Pardon me that I have not sent my thanks before. Please convey to Lady von Hügel most respectful greetings from Mrs. Söderblom and myself. Pray for me and receive the assurance of deep and sympathetic respects from

Yours sincerely
Nathan Söderblom

Brief Nr. 36, UB St Andrews (ms 3071); Auszug bei Bedoyère, a.a.O., S. 322 f. Der ganze Brief stellt nichts anderes als die Übersetzung einiger besonders anerkennenden Stellen aus einem Aufsatz dar, welcher dann erschien als: N. Söderblom, Baron Friedrich von Hügels andliga självdeklaration. En studie i evangelisk och katolsk etik, in: Studier tillägnade Magnus Pfannenstil, Lund 1923, S. 168-183, hier S. 168-171, 173, 183. Söderbloms Haupteinwand bleibt die Nichtigkeit der Unterscheidung zwischen Gut und Gut, dem natürlichen und dem übernatürlichen, S. 176-183, wie schon oben Brief Nr. 31. Vgl. die Bemerkung dazu in seinem Brief vom 12. 1. 1922 an Heiler, zum Brief Nr. 37. Anlaß der Studie war die Veröffentlichung vom Band, Essays and Addresses, London 1921.

1 Diese Bezeichnung stammt von Paul Sabatier, Les Modernistes, Paris 1909, S. LI; Modernism (The Jowett Lectures), 1908, S. 42.

2 Essays and Addresses, S. 208 f.

3 a.a.O., S. 142 f., 289.

4 Petrus Valdes, Gründer der Waldenser im 12. Jh.

37. Heiler an Söderblom

Marburg, 14. Mai 1922

Hochverehrter Hochwürdigster Herr Erzbischof!

Endlich darf ich Ihnen die freudige Mitteilung machen, daß uns Gott ein gesundes Töchterlein geschenkt hat, das wir Anna Elisabeth nennen. Es trägt den Namen der großen Marburger Heiligen; im Schatten unserer Elisabethkirche und unter dem Geläute ihrer Glocken hat es das Licht der Welt erblickt. Das Wort aus dem letzten Sonntagsevangelium Joh. 16,21 hat sich auch an meiner Gattin voll bewahrheitet. Bange Tage und Stunden gingen voraus, in denen ich um das Leben von Mutter und Kind mich sorgte; und es bedurfte ärztlicher Hilfe um das Kind zur Welt zu bringen. Nun aber ist die Freude doppelt. Sie, Hochwürdigster Herr Erzbischof, die Sie so oft diese Freude erfahren durften, werden meine Freude ganz besonders verstehen.

Ihre freundliche Einladung zu späteren Olaus-Petri-Vorlesungen hat mich sehr gefreut. Ich danke Ihnen herzlich dafür. Schon lange grüble ich über ein Thema. Das mir von Ihnen vorgeschlagene ist sehr schön, aber auch sehr schwer.[1] Ich dachte an eine Geschichte des Opfergedankens oder eine solche des Gnadengedankens. Letztere ist noch von niemand in Angriff genommen worden, erstere noch nicht vollständig bearbeitet. Loisys Le sacrifice[2] hat mich trotz aller Reichhaltigkeit doch sehr enttäuscht. Er hat die sublimeren Formen der Opferidee ignoriert und ihr innerstes Wesen verkannt. Ich hoffe über ihn hinaus Wichtiges und Neues bieten zu können.

In Bälde hoffe ich Ihnen mein neues großes opus übersenden zu können, Der Katholizismus, seine Erscheinung und sein Ideal[3], auch eine Schwergeburt. Ich habe zwei Jahre an ihm gearbeitet und suchte in ihm die ‚Skizze‘ meiner schwedischen Vorträge zu einem großen Gemälde zu machen. Diese Vorträge haben in Deutschland viel Staub aufgewirbelt und die katholische theologische Literatur mehr beschäftigt und auch beeinflußt, als ich gedacht hatte.

Hier herrscht ein reges theologisches Leben. Die verschiedensten Richtungen stehen einander in unserer Fakultät gegenüber. Bultmann[4] (Neues Testament) ist wohl der radikalste Exeget, den Deutschland bisher hervorbrachte. In Niebergall[5] haben wir nun einen feinsinnigen praktischen Theologen moderner Richtung gewonnen, ein gesundes Gegengewicht gegen Bornhäuser[6]. Leider ist Otto immer noch leidend.

Grüßen Sie Ihre verehrte Gattin und Ihre liebe Familie und seien Sie selbst in tiefer Dankbarkeit und Verehrung gegrüßt von

Ihrem ergebenen
Friedrich Heiler

Brief Nr. 37, UB Uppsala. Der Siegelabdruck der Olaus-Petri-Stiftung, Uppsala, im Briefkopf des Briefes vom 12. Jan. 1922 von Söderblom an Heiler ließ schon erkennen, daß er ein amtliches Schreiben war, und zwar eine Einladung, die Olaus-Petri-Vorlesungen für das Jahr 1925 zu übernehmen. Söderblom fügte indes die persönlichere Mitteilung ein, er habe gerade von Hügels Essays and Addresses zu Ende gelesen und habe vor, auf schwedisch einen kleinen Aufsatz darüber zu schreiben (s. Brief Nr. 36), der dann als Zusatz zur deutschen Ausgabe von Religionsproblemet dienen könne. Hügels Problemstellung (Natur/Übernatur oder Gut/Übergut anstatt von Sünde und Gnade, Schuld und Vergebung) sei für ihn bezeichnend, echt thomistisch. Persönlich aber weise er selbst in seinen Büchern solche Eigenschaften des Herzens auf, die ihn der evangelischen Frömmigkeit näher rücken.

1 Aus Söderbloms Brief vom 12. 1. 1922: „Vielleicht könnten sich Ihre Studien über den Madonnenkult dafür eignen. Vielleicht liegt es Ihnen nahe, die Geschichte von religiösen Übungen in der Gestalt des gemeinsamen Gottesdienstes und der Privatandacht darzulegen. Vielleicht haben Sie noch ein anderes Thema im Kopf. Darüber läßt sich schreiben oder reden, wenn Sie Schweden besuchen."

2 A. Loisy, Essai historique sur le sacrifice, Paris 1920.

3 Am Ende des Jahres 1922 erschienen, trug das Werk den Titel, Der Katholizismus, seine Idee und seine Erscheinung, München 1923.

4 Rudolf Bultmann (1884-1976) war 1912-16 Privatdozent in Marburg, seit 1921 dortselbst Ordinarius.

5 Friedrich Niebergall (1866-1932) war seit 1922 ordentlicher Professor in Marburg.

6 Karl Bornhäuser (1868-1947) war seit 1907 Professor der systematischen und praktischen Theologie in Marburg.

38. Von Hügel an Heiler

London, 22. Mai 1922

Geehrter Herr Professor,

für vielerlei schulde ich Ihnen warmen Dank oder eine bestimmte Tätigkeit. Aber mein langes Leben lang ist mir das Briefeschreiben sauer gewesen — ich habe es stets als Arbeitsunterbrechung empfunden — eigentlich wie Darwin. Nicht als ob man nicht recht gerne Briefe empfänge, und nicht als ob man nicht klar einsähe wie wohltuend gerade ein solcher Verkehr für den ganzen Menschen ist.
1. Sie haben mir durch Ihre Rezension meiner „Essays" in der „Theologischen Literaturzeitung" eine wahre Freude gemacht.[1] Ich bewundere aufrichtigst wie Sie eine wirklich genaue, zutreffende, interessante Angabe des Inhalts dieser doch recht vielseitigen Aufsätze in je vier oder fünf Zeilen zustandebringen. Es ist das eine rechte Virtuosität bei Ihnen. Auch für die so freundliche Würdigung bin ich Ihnen aufrichtig verbunden. Merkwürdig: der Aufsatz (Brief) über das Leiden an die arme Mutter[2], den eigentlich alle als das vollkommenste im Bande preisen, hatte mit der reellen Mutter, an die und für welche der Brief geschrieben war, keinerlei Wirkung gehabt. Aber anderthalb Jahre später fiel sie ganz in die Hände der doch ungebildeten und phantastischen Mrs. Eddy[3] und der „Christian Science" — vielleicht doch (ich hoffe es immer), weil sie so zum ersten Male in ihrem Leben die Evangelien und die konkrete Gestalt Jesu kennenlernte.
2. Dank auch für „die religiösen Kräfte des katholischen Dogmas". Der Titel und der Aufbau des Werkes sind sehr

167

anziehend; ich nehme an, daß Leonhard Fendt ein Pseudonym ist und daß der Verfasser ein katholischer fungierender Priester ist.[4] Wann ich dies werde lesen können, weiß ich nicht; mein neues Buch, soll es je fertig werden, erfordert große Opfer von mir, gerade in der Einschränkung meiner ernsten Lektüre auf das direkt Nötige. Ich kann es aber anderen leihen, und mit der Zeit komme ich hoffentlich selber daran.

3. Durch Herrn Appasamy[5] baten Sie um englische Bücher. Ich hatte vier, fünf Bände für Sie zusammengelegt, will aber doch, fürs erste, nur ein neues, d. h. voriges Jahr in neuer Auflage erschienenes, Buch senden. Ich verschicke dieses heute oder morgen.

4. Die anderen Bücher sind schon vor dem Kriege 1911—1913 erschienen. Tüchtige, sehr tüchtige Sachen. Aber ist Ihnen das nicht zu alt? Und nehmen Sie mit von mir schon etwas benützten Exemplaren vorlieb? — Es ist mir eben so ziemlich unmöglich Ihnen Exemplare neu zu kaufen; und die Verleger sind jetzt schwer zu bewegen Rezensionsexemplare zu schicken.

Sagen Sie mir auf einer Postkarte, wie dies alles Ihnen recht ist.

Ergebener
Fr. von Hügel

Mit den Essays, von Swete-Turner herausgegeben schicke ich auch ‚Canon Barnett' by His Wife, jetzt erst in billiger Ausgabe zu haben.[6] Letzteres Buch ist doch voller Erfahrung und Einsicht in Sachen der verwilderten Großstadtschichten und deren Wiedergewinnung für die Religion. Der fast dissidentenmäßige Protestantismus gefällt mir durchaus nicht; es ist aber viel Schönes, Anderes, hier zu lernen.

Brief Nr. 38 (bei Frank, S. 35 f.).

1 Theologische Literaturzeitung 47 (1922), S. 235 f.

2 Essays and Addresses, S. 98-116.

3 Mary Baker Eddy (1821-1910) verfaßte das Werk, Science and Health, Boston 1875, und gründete die „Christliche Wissenschaft".

4 Keines von beiden stimmte, s. o. Brief Nr. 10, Anm. 15. Fendts Titel, Die religiösen Kräfte des katholischen Dogmas, München 1921, ist doch noch sehr modernistisch eingefärbt.

5 Zu A. J. Appasamy s. u. Brief Nr. 57, Anm. 2.

6 Nachschrift. Henry Barclay Swete (1835-1917), Professor in Cambridge, war der eigentliche Herausgeber von Essays on the Early History of the Church and Ministry (1918), aber er starb vor Erscheinen des Sammelbands. Darin veröffentlichte Cuthbert Hamilton Turner (1860-1930), Professor in Oxford, einen bedeutenden Aufsatz über die apostolische Sukzession, der Heiler bald sehr interessieren dürfte.
Samuel Augustus Barnett (1844-1913) hatte nach 1867 die sozialen Probleme einer Großstadt aus nächster Nähe in seinen Londoner Pfarrstellen kennengelernt; 1884 gründete er Toynbee Hall, eine Art „Rauhes Haus" in London. Seine Frau, Henriette Octavia (1851-1936), war ebenso tätig im pädagogischen und sozialreformerischen Gebiet; sie hat sein Leben, Canon Barnett, 2 Bde., London 1918, geschrieben.

39. Von Hügel an Söderblom

London, June 1, 1922[1]

My dear Archbishop,

What a beautifully kind and thoughtful letter you have written me! I have written enough in my life to see at once how much of quiet rumination must have preceded and must have accompanied it. It is always a difficult thing for a man to speak of the praises he may receive, but this I can say without vanity, that it was a peculiar pleasure to me to find that the eight horse busmen and Father Perry, the Jesuit astronomer, had been specially noticed by you. When I spent those three wonderful days with Fogazzaro in the Dolomite mountains, I found that the piece of writing of his own which he cared for much the most was his „Piccolo Mondo Antico"[2], for, as he said, this was the one book which reproduced, not ideas or fancies of his own, but really loved actual people who had surrounded him in his youth. And so it is, in their different way and degree, with my busmen and with Father Perry. — I trust you have really got to the deepest cause of whatever may be helpful in my writings; at all events, your view helps and cheers me greatly. But, my dear Archbishop, just think, you have given me credit for large-heartedness only up to fifty per cent of the reality, for our Religion Society now holds, not one Lutheran but two Lutherans; and very useful, pleasant members they are.

You will, I expect, have seen my long letter about Duchesne in the current „Times Literary Supplement".[3] Mr. Richmond, the Editor, most kindly let me have some 500 words above what he had allowed me, and even so, of course, I could easily have gone on for at least double the length which now appears.

We had the real pleasure to see your sturdy little daughter the other day, when she was brought here by Lady Parmoor.[4] How plucky of the little lady to come all that way across the North Sea by herself, alone, and to be going back in the same way. It will indeed be pleasant if we gradually come to see your entire large family.

I have got back today to my work on my book, and am really beginning to see daylight right through, I think. I intend to be at home, at work, till the end of July, and then to get away, for some four or five weeks, to a quiet corner of Surrey.

With our united kind regards to you both,

I am, my dear Archbishop,
Yours with true respect and gratitude,
Friedrich von Hügel

Brief Nr. 39, UB Uppsala. Antwort auf Brief Nr. 36.

1 Handschriftlich hat von Hügel hier die Präzisierung in Klammern angebracht: „dictated 29th May".

2 26.-29. August 1907 trafen sich einige italienische Modernisten und von Hügel zum sogenannten „convegno di Molveno", s. Scoppola, a.a.O., S. 235-244 und Bedoyère, a.a.O., S. 196 f.
Antonio Fogazzaro (1842-1911), Dichter, Romanschriftsteller und katholischer Senator zu einer Zeit, als den Katholiken Italiens ein solches Mitwirken am Staatswesen verboten war, verewigte die edleren Strebungen katholischer reformistischer Kreise in seinem Il Santo (1905, 1906 indiziert). Durch sein Piccolo mondo antico (1896) war er berühmt geworden.

3 The Times Literary Supplement, 25. May 1922, S. 342. Louis Duchesne (1843-1922), Kirchengeschichtler, tauschte schon 1885 mit von Hügel Briefe; s. E. Poulat darüber, in: H.-I. Marrou et al., Monseigneur Duchesne et son temps, Rom 1975, S. 353-373.

4 Lady Parmoor (Marian Ellis, gest. 1952), Quäkerin, war die zweite Gattin (1919) von C. A. Cripps, Baron Parmoor (1852-1941), einem prominenten anglikanischen Laien.

40. Heiler an von Hügel

Marburg, 1. Juni 1922

Hochverehrter Herr Baron!

Haben Sie vielen herzlichen Dank für Ihren liebenswürdigen Brief, der mir wie alle Briefe und Karten von Ihnen eine große Freude war. Vielen Dank auch für die gütige Sendung der beiden Bücher, die mir sehr wertvoll sind. Das eine[1] habe ich bereits in dem neuen großen Werke verwendet, an dem ich seit langem intensiv arbeite, „Der Katholizismus, seine Erscheinung und sein Ideal". Ich bin Ihnen für die in Aussicht gestellte Übersendung englischer Bücher *sehr* dankbar, da wir in unserem theologischen Seminar keine englische Literatur haben. Es dürfen auch ältere Bücher sein. Indem ich Ihnen nochmals für alle Ihre Freundlichkeit aufrichtigen Dank sage, verbleibe ich von hoher Verehrung

Ihr ergebenster
Fr. Heiler

Brief Nr. 40, UB St Andrews (ms 2643).

1 Gemeint ist der Aufsatz Turners in den von Swete herausgegebenen Essays, s. o. Brief Nr. 38.

Marburg, 15. August 1922

Hochverehrter Herr Baron!

Verzeihen Sie, daß ich erst heute Ihnen meinen herzlichen Dank für die wertvolle Büchergabe abstatte, ich war am Schlusse des Semesters erkrankt. Ich bin Ihnen von Herzen für die gesandten Bücher dankbar; besonders viel kann ich aus Warde Fowlers Werk[1] lernen; auch „Catholic Controversy"[2] ist für mich lehrreich. Die beiden anderen philosophischen Werke werden vor allem meinen philosophischen Kollegen sehr dienlich sein.

Ich bin augenblicklich immer mit Ihren Werken beschäftigt, aus denen ich stets von neuem in Dankbarkeit lerne, besser gesagt „umlerne", denn ich habe allmählich unter Ihrem Einflusse meine frühere Position stark verändert. Ich hoffe, Sie werden an der Neuauflage von dem wenig glücklichen Buche über Katholizismus, diesen Ihren Einfluß deutlich wahrnehmen.

Wäre es nicht möglich, daß von Ihren „Essays" eine deutsche Übersetzung erschiene? Das wäre doch sehr wünschenswert. Ich würde sehr gerne Schritte tun um dies zu ermöglichen.

Sehr dankbar wäre ich Ihnen für eine *gelegentliche* Übermittlung der Adresse von Miss Petre[3], der Verfasserin von Tyrrells Leben, sowie von A. D. Kelly[4], dem Verfasser von The Cultus of the Sacramental Presence in the Eucharist.

Sie schrieben neulich über Fendt, dessen Buch ich Ihnen gesandt. Es ist kein Deckname, sondern sein wirklicher

Name. Er war früher katholischer Priester, erst Subregens, dann Professor der Dogmatik an der theologischen Hochschule in Dillingen, „berüchtigt" als Modernist; er trat gegen Ende des Krieges zum Protestantismus über und ist jetzt einfacher protestantischer Pfarrer im Magdeburger Industriegebiet, das religiös zu den schlimmsten Gegenden Deutschlands gehört. Er fühlt sich freilich in seiner jetzigen Stellung gar nicht glücklich. Sein Buch hat ihm von lutherischer Seite scharfe Angriffe eingebracht; man hält ihn für einen „verkappten Jesuiten" (was man ja auch schon von mir gesagt hat).

Mit erneutem Dank und mit dem Ausdruck aufrichtiger Verehrung verbleibe ich

Ihr ganz ergebener
Friedrich Heiler

Brief Nr. 41, UB St Andrews (ms 2644).

1 William Warde Fowler (1847-1921), ein Oxforder Gelehrter, hatte Werke über römische Geschichte verfaßt, darunter auch die Gifford-Vorlesungen in den Jahren 1909-10.

2 „Catholic Controversy" ist mir unbekannt.

3 Zu Maude Petre s. o. Brief Nr. 2, Anm. 6.

4 Alfred Davenport Kelly, The Cultus of the Sacramental Presence in the Eucharist and in the Reserved Sacrament, London 1920.

London, 6. September 1922

Geehrter Herr Professor!

Ich bin in Wirklichkeit, bis zum 21. September auf dem Lande, in der Hoffnung neuer Stärkung für große Arbeiten, da mir die *Gifford* Vorlesungen[1] an der Edinburgher Universität für 1924—25 und 1925—26 anvertraut worden sind. Ob ich aber die Kraft dazu wiedererlange, liegt ganz in Gottes Hand. Für den Augenblick — während der letzten 3 Wochen — gibt mir meine Gesundheit im 71. Jahre recht viel zu schaffen, daher die verspätete Antwort. Also nun zu Ihren Fragen.

1. Die verlangten Adressen sind
(1) Miss Maude D. Petre
Mulberry House
Storrington, Sussex
(2) The Rev. A. D. Kelly, SSM
House of the Sacred Mission
Kelham
Newark-on-Trent, England (Er ist aber oft in Südafrika).

2. Übersetzung meiner ‚Essays'. Vielen Dank für Ihr freundliches Angebot. Ich will aber das Prinzip eines langen Lebens nicht gefährdet sehen; es muß bei mir mein reines, festes Aushalten bei und unter Rom ganz *klar, auch aus den trivialen Umständen, hervorleuchten.* Ich habe es jetzt erreicht, daß mich auch Jesuiten im „Tablet" und Dominikaner auf der Kanzel der Westminsterer Kathedrale als katholischen Denker mit Lob zitieren. Mir ist (bei Festhalten meiner Laien- und Forscherstellung) dies teu-

rer als irgendwelche Ausbreitung unter Andersdenkenden. Natürlich ist einem auch letzteres lieb, aber doch nicht so sehr, daß man sich in eine Zwitterstellung verfallen lassen könnte — ich meine in Umständen erscheinen könnte, die (unter dem Durchschnitt der Meinigen) Mißverständnisse erregen würde. Es ist das durchaus nicht zu viel zu bezahlen für das was mir Rom gibt und Rom allein geben kann.

Also bitte freundlichst alle Übersetzungspläne fallen zu lassen. Ich hoffe, im November weitere schöne Bücher senden zu können.

Ihr dankbar ergebener
F. v. Hügel

Brief Nr. 42 (bei Frank, S. 37). Frank überging hier Punkt 1, wie auch verschiedentlich an anderen (von ihm gekennzeichneten) Stellen.

1 Vgl. Bedoyère, a.a.O., S. 343. Seine angegriffene Gesundheit zwang von Hügel aber bald darauf zu verzichten.

43. Heiler an Söderblom

Brackwede (Westfalen), 29. September 1922

Hochverehrter Hochwürdigster Herr Erzbischof!

Für Ihr liebenswürdiges Gedenken in meiner Heimatstadt München und für Ihre herzlichen Grüße sage ich Ihnen innigen Dank.[1] Ich habe mich so sehr darüber gefreut. Ich selbst hätte nicht versäumt nach München zu kommen um Sie zu treffen, wenn mich nicht gerade damals mein altes Magenübel am Reisen gehindert hätte. Außerdem fesselte mich die Fertigstellung meines neuen großen Werkes[2], das ich Ihnen in vier Wochen zu übersenden hoffe, an den Schreibtisch. Nun habe ich — mit Hilfe meiner guten Frau — dieses Werk zu Ende gebracht und ruhe hier bei meinen Schwiegereltern etwas aus. Nunmehr beschäftigt mich auch die Revision und Ergänzung Ihres Religionsproblemet. Vor allem will ich die Darstellung des deutschen Modernismus vervollständigen, über den sich manches sagen läßt, und den Modernismus von 1908 in die Gegenwart herein verfolgen. Für die Freiheit, die Sie mir seinerzeit dazu gegeben haben, bin ich Ihnen sehr dankbar. Auch möchte ich ein eigenes Kapitel über Fogazzaro einfügen, von dem jetzt eine ausführliche italienische Biographie vorliegt.[3] Mein Hauptbestreben ist, Ihr Buch so zu ergänzen, daß es dem Stand [der] Gegenwartsforschung ganz entspricht, ohne an Ihrer prinzipiellen Einstellung etwas zu ändern.

Augenblicklich bemühe ich mich einem bedeutenden und wichtigen Buche meines Freundes Fendt (evangelischer Pfarrer bei Magdeburg, früher Professor der katholischen

Theologie) über den „lutherischen Gottesdienst im 16. Jahrhundert" zur Drucklegung zu verhelfen.[4] Wäre es nicht möglich, hierzu von schwedischen theologischen Kreisen einen Druckzuschuß zu erhalten? Ich glaube, daß man gerade im lutherischen Schweden an dem Erscheinen dieses Buches ein besonderes Interesse haben wird. Bei den jetzigen Valutaverhältnissen würde eine ganz bescheidene Summe die Drucklegung ermöglichen. Ich wäre Ihnen für einen freundlichen Rat sehr dankbar.

Im November werden wir wohl die Freude haben Bischof Billing[5] und seine Frau auf der Reise nach Rom in Marburg zu begrüßen. Wann werden Sie uns diese Freude machen? Jedenfalls möchte ich, wenn Sie wieder nach Deutschland kommen, nicht verfehlen Sie zu treffen. Ich würde auch, um Sie wieder zu sehen, nicht vor einer kleinen Reise zurückschrecken. Vielleicht aber wird uns im nächsten Frühjahr die längst geplante und ersehnte Schwedenreise möglich.

Meine Frau und mein Schwiegervater lassen Sie herzlich grüßen. Ich selbst bitte Ihre verehrte Frau und Ihre ganze Familie zu grüßen und verbleibe mit dem Ausdruck der Verehrung

Ihr ganz ergebener
Friedrich Heiler

Brief Nr. 43, UB Uppsala. Es liegt ein Antwortschreiben Söderbloms vom 23. 5. 1922 an Heilers Brief Nr. 37 in der UB Uppsala vor, sowie ein Brief Söderbloms vom 25. 7. 1922 aus Uppsala, wo er gerade von einer Bischofsweihe eingetroffen war. „Der lutherische Ring umfaßt die Ostsee, mare Lutheranum" (vgl. zu dieser Anschauung Sundkler, a.a.O., S. 274-278). Er bedankt sich für die Widmung der schwedischen Übersetzung vom „Gebet" mit anerkennenden Worten.

1 Nicht weiter aufzuhellen, vgl. aber Brief Nr. 50.

2 Heiler, Der Katholizismus, seine Idee und seine Erscheinung, München 1923 (Nachdruck 1970).

3 Tommaso Gallarati-Scotti, La Vita di Antonio Fogazzaro, Mailand 1920.

4 Leonhardt Fendt, Der lutherische Gottesdienst im 16. Jahrhundert, erschien 1923 bei Reinhardt mit Unterstützung von Söderblom, s. Söderblom an Heiler, 5. Okt. 1922 (UB Uppsala), worin er Heiler auch für seine Bemühungen um Religionsproblemet dankt.

5 Einar Billing (1871-1939) und seine Frau Gerda, der Heiler seine schwedischen Vorträge, Das Wesen des Katholizismus, gewidmet hatte, waren seit 1919 mit Heiler befreundet.
Billing war seit 1920 Bischof von Västerås, vorher Professor in Uppsala. Gerda Billing hat verschiedene Erinnerungsbücher geschrieben, z. B. Fjärran Upsalaår (1955).

44. *Von Hügel an Heiler*

London, 6. Januar 1923

Geehrter Herr Professor,

ich komme erst jetzt dazu, Ihnen für Ihr neues umfangreiches Buch und besonders für Ihre große Freundlichkeit meinen Schriften gegenüber, die sich daselbst in einem für mich geradezu beschämenden Grade ausnimmt, meinen besten Dank zu sagen. Dies eigentlich besonders deshalb, weil ich die langverzogene Antwort des Direktors der Times Literary Supplement abwarten wollte, den ich um eine tüchtige Rezension Ihres Werkes gleich angegangen war.

Er schreibt mir jetzt, er sei zehn Tage durch Krankheit von aller Arbeit abgehalten worden, bittet mich aber jetzt Ihnen zu sagen, Ihr Verleger solle ein Rezensionsexemplar an:

Bruce L. Richmond Esq.
Times Literary Supplement
Printing House Square
London E. C. 4

schicken. So adressiert, wird es direkt in seine Hände gelangen; und wird er sich mit der Sache sehr genau abgeben.

Ich bin von eigener Arbeit überhäuft und konnte bis jetzt Ihr selten vielversprechendes Inhaltsverzeichnis und die meine Sachen verwertenden Stellen lesen, und sonst nur hie und da hineingucken. Im Sommer will ich ordentlich hinzukommen, wenn ich bis dahin nicht wieder auf nicht religiöses beschränkt werde — ich meine, im Lesen neuer Werke.

Sie sind ja überall von einer ununterbrochenen Freundlichkeit gegen mich, für die ich nur aufrichtig und bescheiden danken kann. Nur der Verweis auf S. 653[1] betreffs der Freundlichkeit von Jesuiten und Dominikaner wäre mir lieber weg gewesen da ich aufrichtigst keinen Zoll über einen *tolerari potest* von der kirchlichen Obrigkeit will und erhoffe. (Aber nun nicht auch dieses drucken! Ich liebe solch Verwischen des Privaten und des Öffentlichen nicht!)

Merkwürdig, daß Sie zwei Versehen bei Mrs. Stuart Moore (Evelyn Underhill) haben einschlüpfen lassen: S. 475, Anm., Z. 5; Evelyn Underhill ist ihr wirklicher Name als unverheiratete Frau, den sie auch nach ihrer Verheiratung als Schriftstellerin beibehält; also kein nom de plume. Und S. — ich finde sie nicht wieder[2] — sprechen Sie von ihr als einer Katholikin. Das ist sie nicht! Ich kenne sie jetzt intim; ich zweifle, ob sie es je wird. Sie kommt jetzt zu einer schlichten, inneren und äußeren Frömmigkeit zurück und sucht den in ihr sehr stark rumorenden Pantheismus zu überwinden. Dabei ist es wahr, daß sie denn doch wieder, nicht unwichtig, sich als Kind der katholischen Kirche fühlt.[3] (Auch dies nicht drucken — nicht bis ihre kommenden Werke Ihnen gedruckte Beweise dieser Vertiefung bringen.) Ihr „Mysticism" ist zwar ein fast ganz katholisches Buch, darnach ist aber viel pantheistischer Wind in ihre Seele gekommen.

Ergebenst
F. von Hügel

182

PS: Ich finde auch die Stelle nicht wieder, wo Sie Evelyn Underhills Auffassung von Ignatius Loyola als anfangs einem großen Mystiker beanstanden.[4] Das ist aber rein aus Tyrrell — seinem schönen Büchlein „The Testament of Ignatius Loyola"[5] und ganz sicher richtig!

Und nirgends Denifle![6] Doch ein großer Mann, der selten tief in das Vollkommenheitsideal des Katholizismus sieht! Sie können es nun einmal nicht verzeihen, wenn unsereiner den hundertsten Teil des Schimpfens sich erlaubt von den Niagara des Schimpfens, die sich Luther erlaubt. Ich gestehe, besser kein Schimpfen; aber doch nicht dasselbe links in Maßen tolerieren und rechts in geringen Graden als genügend für die Nichtbeachtung schönster Gottesgaben ansehen. H.

Brief Nr. 44 (bei Frank, S. 37 f.), durch den Empfang von Heilers Werk, Der Katholizismus, seine Idee und seine Erscheinung, veranlaßt.

1 Heiler bringt ebda. unter anderen Zeichen des Fortbestandes von modernistischen Gedankengängen in der römischen Kirche (R. Guardini, K. Adam) auch eine Notiz vom Brief Nr. 42 in folgender Form: „Ja, Friedrich von Hügel, Tyrrells intimer Freund, der *évêque laique* der Modernisten, wie ihn Paul Sabatier einst genannt hat, wird heute von den englischen Jesuiten im ‚Tablet' und von den Dominikanern auf der Kanzel der Westminsterkathedrale als großer katholischer Denker zitiert."

2 S. 698. 3 Zu Underhill s. Brief Nr. 23, Anm. 2.

4 Heiler, Der Katholizismus, S. 494, Anm. 50.

5 [Vorrede], The Testament of Ignatius Loyola, übers. von E. M. Rix, eingel. von G. Tyrrell, London 1900.

6 Heinrich Seuse Denifle, OP (1844-1905), Mediävist, hatte die mittelalterlichen Mystiker (bes. Eckhart und Seuse) wieder bekannt machen wollen. Im „Gebet" hatte Heiler seine diesbezüglichen Schriften verwertet. Im „Katholizismus" zeigt er aber eine Vorliebe für neuere Literatur, z. B. Bernhart (s. S. 486, Anm. 25). Hügel nimmt an, Heiler vermeide ihn wegen seines letzten Werkes, Luther und Luthertum in der ersten Entwicklung, 2 Bde., München 1904-1909, das von einer unguten antilutherischen Leidenschaft getragen war.

London, 23. Januar 1923

Geehrter Herr,

um gleich zu schreiben, schreibe ich eine Postkarte.
Dreierlei ist zu klären oder sonst zu sagen:

(1) Die drei Exemplare von Dr. H. Kochs neuem Werke[1]
gehen nächste Woche an die mir versprechendsten
Bekannten ab. Der neue Abt von Downside[2], bei Bath, ist
jetzt bei weitem der tiefste Cypriankenner in englischer
Zunge. Er kann sicher nicht beistehen, ebenso wie auch
ich nicht; wir werden aber beide, er besonders, das Buch
zu schätzen wissen.

(2) In Sache der Evelyn Underhill wollte ich nur sagen,
daß dies kein fingierter Name ist — kein „Dr Mi . . .“[3]
oder „Philalethes“ etc. Es ist das ihr eigener Name bis zu
ihrer Verheiratung. Nach englischem Gesetze kann sie
diesen Namen ebenso führen wie ihren Ehefrauennamen,
Mrs. Stuart Moore.

(3) Das Exemplar (antiquarisch) vom „Testament of Ignatius Loyola“ geht morgen an Sie als Geschenk ab: ich hoffe
die herrliche Geschichte erster Hand wird Sie rühren und
erheben. Ich wollte Harnack hätte sein „Mönchtum“[4], das
des Herrlichen so viel enthält, nicht durch sein kindisch
fratzenhaftes Jesuitenkapitel entstellt. Auch dorten ist
Gutes und Großes, und dazu gehört unstreitig der junge
Ignatius.

Erg. F. v. Hügel

Brief Nr. 45 (Frank, S. 38, bringt nur Punkt 3).

1 Vielleicht Hugo Koch, Kallist and Tertullian. Ein Beitrag zur Geschichte der altchristlichen Bußstreitigkeiten und des römischen Primats, Heidelberg 1920.

2 Léandre Ramsay, 1922-1929 Abt von Downside.

3 Nicht lesbar.

4 A. von Harnack, Das Mönchtum, seine Ideale und seine Geschichte, Gießen 1881 u. ö.

46. Söderblom an Heiler

Upsala, 23. Januar 1923

Lieber Freund!

Dick ist das Buch[1], aber ich las es wie einen Brief auf der Post von Anfang bis zum Schluß, nicht in gleicher Weise gefesselt, sondern vor jeder Seite und jedem Kapitel in einer stärkeren Spannung. Vor einiger Zeit klagte eine Berliner Zeitung darüber, daß man im evangelischen Deutschland so wenig vom Katholizismus kenne. Nun hat der Katholizismus eine Schilderung bekommen, wie sie, so weit ich weiß, kein Jahrhundert aufweisen kann.[2] Die Gedanken strömen über mich. Die stärksten sind allererst Dankbarkeit gegen Gott für die Pietät, welche das Buch atmet und welche den Gedanken an einen Renegaten ausschließt. Stattdessen würde ich sagen: [Hier redet] ein Glied und Diener jenes Katholizismus, welcher das Ideal auch für Rom ist, den aber Roms weltliches Machtbegehren und sein pactum turpe mit dem Aberglauben unmöglich machen. Weiter schwindelt der Blick vor den Aussichten und den äußerst heiklen Problemen, die sich hier für eine evangelische Katholizität aufrollen. Darüber hoffe ich mich ausführlich äußern zu können. Münchens Universität lud mich ein, im Sommer eine Reihe Vorlesungen zu halten, was um so merkwürdiger ist, als ihr Rector magnificus selbst katholischer Kirchenhistoriker ist.[3] Ich sah keine Möglichkeit, aber ich fühle trotz meines überanstrengten Herzens darin einen bestimmten Ruf, teils im Dienst des Einheitsgedankens, teils und vor allem, um auf einer solchen Plattform mit aller Rücksicht auf den römischen Katholizismus und seine Frömmigkeit und doch mit aller wünschenswerten Klarheit und Schärfe meinen Gedanken der evangelischen Katholizität auszusprechen, die schon jetzt in der tiefen evangelischen Frömmigkeit und in unseren von der Reformation verwandelten Volkssitten in der Tat weiterziger ist als Roms weltumfassende und nach unten tolerante Methode. Es war Ihr Buch, das mir die Notwendigkeit klarmachte, wenn möglich, München mit ja zu antworten. Zu Ihrem neuen Hauptwerk möchte ich mich gerne brieflich oder in Druck ausführlicher äußern, sobald es Zeit und Kräfte zulassen.

Mein Herz ist zwar überanstrengt, hat aber keine organische Veränderung erlitten.

Tag und Nacht liegt der Gedanke an die Gewalttat Frankreichs über mir wie ein Alpdruck.[4]

Gott segne Sie in Ihrem großen Beruf im Dienste der Frömmigkeit und Wissenschaft und Kirche.

Mit Ehrerbietung für Ihre Frau und Grüßen von uns allen

ergebener

Nathan Söderblom

The Very Rev. the Dean of St. Paul's London, Dr. William Ralph Inge, gegenwärtig der Haupttheologe und -intelligenz englischer Sprache, schreibt an mich und beklagt sich, sein Buchhändler vermöge nicht das Gebet oder den Katholizismus anzuschaffen. Er fragt mich, ob ich sie direkt in Deutschland bestellen könnte. Möchten Sie die Güte haben, diese auf seine Rechnung, an: The Dean, St. Paul's, London, zu bestellen, so wird er umgehend bezahlen. Er schreibt über diese Bücher und wird eine Abhandlung über den Katholizismus veröffentlichen.[5]

Brief Nr. 46, UB Marburg (zum größten Teil schon durch Heiler übersetzt und in EhK 18, 1936, S. 149-150 veröffentlicht).

1 Der Katholizismus von Heiler.

2 Vorstehender Text ab: „wie sie . . ." von Heiler übergangen.

3 Zu diesen Vorlesungen s. bes. Brief Nr. 53, unten. Georg Pfeilschifter (1870-1936) hatte über die kirchlichen Wiedervereinigungsbestrebungen der Nachkriegszeit in seiner Rektoratsrede (1922; gedruckt München 1923) gesprochen, in der er drei Bewegungen darlegte und besprach: erstens, die damals hauptsächlich von Engländern getragenen interkonfessionellen Dialoge; zweitens, die päpstlichen Bemühungen um die Ostkirchen; drittens, den von Söderblom und einigen Amerikanern verkörperten Typus der Einheitsbewegung für „praktisches Christentum".

4 Vorstehender Text ab: „Zu Ihrem neuen Hauptwerk . . ." von Heiler übergangen.
Die Ruhrbesetzung hat Söderblom nicht nur privat bedauert, sondern auch dagegen protestiert in einer Kundgebung der schwedischen Bischöfe vom 1. Feb. 1923; s. Friedrich Siegmund-Schulze (Hrsg.), Nathan Söderblom. Briefe und Botschaften an einen deutschen Mitarbeiter, Marburg 1966, S. 73; vgl. Sundkler, a.a.O., S. 333 f.

5 Inge (1860-1954) war Heiler schon von seinen Untersuchungen über die Mystik und Plotinus bekannt. Seine Besprechung von Heilers Werk, Der Katholizismus, erschien in The Quarterly Review 240 (1923), S. 1-23, wie auch in: The Church in the World, Collected Essays by W. R. Inge, London 1927, S. 25-26. Auch diesen Nachtrag hat Heiler verständlicherweise übergangen.

47. Heiler an von Hügel

Marburg, 3. Februar 1923

Hochverehrter Herr Baron,
empfangen Sie meinen herzlichsten Dank für die schöne Sendung. Das Büchlein[1] ist mir schon teuer um der Vorrede des von mir so sehr verehrten P. Tyrrells willen. Ich lasse gerne mein Urteil über die Jesuiten durch die Aufzeigung des heroischen Geistes seines Stifters korrigieren. Aber ich werde das Empfinden nicht los, daß die heutigen Jünger des heiligen Ignatius, die mich immer wieder in Vorträgen und im persönlichen Verkehr sehr abgestoßen haben, nicht mehr den ganzen und echten Geist ihres Ordensstifters besitzen. Dagegen habe ich mich im Kreise der Franziskaner und Benediktiner immer sehr heimisch gefühlt. Nochmals danke ich Ihnen aufrichtig für Ihre kostbare Gabe und bleibe in steter Verehrung

Ihr ergebenster
Friedrich Heiler

Brief Nr. 47, UB St Andrews (ms 2645). Postkarte.
1 S. o. Brief Nr. 44, Anm. 5.

Marburg, 15. Februar 1923

Hochverehrter Hochwürdigster Herr Erzbischof!

Für Ihren lieben Brief sage ich Ihnen vielen herzlichen Dank. Ich habe mich so sehr über ihn gefreut. Daß Sie auch dieses Buch, das zu schreiben mir sehr schwer war, so liebevoll und verständnisinnig aufnahmen, ist mir eine besondere Ermunterung. Ich hatte es mit viel Liebe und Herzeleid geschrieben, es ist darum trotz alles Strebens nach Sachlichkeit und Objektivität ein recht persönliches Buch geworden, und das ist ein Vorteil und Nachteil zugleich. Von „modernistischen" Katholiken habe ich begeisterte Zustimmung erhalten.[1] Auch dies ist mir eine Freude, daß ich diesen unter dem Druck Roms schwer seufzenden und nach Freiheit, Wahrheit und Liebe sehnsüchtig verlangenden Theologen etwas Trost, Stärkung und Ermunterung bringen durfte. Dagegen wird das Buch von den Vertretern des juristisch-dogmatisch-hierarchischen Kirchentums sehr scharf abgelehnt, weil sehr unbequem empfunden.[2] Diese Kreise hätten es viel lieber gesehen, wenn ich mit Renegateneifer gegen die römische Kirche angekämpft hätte; eine aus Liebe und Schmerz geborene Kritik fürchten sie viel mehr als eine radikale Polemik. Aber ich bin fest überzeugt, der Gedanke einer evangelischen Katholizität[3] wird auch in den bisher streng exklusiven Kreisen Raum gewinnen, und die Liebe zu Christus und den Brüdern wird, wenn auch langsam, das harte und kalte Recht erweichen und erwärmen. Als ich das Buch schrieb, war ich in Gedanken so oft bei Ihnen,

und als ich den Traum vom „Papa Angelico"[4] nieder-
schrieb, mußte ich so viel an Sie denken und Ihren schönen
Hirtenbrief, als dessen Leitworte Sie die Worte Ihres
sterbenden Vaters gebrauchten.[5] Wann wird wohl ein
solcher Hirtenbrief von der Cathedra Petri in Rom
kommen?

An Weihnachten bekam ich von einer lieben Freundin in
Skara ein Geschenk, das mich besonders freute, ein Bild,
auf dem Sie zusammen neben dem Sâdhu[6] in Ihrem
Arbeitszimmer stehen. Es hängt jetzt in meinem Studier-
zimmer und ich freue mich so oft an ihm; sehe ich doch auf
ihm die zwei Männer, die ein wahrhaft ökumenisches
Christentum vertreten, beide frei von den engen Banden
eines exklusiven Konfessionschristentums.

Mit Bedauern hörte ich schon von schwedischen Freunden über Ihr Herzübel und Ihre geschwächte körperliche
Kraft. Möge Ihnen Gott bald wieder die volle Frische
schenken! Ich selbst war im Sommer und Herbst auch viel
krank, lag auch kurze Zeit in der Klinik; es war die Folge
der äußeren und inneren Anstrengung bei der Abfassung
des Buches. Jetzt geht es mir wieder sehr gut.

Wir hatten beabsichtigt im März nach Västerås zu fahren.
Aber die politische Unsicherheit macht die Ausführung
unseres Planes unsicher. Die Zeiten sind ja unsagbar
traurig. Die Gewalttaten der Franzosen, vor allem ihre
Grausamkeiten gegenüber wehrlosen Menschen haben
eine unsagbare Erbitterung allenthalben hervorgerufen
und eine neue Atmosphäre des Krieges geschaffen. Es ist
so furchtbar und für das Christentum des Abendlandes so
beschämend, nach den vierjährigen Schrecken des Welt-
krieges einen neuen noch schrecklicheren Krieg heraufzie-
hen zu sehen, der den „Untergang des Abendlandes"

herbeizuführen droht. Rußland steht gewappnet im Osten und man sagt, es wolle im Frühjahr zum großen Schlag wider die Westmächte ausholen. Wollte Gott, daß all diese Gerüchte, Befürchtungen und Mutmaßungen unzutreffend seien.

Eine große Freude war mir das mannhafte Wort der schwedischen Bischöfe an die Staatsmänner.[7] Es sind ja ganz wenige im Ausland, die offen für Recht und Wahrheit eintreten. Um so größer ist unsere dankbare Freude gegenüber diesen wenigen.

Vielen herzlichen Dank sage ich Ihnen auch für die Zusendung des schönen Aufsatzes über Friedrich von Hügel[8]. Ich verehre und liebe ihn so sehr. Nur eines kann ich ihm nicht verzeihen, daß er gar kein tieferes Verständnis für Luther aufbringt. Es ist ganz merkwürdig, wie sein beispielloser Weitsinn hier plötzlich Schranken aufrichtet und sich mit Scheuklappen umgibt.

Grüßen Sie bitte Ihre verehrte Frau und Ihre lieben Kinder. Mit herzlichen Wünschen und verehrungsvollen Grüßen bleibe ich

Ihr dankbar ergebener
Friedrich Heiler

Auch meine Frau grüßt Sie verehrungsvoll.

Brief Nr. 48, UB Uppsala.

1 Z. B. von Joseph Bernhart, Josef Schnitzer und Hugo Koch wie auch von solchen, die bestimmt nicht mehr modernistisch gesinnt waren, z. B. A. Loisy und L. Fendt. S. die Berichterstattung Heilers darüber in der Vorrede zu Urkirche und Ostkirche, München 1937, S. VII-IX.

2 Rechenschaft darüber wird auch ebenda gegeben. Es sind z. B. Joseph Engert und Engelbert Krebs. Karl Adams Gegenschrift, Das Wesen des Katholizismus (1924 u. ö.), nimmt eine besondere Stellung ein.

3 Heiler, Der Katholizismus, S. 655 f., führt mehrere längere Stellen aus Söderbloms programmatischen Aufsatz an: Die Aufgabe der Kirche: internationale Freundschaft durch evangelische Katholizität, in: Die Eiche (hrsg. v. F. Siegmund-Schultze) 7 (1919), S. 129-136. Schon gleichzeitig damit hatte sich aber Heiler darüber ausgesprochen im Vortrag: Evangelische Katholizität, in: Das Wesen des Katholizismus, 1920, S. 92-115. Noch früher hatte er den Gedanken gestreift, s. o. Brief Nr. 10.

4 Der Katholizismus, S. 334-340; vgl. Heiler, Der Sehnsuchtstraum vom Papa angelicus. Drei Prophetien vor 50 und 40 Jahren. Joseph Schnitzer-Friedrich von Hügel-Friedrich Heiler, in: EhK N.F. 1 (1963), S. 7-11. Diese Nummer 1 war das letzte Zeitschriftenheft, das Heiler redigierte, und die einzige Nummer der Folge.

5 2 Kor 1,24: „Nicht daß wir Herren wären über euren Glauben, wir sind vielmehr Mithelfer zu eurer Freude." S. Söderblom, Herdabref till prästskapet och församlingarna i Uppsala ärkestift, Uppsala 1914.

6 Sundar Singh, über den Heiler am liebsten berichtet in: [2]RGG, V, Sp. 919 f., taucht hier zum erstenmal in diesem Briefwechsel zwar harmlos auf, wurde aber bald zu einem vorherrschenden Thema hauptsächlich wegen der Kontroverse über ihn, in die Heiler verwickelt wurde. Es handelt sich um einen Nordinder, der zu einem nicht bekenntnismäßig zu fixierenden Protestantismus konvertierte und seinerzeit in Europa sehr bekannt war und zum Teil als Betrüger verschrieen wurde. Nach 1929 galt er als im Himalaya verschollen (geb. 1888). Vgl. A. J. Appasamy, Sundar Singh, a Biography, London 1958.

7 S. o. Brief Nr. 46, Anm. 4.

8 S. die Angaben zu Brief Nr. 36.

Von Osten und von Westen

49. Heiler an Söderblom

Västerås, 27. März 1923

Hochverehrter Hochwürdigster Herr Erzbischof,

Sie werden gewiß erstaunt sein, von Schweden diesen Brief zu erhalten. Seit gestern weile ich hier bei meinen alten Upsala-Freunden[1], und zwar mit Frau und Kind. Da die Besetzung Marburgs, die man längere Zeit befürchtet hatte, nicht eingetreten ist, haben wir uns entschlossen die Reise nach Schweden, die wir längst geplant hatten, anzutreten. Sie war ziemlich beschwerlich, einmal wegen des Kindes, dann aber auch, weil meine Frau sehr ermüdet und überanstrengt ist. Nun sind wir aber glücklich am Ziele angelangt und hoffen uns hier in dem stillen und schönen Bischofshause erholen zu können. Ich selbst hatte in den letzten Monaten meine Nerven sehr überanstrengt und freue mich deshalb sehr der Ruhe und Stille. Gewiß hatte ich daran gedacht, Sie, hochverehrter Herr Erzbischof, in Upsala zu besuchen[2], nun aber höre ich von Ihrer baldigen Reise nach Bad Nauheim. Ich hoffe Sie dort aufsuchen zu können, Nauheim liegt ja so nahe bei unserem Marburg. Da Ende April schon das Sommersemester beginnt, ist unser Aufenthalt in Schweden ja sehr begrenzt. Ich freue mich sehr darauf, mit Ihnen anfangs Mai in Deutschland zusammenzutreffen, nachdem ich so lange Zeit (mehr wie drei Jahre) Sie nicht wiedergesehen hatte.

Von Herzen wünsche ich, daß Ihr Herzübel sich bald bessern möge und Sie wieder in den Vollbesitz Ihrer kostbaren Arbeitskraft gelangen. Möge Ihnen die Nauheimer Kur, die so vielen Herzkranken schon Genesung brachte, volle Gesundung schenken!

Manches hätte ich Ihnen noch zu erzählen aus Theologie und Kirche, aber ich hoffe es bald mündlich zu können.

Grüßen Sie bitte Ihre verehrte Frau und Ihre ganze Familie und seien Sie von uns vielmals gegrüßt.

In steter Dankbarkeit und Verehrung

Ihr ergebener
Friedrich Heiler

Brief Nr. 49, UB Uppsala.

1 Einar und Gerda Billing, s. o. Brief Nr. 43, Anm. 5.

2 Der Besuch gelang am Ostermontag (s. Heiler, Erinnerungen, EhK 18 [1936], S. 177), nachdem Söderblom am Gründonnerstag aus Stockholm (Briefabschrift in UB Uppsala) Heiler um eine Unterredung bat, zunächst über Heilers epochemachendes Buch, Der Katholizismus, aber auch über die von Söderblom am 7.-9. Mai in München zu haltenden Vorlesungen über „Reform (Erasmus), Übung (Ignatius Loyola) und Offenbarung (Luther)". Er freue sich darauf, Frau Heiler kennenzulernen. (Zu den Münchener Vorlesungen s. o. Brief Nr. 46, Anm. 3.)

50. Söderblom an Heiler

z. Zt. Bad Nauheim, 2. Mai 1923

Lieber Freund!

Herzlichen Dank! Sie haben mir gegeben, was ich brauche.[1] Leider darf ich auf ein Zusammentreffen dieses Mal nicht mehr hoffen, da Sie erst am Donnerstag von der langen Reise müde zurückkehren und ich schon am Sonnabend nach München fahren muß.

Ich fühle hier überall die Spuren Ihrer gesegneten Tätigkeit und freue mich, Sie bald wieder gründlicher treffen zu können. Die Kur ist heilsam, nur aber zu kurz.

Mit herzlichen Grüßen an Ihre Frau Gemahlin, an Professor Otto und andere Freunde bin ich mit den besten Wünschen für Ihre Seele und Seelsorge

Ihr Ihnen stets innig ergebener
Nathan Söderblom

Brief Nr. 50, UB Uppsala (Abschrift, auf deutsch).
1 Vorhergehender Brief nicht aufgefunden.

51. Von Hügel an Söderblom

London, July 13, 1923

My dear Archbishop,

It was, as always, a very genuine pleasure to receive your kind letter, although I was somewhat depressed by its address, for Nauheim always spells some sort of heart trouble to my mind. I take it that, in your case, it is only that the heart has been overworked by your many labours and still more anxieties as Archbishop, and I hope that you have come away from there very much improved in that respect.

Before I go on to the news of your letter, I want to congratulate you upon your Honorary Degree at Oxford, and to regret that you evidently had not the time to come on to London, and to see your friends here. As always, we should have been very glad to welcome you and Madame Söderblom.

In Scotland I have been backing up, as well as I could, your very solid claims to a Gifford lecturership.[1] I did indeed put Professor A. E. Taylor[2] of St Andrew's even before yourself, but this was at least in part because Dr. Taylor suffers from very bad health and is now, in the opinion of all his friends, most dangerously overworking himself, so that with regard to him it is a question of now or never. I have just heard that there is also a vacancy at Glasgow. But indeed, the vacancy caused by my retirement has been given neither to Professor Taylor nor to yourself, but to the anthropologist, Sir James Frazer[3], a man certainly of astonishing learning, yet I believe of book-learning, with little or no personal experience of savage life, and, withal,

197

a man who was too much in the fashion some thirty years ago not to be already considerably out of fashion.

And this brings me to the important point of your letter. You will already have seen from the above, indeed you surely do not require any assurance on the subject, that I wish much to see you delivering lectures on the learned points you have so thoroughly made your own. Nor could I find, I think, any difficulty in welcoming you to a course of, say, Early Church History, or again a course of Christian Ethics, but you will forgive me if I say quite frankly that it pains me to find what you tell me is the largest Catholic University Faculty in Europe inviting you to come and teach them how to reform the Church.[4] As you know I love breadth but I never could love subtle combinations of within and without.

This assuredly cannot prevent me from being glad insofar as the matter gives you pleasure, nor, again, do I doubt, that in this difficult, always complicated, earthly life of ours you may be able to say something profitable to us all. But there, I am a Catholic, a Roman Catholic, a subject of the Pope; the widest and deepest and most spiritual apprehension and practice of such Catholicism is more than enough for me, and I think, at bottom, is what the world requires.

Not till September shall I be able to send you the little Troeltsch book;[5] the five lectures which we have translated with such infinite pains, with my introduction, also a matter of much difficulty, and the index which I am going to begin to-day.

I suppose that your lectures at Munich will begin in October or even later, and meanwhile I hope that you are being less broiled than we are here!

You will forgive my answering your pleasant German thus in English. I do so in order to utilize my clever secretary. With best good wishes to you and yours, which of course includes the Brilioths,

                    Yours very sincerely and respectfully,
                                            F. von Hügel

Brief Nr. 51, UB Uppsala; vorhergehender Brief Söderbloms nicht aufgefunden.

1 Söderblom hielt schließlich 1931 in seinem letzten Lebensjahr die Gifford-Vorlesungen, The Living God. Basal Forms of Personal Religion, London 1933.

2 Alfred Edward Taylor (1869-1945), anglikanischer Philosoph, hielt 1926-28 die Gifford-Vorlesungen, The Faith of a Moralist, 2 Bde., London 1930.

3 Zu Frazer s. o. Brief Nr. 5, Anm. 8.

4 Gemeint ist die Universität München, s. Briefe Nr. 46, 49, 52.

5 Posthume Veröffentlichung der Vorlesungen, die Ernst Troeltsch im März 1923 in England halten sollte: Christian Thought: Its History and Application, London 1923. Ebenso hat von Hügel ihre bekanntere deutsche Ausgabe eingeleitet: Der Historismus und seine Überwindung, Berlin 1924; vgl. Neuner und Apfelbach, a.a.O., S. 39-41.

Marburg, 16. Juli 1923

Hochverehrter Hochwürdigster Herr Erzbischof,

mit herzlicher Freude und Anteilnahme haben wir die Nachricht von der Verlobung Ihrer Tochter Lucie vernommen. Von ganzem Herzen beglückwünschen wir Sie und Ihre ganze Familie, besonders aber Ihre liebe Tochter und Ihren verehrten Herrn Schwiegersohn. Möge Gottes reicher Segen den Lebensweg der Verlobten begleiten und viel Freude und Glück ihrem Liebesbunde entsprießen lassen!

Unsere Familie war in den letzten Monaten viel von Krankheit heimgesucht. Nach unserer Rückkehr von Schweden erkrankte unser Kind an Keuchhusten. Kaum war es genesen, wurde ich von einer bösen Grippe gepackt, von der ich mich nur langsam erholte. Nunmehr liegt meine Frau darnieder. Zu all dem kommt die gemeinsame furchtbare Not unseres Volkes, die kein Ende nehmen will. Obgleich wir nicht die schrecklichen Leiden des besetzten Gebietes erdulden müssen, spüren wir als unmittelbare Nachbarn desselben die wirtschaftlichen Schwierigkeiten in größerem Maße als im übrigen Deutschland.

Eine Freude war es mir daß gerade jetzt drei französische Theologiestudenten von der Pariser Faculté protestante hierher nach Marburg gekommen sind um mit unseren Studenten und Professoren brüderlichen Austausch zu pflegen. Ich spürte sehr wohltuend den versöhnlichen Geist, der die französischen Protestanten bestimmt, während der französische Katholizismus den schlimmsten Imperialismus und Militarismus verficht.[1]

Bald nach Ihrer Anwesenheit in München kam ich dorthin zu einem kurzen Besuch und vernahm allenthalben das Echo Ihrer schönen Vorträge. Ich freue mich so sehr darüber, daß Sie gerade bei den Katholiken meiner Heimatstadt einen so tiefen Eindruck hinterlassen haben. Ich habe so manche dankbare Worte über Ihre Vorträge aus dem Munde von Katholiken gehört. Sie haben gewiß durch Ihren Besuch in Bayerns Hauptstadt der „evangelischen Katholizität" einen besonderen Dienst erwiesen.

Nun grüße ich Sie, hochverehrter Herr Erzbischof, und Ihre liebe Familie zusammen mit meiner Frau sehr herzlich und verbleibe in steter Dankbarkeit und Verehrung

Ihr ergebener
Friedrich Heiler

Brief Nr. 52, UB Uppsala.

1 Pauschales Urteil (Sangnier!), das allerdings den unheiligen Bund der „integralen" französischen Katholiken und Prälaten mit der Action française des Charles Maurras (1868-1952) richtig traf. Erst am Ende des Jahres 1929 verurteilte Pius XI. die Bewegung und seine Zeitschrift, s. A. Dansette, Histoire religieuse de la France contemporaine, Paris 1948-57, II, S. 563-613.

53. Söderblom an von Hügel

July 27, 1923

My dear and revered Baron,

It was a very great loss to me and my wife that our days in England were too few, and our stay in London too short to try to have once more the great privilege of meeting you and Lady von Hügel. The very kind letter that I am just receiving, makes me very sorry, so far as my letter must have been written badly or misleadingly. I happened to have a German typewriter. Did I not check the letter before sending it?

The University of München is indeed the greatest Roman Catholic University in *Germany*, and I felt it as a sacred duty to come upon its kind invitation. I am richly rewarded through the new appreciation that I got of some aspects of Roman Catholicism and also by the new friends I got amongst Roman Catholic clergy.

In my first lecture I spoke of three things necessary, as far as I can see, to the Church as a whole, and to every section of the Church. I mean firstly repentance, purification and reform, represented characteristically by Erasmus in the 16th century; secondly exercise, asceticism, training, represented by the great Ignatius of Loyola; thirdly revelation, new afflux from the divine truth, received through the human faculty of intuition from God's mercy and infinite richness, revelation in that sense is represented by Martin Luther in his overwhelming sense of God's irrational goodness and power.

In the second lecture I tried to study the assurance of salvation and the attitude towards it in Roman Catholic and in Evangelic Theology. I agree with Imbart de la Tour[1] and other great Roman Catholic students of the Reformation that we have here the demarcating line.

In the third lecture I spoke about the divisions and the reunion. My result was that the reunited Church is to the Roman Catholic idea already shaped and existent in the Roman Catholic hierarchy, a great and inspiring thought indeed, but not acceptable to Evangelic Christendom, which considers the Evangelic doctrine of salvation as the only way to organic Church Unity. I said: You want to convert us to your Church. We want to convert you to our Evangelic doctrine. An hopeless situation indeed. Then I added that there is a third way, highly appreciated by the apostle, the highest way, the way of love.[2] Why can we not respect each other, purify each one his own heritage of truth and faith, and cooperate heartily with each other in love and fellowship of Christ for our common Christian ideals.

The Rector of the University, Professor Pfeilschifter[3], whom you know as a distinguished Roman Catholic Church historian, said the following words[4] after my last lecture which he kindly afterwards sent me.

I had not the slightest idea about the very much too great honour which you have been thinking of procuring me as to the Gifford lectureship. If something like this would happen, I think that it would be necessary to me, and also a very good and helpful reason for me to take up and finish one of the subjects of comparative religion, which have occupied my research and thought more than others. I mean the ideas about the future life or Socrates as mystic, or the chief forms of higher religion.

After several invitations I have decided to go to America

this September to lecture at some of the universities, to visit our Swedish daughter church, and to meet representatives of the different communions in the United States.

With my most respectful greetings to Lady von Hügel and yourself from my wife, my daughter and Dr. Brilioth, and my son. I revere in you the man, who more than anybody else amongst the living is to many of us in different Christian denominations and other groups of faith a model and a teacher, and I am forever

sincerely and thankfully
Yours
[N. Söderblom]

Brief Nr. 53, UB Uppsala (Abschrift, ohne Ort, wahrscheinlich Uppsala). Letzter aufgefundener Brief Söderbloms an von Hügel.

1 S. o. Brief Nr. 13.

2 Die gleiche Forderung hatte Söderblom an seine deutschen konfessionellen Mitbrüder gestellt, s. seinen Vortrag, Christliche Lebens- und Arbeitsgemeinschaft, Wittenberg 1922; vgl. Sundkler, a.a.O., S. 294: „Here he made bold to claim Luther for this third approach which of course was none other than his own Evangelical Catholicity. Most German Lutherans of strict orthodoxy were not convinced by this." S. auch Söderblom, Christian Fellowship (vgl. Brief Nr. 58, Anm. 1), S. 115-180.

3 S. o. Brief Nr. 46, Anm. 3.

4 Nicht aufgefunden.

Marburg, 15. August 1923

Hochverehrter Hochwürdiger Herr Erzbischof,
zu unserer großen Freude wurde uns gestern ein gesundes Töchterlein geschenkt, das den Namen Birgitta[1] erhalten hat. Mutter und Kind sind wohl.
Mit verehrungsvollen Grüßen an Sie und Ihre ganze Familie von meiner Frau und mir

Ihr ergebenster
Friedrich Heiler

Brief Nr. 54, UB Uppsala. Postkarte.

1 Nach der Mystikerin und Nationalheiligen Schwedens (1303-73), Stifterin des Birgittenordens zu Vadstena, wo nach ihrem Tode ihre irdischen Reste die Ruhestätte fanden. K. B. Westman hatte sich mit ihr schon 1911 literarisch befaßt, wie etwas später Emilia Fogelklou, Die heilige Birgitta von Schweden (Nr. 9 in der Reihe, Aus der Welt christlicher Frömmigkeit, hrsg. von Heiler), München 1929.

55. Von Hügel an Heiler

Thursley near Godalming, Surrey, 23. August 1923

Geehrter Herr Professor,

wie Sie sehen, von Hause weg, aber leider noch immer in Troeltscharbeiten befangen, kann ich nicht auf Ihren freundlichen, sehr interessanten Brief[1], wie ich möchte, eingehen — bedarf ich doch gewaltig der Ruhe. Aber danken will ich aufrichtigst für denselben und Ihnen gleich meinen Brief über Sadhu Sundar Singh[2], mit folgenden weiteren zwei Bemerkungen, zusenden. Diese zwei Bemerkungen dürfen *nicht* gedruckt werden — sind einfach nur für Ihre weitere Orientierung geschrieben.

(1) Der Sadhu sollte nicht nach Europa oder Amerika kommen, ist er Apostel Indiens, so bleibe er in Indien. Er hat sehr gefährlich Weihrauch genossen — ist direkt als Heiliger verehrt worden. Gefährlich auch für einen Europäer und geborenen Christen — dreifach gefährlich für einen Konvertiten; einen Inder, von Europäern einem solchen dargebracht. Ich glaube nicht, daß er, wenigstens nicht bewußt, ihn gesucht hat; daß er aber nach der englischen Erfahrung eine noch berauschendere in Amerika aufsuchte, beweist jedenfalls Mangel an Selbstkenntnis.

(2) Canon Streeter[3] ist ein freundlicher, zuvorkommender Mensch, und mir persönlich gegenüber stets nett. Hat aber eine Marotte im Kopf; und so arbeitete er seinen Sadhu aus, besonders, um zu beweisen, daß einer Visionen etc. etc. haben, ein rechter Heiliger sein kann, ohne allen kirchlichen Verband. Glaube das nicht; und wieder

finde ich große Gefahren für den Sadhu, daß er so über Lebzeiten beschrieben wird. Gratulationen zur Geburt der Tochter Birgitta.

Ergebenst
F. v. Hügel

Brief Nr. 55 (bei Frank, S. 39f.).

1 Nicht erhalten. Zur Vorbereitung seiner Schriften über den Sâdhu führte Heiler einen immer stärker anwachsenden Briefwechsel, um zu verläßlichen Quellen zu kommen.

2 Hügel (29. 3. 1920) an B. H. Streeter und A. J. Appasamy, Mitverfasser von The Sadhu. A Study in Mysticism and Practical Religion, London, 1921. Eine Übersetzung erschien mit dem Titel: Der Mystiker und die Kirche (aus Anlaß des Sâdhu), in: Hochland 22 (1924-25), S. 320-330.

3 Burnett Hillman Streeter (1874-1937), Oxforder Neutestamentler.

56. *Von Hügel an Heiler*

Thursley, 7. September 1923

Geehrter Herr Professor,

Sie dürfen, mit folgenden Ausnahmen, so viel oder so wenig von meinem Schreiben über den Sadhu übersetzen und veröffentlichen wie Sie wollen; 1. es muß irgendein von Ihnen gewählter Punkt vollständig erscheinen; 2. ich habe das Ding seit längerer Zeit nicht mehr gelesen und weiß nicht, ob ich nicht hie und da Sachen geschrieben habe, welche zu gespitzt gegen Streeter lauten, um mit genügender Milde vor dem Publikum zu erscheinen; solche Stellen, existieren sie, müssen ausbleiben.

Ergebener
F. v. Hügel

Brief Nr. 56 (bei Frank, S. 40).

57. Heiler an von Hügel

Marburg, 14. Dezember 1923

Hochverehrter Herr Baron,

empfangen Sie meinen herzlichsten Dank für die liebenswürdige Widmung der von Ihnen herausgegebenen Troeltsch'schen Vorlesungen[1], die ausgezeichnet übertragen sind. Sie sind ein würdiges Denkmal für den weitblickenden Berliner Religionsphilosophen. Der Direktor der hiesigen Bibliothek, Geheimrat Schulze, war ebenfalls sehr erfreut über Ihr hochherziges Geschenk und läßt Ihnen seinen ehrerbietigen Dank aussprechen.

Mein Buch über den Sadhu[2] soll noch vor Weihnachten erscheinen und wird Ihnen gleich zugehen. Ich hoffe, daß meine Ausführungen über das Verhältnis des Sadhu zur Kirche Ihnen entsprechen werden.

Indem ich Ihnen nochmals herzlich danke, verbleibe ich mit den besten Weihnachtswünschen und verehrungsvollen Grüßen

Ihr ergebener
Friedrich Heiler

Brief Nr. 57, UB St Andrews (ms 2646). Postkarte.

1 S. o. Brief Nr. 51, Anm. 5.

2 Heiler, Sādhu Sundar Singh, ein Apostel des Ostens und Westens, München 1924, behauptete eine Zeitlang den Rang eines „Bestsellers" und wurde ins Schwedische, Dänische, Englische und Japanische übersetzt. Heute ist dieses Werk freilich fast ganz vergessen, außer in Indien, wo A. J. Appasamy (geb. 1891), seit 1950 Bischof in der Kirche von Südindien, 1970 eine „erste indische Ausgabe" zu Lucknow eingeleitet hat.

58. Heiler an Söderblom

Marburg, 7. Januar 1924

Hochverehrter Hochwürdiger Herr Erzbischof,
Schon lange wollte ich Ihnen schreiben, aber da ich von Ihrer Reise nach Amerika wußte, habe ich es unterlassen. Da ich nun annehme, daß Sie glücklich aus Amerika in die schwedische Heimat zurückgekehrt sind, möchte ich nicht länger zögern. Allererst danke ich Ihnen herzlich für die Zusendung Ihres schönen Buches „Christian Fellowship"[1], das Ihre großen Gedanken von der christlichen Einheit programmatisch zusammenfaßt. Ich werde natürlich dieses Buch bei der Neuauflage meines Werkes[2] mit besonderem Dank benützen und namhaft machen. Ich freue mich sehr, daß dieses programmatische Buch in der anglo-amerikanischen Welt nun sich seinen Weg macht. Sicherlich wird es Ihnen bald möglich sein, auch der deutschen Leserwelt dieses Programm vorzulegen.[3] Ihre Münchener Vorlesungen, die Sie meinem Verleger Ernst Reinhardt in München freundlichst zugesagt haben, werden ja wohl in Bälde druckfertig sein.[4] Ich möchte mir erlauben, Ihnen meine Mithilfe anzubieten, indem ich die Korrekturen zu lesen übernehme, die für Sie ohnehin zeitraubend sind.

Mein Buch über den Sadhu, das ich auf Veranlassung eines Schweizer Verlegers, des Bruders von Ernst Reinhardt, geschrieben habe, wird mittlerweile in Ihre Hand gekommen sein. Ich muß Sie um Entschuldigung bitten, daß ich ohne förmliche Erlaubnis das Titelbild aus Ihrem Buche übernommen habe. Da Sie in Amerika weilten, konnte ich nicht förmlich Ihre Erlaubnis einholen. Da ich aber überzeugt bin, daß Sie mir den Abdruck nicht verwehrt hätten, habe ich es gewagt und bitte Sie nun nachträglich um Ihr freundliches Einverständnis. Zu besonderem Dank wäre ich Ihnen verpflichtet, wenn Sie mir gelegentlich mitteilten, ob Ihnen außer der von mir zusammengetragenen Literatur noch andere Erscheinungen über den Sadhu bekannt sind.

Der greise Bischof der Schweizer „Christkatholischen Kirche" Eduard Herzog[5], den Sie von der Genfer Konferenz her jedenfalls auch persönlich kennen, liegt nun auf dem Sterbebette. Er wünschte, daß ich seinen Lehrstuhl an der Berner Universität übernehme. Mein Kollege Rudolph Otto hat mir sehr zugeredet, dorthin zu gehen, da ich von dort aus sehr viel für die evangelische Katholizität und die Zusammenarbeit der Kirchen tun könnte. Ich selbst habe mich noch nicht entschieden und auch gar nicht entscheiden müssen, da ein förmlicher Ruf an mich noch nicht ergangen ist und vielleicht auch gar nicht ergeht, da in Bern auch eine Opposition gegen mich besteht. Jedenfalls wäre ich Ihnen dankbar, wenn Sie mir Ihre Meinung über diese Angelegenheit mitteilen wollten. Werden Sie heuer wieder nach Bad Nauheim gehen? In diesem Falle dürfen wir Marburger auf die hohe Ehre Ihres in Aussicht gestellten Besuches rechnen. Wir würden uns natürlich ganz besonders freuen, wenn wir Sie hier einmal begrüßen dürften.

Nun bitte ich Sie Ihrer verehrten Familie von meiner Frau und mir die besten Grüße zu übermitteln. Seien Sie selbst, hochverehrter, hochwürdiger Herr Erzbischof, verehrungsvoll gegrüßt von

Ihrem stets dankbaren
Friedrich Heiler

Brief Nr. 58, UB Uppsala (irrtümlich steht als Jahreszahl 1923 geschrieben).

1 Söderblom, Christian Fellowship or the United Life and Work of Christendom, New York & Chicago 1923. Wie aus dem Titel ersichtlich, behandelt dieses Werk Söderbloms Programm der evangelischen Katholizität und bereitet der Weltkirchenkonferenz von Stockholm 1925 den Weg von „Life and Work".

2 Als die Frage einer Neuauflage vom „Katholizismus" um 1929 akut wurde, bestand Heiler seinem Verleger gegenüber auf einer völlig revidierten Fassung, die aber zu einem ganz neuen Werk wurde: Die Katholische Kirche des Ostens und Westens, München 1937-41. An anderer Stelle hatte er aber bald die Gelegenheit, sich auf Söderbloms Buch zu beziehen, und zwar im Eiche-Aufsatz: Der Streit um die „evangelische Katholizität". Meine Stellung zu Erzbischof Söderblom, abgedruckt in: Gesammelte Aufsätze und Vorträge, Bd. 1: Evangelische Katholizität, München 1926, S. 179-198, hierzu S. 185, 194 ff.

3 Söderblom, Einigung der Christenheit. Tatgemeinschaft der Kirchen aus dem Geist werktätiger Liebe, übers. und eingel. v. P. Katz, Halle 1925.

4 Nie erschienen.

5 Eduard Herzog (1841-1924) wurde von Heiler sehr positiv gewürdigt, zunächst in der „Christlichen Welt" 38 (1924), Sp. 651-660, 699-706, dann in: Evangelische Katholizität, S. 9-37. Im Jahre 1872 weigerte sich Herzog, die päpstlichen Dogmen des I. Vatikanums anzunehmen, woraufhin er von seinem Lehrstuhl in der kirchlichen Hochschule Luzern abgesetzt wurde. Ab 1876 war er zugleich Bischof und altkatholischer Professor für Altes und Neues Testament in Bern.

London, February 8, 1924

Dear Sir,

You are so good at English that my employer, Baron von Hügel ventures to write through myself his secretary as follows.

He first begs to thank you very warmly for your kind gift of Sâdhu Sundar Singh[1], which he hopes to read later on with all due care, indeed he trusts to read your estimate of him pretty soon. He notices how astonishingly supported by documents of all kinds is this work of yours and you have also had the great advantage of admirable photographs in illustration of your text. The two large ones of the Sâdhu taken at Upsala are superb.

He also begs me to enclose a letter from Mr Unwin of Messrs Allen & Unwin, the Publishers, which speaks for itself.[2] He thinks it would be far better that you yourself should write to Mr Unwin — I think he knows German well. He does not at all know whether you are now inclined to accept his proposals, but he is clear for himself as to two matters connected therewith. For one thing his further experience has made him think that this firm is really offering you the best that you can expect from an English Publisher for say another twenty years, so that if you do really want to see a carefully done English translation of your very fine but decidedly difficult book he would advise your closing with Mr Unwin. Secondly the Baron wants me to make it quite clear to you that he would be entirely precluded by his persistent ill-health and his own one big last work from helping in any way in the production of such a translation. He could not undertake to read the proofs or to write an introduction or to busy himself otherwise for and with the work. What he has just done for Troeltsch[3] meant the dead stoppage of his own composition work for nine full months and now at seventy-two such sacrifices for friends must unfortunately find an end.

Yours faithfully,
Adrienne Tuck
Secretary

Brief Nr. 59, bei Frau A. M. Heiler (deutsche Übers. bei G. K. Frank, S. 40 f.). Der Brief ist von Miss Adrienne Tuck unterschrieben, aus dem von ihr angegebenen Grund.

1 S. o. Brief Nr. 57, Anm. 2.

2 Brief vom 4. 2. 1924 an von Hügel (Depositum Heiler, UB Marburg). Es handelt sich hier in erster Linie um „Das Gebet", welches schließlich 1932 bei der New Yorker Niederlassung des Oxford University-Verlags erschienen ist. Der Verlag Allen & Unwin veröffentlichte indes 1927 die Übersetzung vom eben erwähnten Sadhu-Buch.

3 S. o. Brief Nr. 51, Anm. 5.

Marburg, 9. Juli 1924

Hochverehrter, Hochwürdiger Herr Erzbischof,

für Ihre freundliche Einladung zu Pastor Gustafsson sage ich Ihnen meinen herzlichsten Dank. Meine Frau und ich wären so gerne heuer nach Schweden gereist, wohin wir uns beide sehnen. Leider muß ich aber in Deutschland bleiben, weil mein lieber Vater hoffnungslos krank an Magenkrebs darniederliegt. Ich habe ihn an Pfingsten besucht und will nach Schluß des Semesters wieder dorthin fahren. Möge Gott seinem schmerzvollen Leiden wenigstens Linderung schenken!

Herzlichen Dank sage ich Ihnen für die freundliche Zusendung Ihrer schönen Übersetzung des neuen Buches Sundar Singhs.[1] Ich wollte es ursprünglich ins Deutsche übersetzen, hatte auch vom Sadhu die Erlaubnis hierzu; aber es stellte sich heraus, daß der gute Sadhu außer mir noch zwei anderen Deutschen das Übersetzungsrecht übertragen hatte, woraufhin ich verzichtete. Mein Buch über ihn werden Sie in der zweiten Auflage erhalten haben. Ich legte Ihnen zwei Aufsätze katholischer Mönche über ihn bei, die Sie interessieren werden. Mein Buch hat nämlich in den Kreisen der römischen Kirche große Unruhe, ja geradezu Bestürzung hervorgerufen. Daß außerhalb der allein seligmachenden Kirche ein Heiliger auftritt, ist den meisten römischen Katholiken ein Ding der Unmöglichkeit. Übrigens hat auch in Indien von Seite der römischen Mission, vor allem von Seiten der Jesuiten, eine Polemik gegen den Sadhu eingesetzt. Sundar Singh schrieb mir selbst, daß seine Vorträge in Indien auch von römischen Katholiken stark besucht würden und daß die römischen Priester den Abfall vieler Bekehrter befürchteten, wenn sie nicht gegen ihn aufträten.[2]

Die junge deutsche Theologenwelt ist augenblicklich in einem Fieberzustand. Barth, Gogarten, Emil Brunner in Zürich und mein hiesiger Kollege Bultmann propagieren mit Leidenschaft ihren seltsamen dialektischen Gnostizismus, den sie als genuines Luthertum ansehen. Ich bin sehr besorgt um die Zukunft der deutschen Theologie in der nächsten Zeit. Ich beobachte hier beständig die verheerenden Wirkungen, welche diese „neue Theologie" anrichtet. Unser alter Senior Karl Budde[3] hat mit Recht gesagt, diese Theologie sei eine Verkehrung des ἐυαγγέλιον in ein δυσαγγέλιον. Glücklicherweise hat jetzt der junge Althaus[4] von Rostock energisch seine Stimme erhoben. Ich wollte, unser Freund Einar Billing[5] schriebe einmal etwas gegen dieses „Neuluthertum", das von der Gottfreudigkeit des alten Luthertums gar nichts geerbt hat, sondern geradezu die Heilsungewißheit und Unerlöstheit predigt. Aber es gibt eben auch in der Theologie Psychosen, die schwer heilbar sind.

Nun danke ich Ihnen nochmals von Herzen für Ihre große Freundlichkeit und grüße zusammen mit meiner Frau Sie und Ihre verehrte Familie. In aufrichtiger Verehrung und Dankbarkeit verbleibe ich

Ihr ergebenster
Friedrich Heiler

Brief Nr. 60, UB Uppsala. Ebendort befinden sich zwei hier hingehörende Briefabschriften von Söderblom an Heiler. Am 7. 2. 1924 hatte ersterer zu Heilers Sadhu-Buch seinen Glückwünschen Ausdruck gegeben; er werde bei Gelegenheit seine Münchener Vorlesungen druckfertig machen und bedanke sich für Heilers Angebot, die Korrekturen zu prüfen; ferner habe er gerade das neue Buch von Sundar Singh, Reality and Religion, übersetzt, obwohl es ihm nicht allzu bedeutend scheine. Im zweiten Brief vom 3. Juli 1924 empfiehlt er eine Erholungsreise nach Svabensverk für die ganze Familie, wo sein junger Freund Pastor Ruben Gustafsson bereit ist, sie zu empfangen.

1 Reality and Religion von Sundar Singh erschien auf englisch 1924 in London.

2 Eingehender hat Heiler diese Vorfälle in den Spalten der „Christlichen Welt" 38 (1924), Sp. 947-956, 1072-1076; 39 (1925), Sp. 78-84, 118-127 und 155-164 dargelegt. Er kann auch zwei Jesuiten für seine Einschätzung des Sadhu anführen, L. de Grandmaison (s. o. Brief Nr. 5, Anm. 13) und Hippolyte Delehaye, Bollandist (1859-1941), neben Hügel, Söderblom und Underhill.

3 Zu Karl Budde s. o. Brief Nr. 26, Anm. 9.

4 Paul Althaus (1888-1966), Sohn von Paul Althaus dem Älteren (1861-1925, Leipzig), war 1920-25 Professor in Rostock, nachher in Erlangen.

5 S. o. Brief Nr. 43, Anm. 5.

München, [August 1924]

Hochwürdigster, Hochverehrter Herr Erzbischof,

für die liebenswürdige Einladung nach Mürren sage ich Ihnen herzlichen Dank. Es wäre mir eine ganz besondere Freude gewesen an der Konferenz teilzunehmen. Leider macht der besorgniserregende Zustand meines Vaters es mir unmöglich, ihr Folge zu leisten. Die Krebsgeschwulst hat sich sehr vergrößert, mein Vater hat sehr viel zu leiden. Sie werden es ganz gewiß verstehen, daß ich bei diesem Zustand meinen Vater nicht verlassen möchte, auch nicht auf kürzere Zeit.

Der Aufsatz von Paul Althaus gegen die Theologie von Karl Barth ist nun in der neugegründeten Zeitschrift für systematische Theologie erschienen. Ich werde Ihnen die Nummer besorgen. Demnächst werde ich mir auch erlauben Ihnen einen längeren Aufsatz zuzusenden, den ich für die Christliche Welt über den verstorbenen christkatholischen Bischof Eduard Herzog geschrieben habe.[1] Er war eine sehr bedeutende Persönlichkeit und hat sich um das große Einheitswerk der christlichen Kirche sehr verdient gemacht.

Nun sage ich Ihnen nochmals herzlichen Dank für Ihre Freundlichkeit und verbleibe mit verehrungsvollen Grüßen an Sie und Ihre liebe Familie

Ihr stets dankbar ergebener
Friedrich Heiler

Brief Nr. 61, ohne Datum, UB Uppsala. Söderblom hatte wieder gleich zwei Briefe beigesteuert, vom 17. und 29. Juli 1924. Heiler möge weiteren Aufschluß über die dialektische Theologie geben; der Präsident der Tschechoslowakei, Thomas Masaryk, interessiere sich für Life and Work; vielleicht werde er, Söderblom, eine Rede in Prag halten. Zum zweiten Brief legt er ein Schreiben von Sir Henry Lunn (1859-1939), dem methodistischen Organisator der Konferenzen zu Mürren in der Schweiz, bei, und lädt Heiler dazu im August ein. S. dazu Ruth Rouse, Geschichte der Ökumenischen Bewegung 1517-1948, Göttingen 1957, I, S. 466-470.

1 S. o. Brief Nr. 58, Anm. 5.

62. Von Hügel an Heiler

London, 1. Oktober 1924

Geehrter Herr Professor,

gleich bei Empfang Ihrer schwierigen Anfragen wendete ich mich an die solideste mir bekannte Auskunftsstelle für alles dergleichen, also für in das christliche Missionsgebiet gehörige — an (Miss) G. A. Gollock, die mit Herrn J. H. Oldham (Edinburgh), Herausgeberin (Joint-Editor) der vornehmen und reichhaltigen International Review of Missions ist, in der auch Katholiken schreiben und willkommen sind. Ihre Adresse ist:

2 Eaton Gate,

Sloane Square, London S. W. 1.

Die vier jährlichen Hefte der „Review" kosten, vorher unterschrieben, 10/6 für den ganzen Kontinent, also auch für Deutschland. An obiger Stelle wird abonniert. Steht jetzt im dreizehnten Jahrgang.

Ich legte also Ihre Fragen Miss Gollock genau vor; sie bat mich um einige Tage Zeit; und gestern morgen erhielt ich ihre definitiven Antworten mit Datum 29. September.

Sie 1. hat vielerorten nach dem Catholic Herald of India gesucht, hat aber nirgendwo diese Zeitung finden können; glaubt auch jetzt daß das Blatt nirgends in London existiert; 2. glaubt, daß wenn einer an: The Review Editor S. J. Catholic Herald of India, Portuguese Church Street, Calcutta, India um die gesuchten Nummern schreibt, er sie daher erhalten wird. Ich habe „einer" eingesetzt, weil ich nicht weiß, ob die Herren nicht vor einer Bestellung durch Professor Heiler aus Marburg zurückschrecken

würden. Aber bitte lassen Sie mich für weiteres aus —
habe zu viel zu tun, dies weiter zu verfolgen; 3. daß sie
nichts über die ganze Sache wußte, noch jetzt hat entdek-
ken können; daß es ihr klar ist, daß der Catholic Herald of
India nur sehr wenig in England bekannt sein kann: daß sie
aber Augen und Ohren jetzt weiterhin offenhalten wird
und, falls sie etwas über die Sache vernimmt, mich gleich
wissen lassen.

Ich selber habe keine Silbe von der Sache gehört, würde es
aber schwer finden, an meinem bis jetzt ganz ungetrübten
Glauben an des Sadhu Ehrlichkeit zu zweifeln. Sie werden
von mir einen Abdruck aus dem „Hochland" für diesen
Monat bekommen, von einer Übersetzung des Hauptteils
meines Briefes über den Sadhu.[1] Ich will das Übrige
hinfürder schlafen lassen.

Ergebener
F. v. Hügel

Brief Nr. 62 (bei Frank, S. 41 f.). Die Anfragen Heilers, auf die sich dieser
Brief bezieht, sind offensichtlich nicht im Nachlaß von Hügels in der UB
St Andrews erhaltengeblieben. Der vorliegende Brief ist der letzte, den
Friedrich von Hügel an Heiler richtete.

1 S. o. Brief Nr. 55, Anm. 2.

63. Söderblom an Heiler

Upsala, 23. Dezember 1924

Mein lieber Freund,

herzlichen Dank für Ihren Brief. Die Pilgerschaft kann schwer sein für einen Jünger des Heilandes, der das schmerzliche, obgleich für seine Mitchristen unendlich wertvolle Los hat, in seiner Person die trennenden Mauern niederzubrechen und das Beste in evangelischer und römischer Mystik zu vereinen. Ich pflegte selbst zu sagen, wenn ich von beiden Seiten heftig angegriffen wurde und werde, daß der, welcher von rechts und links gepufft wird, dahin kommen muß, den Weg geradeaus voranzugehen. Das ist bisweilen ganz bitter, doch wo ein rechter evangelischer Geist waltet, wird die Gemeinschaft der Herzen dadurch inniger.

Wir wollen Sie nicht nach Indien verlieren, obgleich ich das Gefühl verstehe, das Sie dorthin zieht. Ihre Mission ist hier in der Heimat größer als irgendwo.

[. . .] mit warmen Wünschen für ein gutes Weihnachten und ein gutes neues Jahr bin ich Ihr ergebener in inniger Gemeinschaft der Liebe, der Hoffnung und des Glaubens

Nathan Söderblom

Brief Nr. 63, nach Hk 13 (1931), S. 299. Hier fehlen wieder einige dazwischengehörende, wenigstens zum Teil wohl recht persönlich gehaltene Briefe Heilers an Söderblom. Nach den Abschriften in der UB Uppsala schrieb Söderblom am 2. Okt. 1924 seine Anteilnahme am

Leiden von Heilers Vater mit dem Wunsch, 1925 in Stockholm oder 1926 in Mürren zusammentreffen zu können; Dank für den Aufsatz (über Bischof Herzog?); ein Wort zum Sadhu; und den Ausdruck seiner Absicht, die Münchener Vorlesungen doch noch zur Drucklegung vorzubereiten.

Am 13. Nov. 1924 starb Johann Heiler (der Vater). Zweifellos von Heiler selbst davon unterrichtet, schrieb Söderblom am 18. 11. 1924 einen Beileidsbrief (schwedisch in: Hågkomster 14, S. 218) und fügte hinzu, Heiler erhalte in Bälde eine Nummer von The Review of the Churches (N. F. 1, Okt. 1924, S. 463-470) zugeschickt, worin er einen in Mürren verfaßten Aufsatz zu einem Buch von Arnold Lunn (1888-1974, nicht mit Sir Henry Lunn zu verwechseln) veröffentliche, „Why Rome Makes Converts." Was er dort S. 464 f. über Heiler geäußert habe, möge letzterem nicht unangenehm sein.

Marburg, 7. Januar 1925

Hochverehrter Hochwürdigster Herr Erzbischof,

haben Sie herzlichen Dank für Ihre freundlichen Zeilen.
Meinen großen Aufsatz gegen die Jesuitenangriffe habe
ich nun fertiggestellt, er wird in den beiden nächsten
Nummern der „Christlichen Welt" erscheinen.[1] Eben
lasse ich eine Kopie dieses Aufsatzes anfertigen, die Ihnen
sogleich zugeht.Meine mühsamen Nachforschungen sind
mit überraschend reichem Erfolg gesegnet gewesen. Eine
ganze Reihe der jesuitischen Verdächtigungen konnten als
regelrechte Lüge erwiesen werden. Die Aufsätze des
Jesuiten Hosten[2] sind von so giftigem Haß und Hohn
erfüllt und verraten eine so gemeine Gesinnung, daß ich,
der ich doch die Jesuiten zu kennen glaubte, ganz erstaunt
und erschüttert war. So etwas hätte ich ihnen doch nicht
zugetraut. Meine Aufdeckung des Sachverhalts, vor allem
die Veröffentlichung eines Briefes von P. Hosten an Frau
Parker, der ihn aufs schwerste belastet, wird mir freilich
den tödlichen Haß der Jesuiten zuziehen. Sehr bedauer-
lich ist, daß Pfarrer Pfister[3] in Zürich sich mit den Jesuiten
in Verbindung gesetzt und von ihnen Material zur
Bekämpfung des Sadhu erhalten hat. Ich glaube übrigens,
daß der Jesuitenangriff bald ein unrühmliches Ende gefunden haben wird — wenigstens für die evangelischen
Kreise. Die römischen Kreise werden zum Teil sicher in
ihrem Banne bleiben — quod volumus, credimus libenter.
Ein „Canonicus Romanus", der seinen Namen nicht
genannt wissen will, schreibt mir oft. Er hat Verschiede-

nes über die Einigung der Kirchen geschrieben. Ich sende Ihnen ein solches Schriftstück zu. Vielleicht haben Sie die Möglichkeit es veröffentlichen zu lassen. Es erinnert ganz an Wicliff, Hus und den jungen Luther, trotzdem der Verfasser versichert, nichts von diesen gelesen zu haben. Der gute Mann hat auch einen mehrbändigen Wälzer über die Unionsfrage geschrieben. Ich habe ihm geraten, das Manuskript, das er der Oxforder Bibliothek geschenkt hat, nach Upsala senden zu lassen. Vielleicht können Sie es durch einen Ihrer Freunde prüfen lassen. Jedenfalls zeigt dieser Fall, wie sich das Einheitsverlangen auch in der römischen Kirche regt, und daß dort auch Leute reden wollen, denen der Mund verschlossen ist.

Ein junger Schweizer Geistlicher, ein lieber Schüler von mir, möchte gerne auf einige Wochen nach Schweden um dort das kirchliche Leben zu studieren und sich selbst zu betätigen. Wäre es nicht möglich, daß er in ein schwedisches Pfarrhaus käme, wo er dem Pfarrer in seiner Arbeit helfen könnte. In ein paar Monaten wäre er jedenfalls so weit, daß er die Sprache einigermaßen beherrscht. Ich würde es sehr begrüßen, wenn so die reformierte Schweizer Kirche vom schwedischen Luthertum Anregungen empfinge. Der junge Mann ist jetzt Vikar bei Basel. Sein Vater ist Pfarrer an der église française in Bern und sehr angesehen.

Grüßen Sie bitte Ihre verehrte Familie und seien Sie selbst, Hochverehrter Herr Erzbischof, dankbar gegrüßt von
Ihrem treu ergebenen
Friedrich Heiler

Brief Nr. 64, UB Uppsala.

1 F. Heiler, Der Feldzug der Jesuiten gegen den Sadhu, in: Christliche Welt 39 (1925), Sp. 78-84, 118-127.

2 P. Heinrich Hosten, SJ (geb. 1873), vom St. Josephs College in Darjeeling, schrieb seit 1923 gegen den Sadhu im Catholic Herald of India.

3 Oskar Pfister (geb. 1889) schrieb in der Leipziger Zeitschrift für Missionskunde und Religionswissenschaft 39 (1924), S. 145-168, über Heilers „Sadhu Sundar Singh".

Marburg, 1. April 1925

Hochverehrter, Hochwürdigster Herr Erzbischof,

verzeihen Sie, wenn ich Sie im gegenwärtigen Augenblick, da Sie mit Arbeit überhäuft sind[1], mit einer Bitte belästige. Ich beauftragte meinen Verleger, Ihnen die Korrekturbogen meines Buches „Apostel Jesu oder Betrüger? Dokumente zum Sadhustreit" zu senden. Ich habe darin eine Fülle von erstklassigen Zeugnissen gesammelt, mit denen ich meinen Gegnern, die mit der größten Erbitterung weiterkämpfen, gegenübertrete. Bedauerlicherweise kämpft Pfister[2] mit Mitteln, die haarsträubend sind. Ich hoffe, durch die Darbietung dieser Dokumente und die sachliche Feststellung der Untersuchungsergebnisse den Lügenfeldzug der Feinde des Sadhu einzudämmen. Ich wäre Ihnen zu größtem Dank verpflichtet, wenn Sie trotz der Fülle der Arbeit, die augenblicklich auf Ihnen liegt, mir ein kurzes Vorwort zu diesem Dokumentenbuch schreiben würden, in denen Sie selbst Ihr gewichtiges Wort in die Waagschale werfen. Sie würden dadurch der Wahrheit einen großen Dienst tun. Aus diesem Grunde wage ich es, mit dieser Bitte vertrauensvoll an Sie heranzutreten.

Ich höre, daß Sie im April über Dresden—München nach Zürich reisen. Da ich vom 8. April bis Ende des Monats in München sein werde, wäre es mir eine große Freude, wenn ich Sie auf der Durchreise in München kurz begrüßen dürfte.[3] Meine Münchener Adresse ist: Breisacherstraße 2/III.

Indem ich Ihnen herzlich für alle Hilfe danke, verbleibe ich mit verehrungsvollen Grüßen an Sie und Ihre verehrte Familie

Ihr stets dankbar ergebener
Friedrich Heiler

Brief Nr. 65, UB Uppsala. Den vorhergehenden Brief hatte Söderblom am 25. Feb. 1925 tröstend, dankend, lobend und aufmunternd beantwortet. Die Olaus-Petri-Stiftung sehe sich veranlaßt, Heiler für seine Sundar-Singh-Forschungen mit 450 Kronen zu unterstützen. Interessant sei die Schrift vom „canonicus romanus", wenn auch nicht für einen breiten Leserkreis. Auch unter amerikanischen Katholiken rühre sich die Sehnsucht nach der kirchlichen Einheit. Für den schweizerischen Freund Heilers versuche er einen Platz zu finden.

Inzwischen war der gemeinsame Freund der beiden Korrespondenten, nämlich von Hügel, am 25. Jan. 1925 gestorben. Söderblom bedankt sich daher für die Zusendung von Heilers Nachruf auf von Hügel, in: Christliche Welt 39 (1925), Sp. 265-272 (abgedruckt in: F. Heiler, Im Ringen um die Kirche, München 1931, S. 160-173). Heiler wollte eine ausführlichere Würdigung von Hügels verfassen und unternahm in England Schritte, sich weiter zu unterrichten. Allein er bekam abratende Antworten, im Sinne von den Briefen Nr. 42 und 44 oben; s. dazu Loome, Downside Review 91 (1973), S. 22 f. S. im Anhang den Brief Heilers an die Witwe von Hügel vom 2. Feb. 1925.

1 Nämlich in Hinblick auf die bevorstehende Weltkirchenkonferenz im August 1925, Stockholm/Uppsala.

2 S. o. Brief Nr. 64, Anm. 3.

3 So geschah es auch, auf der Hin- wie auf der Rückfahrt, s. Heiler in: EhK 18 (1936), S. 177.

228

Marburg, 29. Mai 1925

Hochverehrter, hochwürdigster Herr Erzbischof,
infolge einer Vortragsreise nach Chemnitz komme ich erst
heute dazu, Ihnen meinen herzlichsten Dank für die
freundliche Zusendung Ihres Vorwortes zu sagen. Ich
habe Ihrem Wunsche gemäß mir an ein paar Stellen
erlaubt, die deutsche Übersetzung noch etwas flüssiger zu
machen. Ich bin sehr glücklich, daß mein Buch mit Ihrer
freundlichen Empfehlung hinausgeht.

Die indischen Christen aus dem Punjab wollten kürzlich
auf einer Konferenz in Lahore, welche die indische Natio-
nalkirche vorbereiten soll, den Sadhu zum Bischof
machen. Aber er hat sich geweigert, ein solches Amt zu
übernehmen. Dagegen hat er sich auf ihr Drängen hin
schließlich bereit gefunden, Mitglied jenes Committees zu
werden, das die Vereinigung der verschiedenen in Indien
missionierenden Kirchen zu einer indischen Einheitskir-
che erstrebt.

Ihrer freundlichen Einladung gemäß werde ich zur Konferenz nach Stockholm als Beobachter kommen. Ich wäre
Ihnen sehr dankbar, wenn Sie mir eine Karte für den
Zutritt zu den Versammlungen besorgen wollten.[1] Mein
hiesiger Kollege Hermelink[2] will auch nach Stockholm
fahren. Unmittelbar nach der Stockholmer Konferenz
werde ich zu dem Altkatholikenkongreß nach Bern
fahren.

Haben Sie auch herzlichen Dank für die Zusendung Ihres
schönen Aufsatzes über St. Erik[3], den meine Frau und ich
gern gelesen haben und der mich im Augenblick deswegen

besonders interessiert, weil ich in 14 Tagen hier in der deutsch-schwedischen Vereinigung einen Vortrag über das „schwedische Kirchen- und Frömmigkeitsleben" halten werde.

Mit dem Ausdruck steter Verehrung und Dankbarkeit und mit herzlichen Grüßen von uns beiden an Ihre Familie verbleibe ich

Ihr ganz ergebener
Friedrich Heiler

Brief Nr. 66, UB Uppsala. Noch am 11. Mai hatte Heiler telegraphisch ein kurzes Vorwort zum zweiten Sadhu-Buch erbitten müssen (UB Uppsala).

1 Söderblom teilte am 2. Juni 1925 mit, er habe Heiler beim Konferenz-büro angemeldet und zugleich gesagt, Heiler wäre bereit, bei Übersetzungsarbeit und dergleichen behilflich zu sein. Es folgte am 7. Juli 1925 noch ein das Sadhu-Buch und die Konferenz berührender kurzer Brief Söderbloms an Heiler (Abschriften in UB Uppsala).

2 Heinrich Hermelink (1877-1958), Kirchenhistoriker, war 1916-34 Professor in Marburg; er hatte ein ausgeprägtes, wenn nicht besonders freundliches, Interesse am zeitgenössischen Katholizismus. Später erwärmte er sich aber für den katholisch-evangelischen Dialog, s. Hermelink, Katholizismus und Protestantismus, Stuttgart 1949.

3 N. S., Sankt Erik, Stockholms-tidning vom 18. Mai 1925.

67. Heiler an Söderblom

Marburg/Lahn, 9. Oktober 1925

Hochverehrter, Hochwürdigster Herr Erzbischof!

Meine letzte Sendung, enthaltend meinen Stockholmarti-
kel und einen solchen meiner Frau[1] hat sich mit Ihrem
freundlichen Briefe gekreuzt. Sie werden aus ihm sehen,
wie ich mit ganzem Herzen an der Konferenz teilnahm
und wie viel ich von ihr empfangen habe, aber ebenso wie
wenig die Haltung der Deutschen mir entspricht. Meine
Frau, der gegenüber sich viele Deutsche noch offener
ausgesprochen haben als mir, hat noch mehr unter ihnen
gelitten. Nach reiflicher Überlegung und nach Rücksprache mit Siegmund-Schultze[2] habe ich mit meiner Kritik an
den Deutschen nicht zurückgehalten, aber ihr ganz den
Charakter eines persönlichen Bekenntnisses gegeben. Ich
glaube, daß ein offenes Wort in unserer überhitzten
nationalistischen Atmosphäre manche zur Besinnung
bringt. Die Verwechslung von evangelischer Verkündigung und völkischer Propaganda hat allmählich in
Deutschland Dimensionen angenommen, daß man nicht
schweigen darf.[3]
Um Ihre Frage zu beantworten, so möchte ich sagen, daß
ich eine Verlegung der Life and Work-Zentrale nach Bern

231

sehr glücklich finde. Einmal ist Bern eine ruhige Stadt im Vergleich zu Genf. Ferner findet sich dort neben einer evangelischen Fakultät eine altkatholische, die offiziell den Charakter einer internationalen Fakultät hat, trotzdem mangels an Geldmitteln sie nicht international ausgebaut werden konnte. Die altkatholische Kirche ist schön und geräumig. Der altkatholische Gottesdienst ist sehr würdig, schlicht und feierlich zugleich. Der Inhalt der Liturgie ist durchaus evangelisch, alles Römische in dogmatischer Hinsicht ist ausgemerzt, so daß ein Lutheraner an ihr ebenso teilnehmen kann wie an der schwedischen Högmässa[4]. Übrigens sind die allermeisten Lieder des altkatholischen Gesangbuchs dem deutschen lutherischen Liederschatz entnommen. Die religiöse Einstellung der Altkatholiken ist durchaus evangelisch. Der verstorbene Bischof Herzog, der durch sein fast fünfzigjähriges Hirtenamt der Schweizer altkatholischen Kirche seinen Geist eingepflanzt hat, war eine rein evangelische Persönlichkeit. Die katholischen Formen in Kult und Verfassung ziehen naturgemäß die Anglikaner und Orientalen an. Aus all diesen Gründen wäre Bern der reformierten Stadt Genf mit ihren einseitig calvinischen Traditionen vorzuziehen. Ich kenne den jetzigen altkatholischen Bischof Dr. Adolf Küry[5] gut.

Das große Sammelwerk „Religion in Geschichte und Gegenwart" soll nun ganz neu herausgegeben werden. Die Religionsgeschichte soll bei der neuen Auflage besonders berücksichtigt werden. Ich bin ersucht worden, als Beirat Prof. Gunkel[6] in religionsgeschichtlichen Dingen bei der Redaktion zu beraten. Es läge mir viel daran, daß auch Sie einige Artikel über solche Dinge, die Ihnen von Ihren früheren Arbeiten her vertraut sind, schrieben. Da die Herausgabe sechs bis sieben Jahre umfassen wird, ist die Zeitfrage ja sekundär. Auch wäre ich Ihnen sehr dankbar, wenn ich Ihnen meinen Vorschlag für die Nomenklatur (Titel der Artikel) samt Mitarbeitervorschlag zur Durchsicht senden dürfte, da Sie mit Ihrer großen Sach- und Personenkenntnis alles noch viel besser überschauen als ich.

Ich sende Ihnen beiliegend einen Artikel über Sie, den ich vor der Konferenz geschrieben und der während derselben erschienen ist.[7] Ich habe ihn erst heute zugesandt bekommen. Nehmen Sie ihn als Zeichen meiner aufrichtigen Dankbarkeit hin für alles, was ich in vielen Jahren von Ihnen empfangen habe. Auf besonderen Wunsch von Siegmund-Schultze werde ich in der „Eiche" auf die Äußerungen von Wallau und Katz über die angeblichen Differenzen zwischen Ihrer und meiner evangelischen Katholizität antworten.[8] Ich finde die Ausführungen von beiden wenig glücklich.

Es tut mir leid, daß Laible[9] in der Allgemeinen Evangelisch-Lutherischen Kirchenzeitung seinen häßlichen Kampf gegen das Werk der Konferenz fortsetzt und direkt unwahre Berichte gibt. Seine Artikel werden mit großer Schadenfreude von den römischen Katholiken ausgeschlachtet.

Die römischen Katholiken Deutschlands sind zur Zeit tief beunruhigt durch die Indizierung von fünf Werken des Breslauer Professors und Volksschriftstellers Joseph Wittig[10]. Seine stark evangelisch geprägten Werke haben eine weite Verbreitung in ganz Deutschland. Wittig ist auch einer der führenden Persönlichkeiten der katholischen Jugendbewegung, die mit ihm getroffen ist und werden sollte. Ich hoffe über ihn schreiben zu können.

Nun grüße ich Sie und Ihre verehrte Familie zusammen
mit meiner Frau und bleibe in steter Verehrung

Ihr dankbar ergebener
Friedrich Heiler

Brief Nr. 67, UB Uppsala. Dieser Brief folgte unmittelbar auf die große
Stockholmer Weltkirchenkonferenz für „Life and Work" im August
1925. Heiler und seine Frau waren auf persönliche Einladung Söder-
bloms zugegen (Söderblom an Heiler, 16. 7. 1925, UB Uppsala). Mit
dieser Konferenz wurde der Höhepunkt des öffentlichen Wirkens
Söderbloms erreicht.
Am 6. 10. 1925 fragte Söderblom, was Heiler von Bern als Ort für die
Life and Work Zentrale hielte, s. Sundkler, a.a.O., S. 395 (Abschrift in
UB Uppsala).

1 Heiler, Die religiöse Einheit der Stockholmer Weltkonferenz, in:
Christliche Welt 39 (1. Okt. 1925), Sp. 865-875, dann in: Evangelische
Katholizität, S. 37-56. Zur Mitarbeit von Frau Heiler an den Berichten,
in: Münchener Neueste Nachrichten, 6., 9. und 20. Sept. 1925, s. ebda.,
S. 56.

2 Friedrich Siegmund-Schultze (1885-1969) war ein Vorkämpfer der
Friedensbewegung in den Kirchen und ein führender Sozialpädagoge
und -aktivist, zunächst in Berlin, nach 1933 im Exil in der Schweiz,
später Vorstand eines Ökumenischen Archives in Soest (jetzt in Berlin,
Jebenstraße befindlich). Der Weltbund für Freundschaftsarbeit der
Kirchen, dem er sich in Berlin voll zur Verfügung stellte, war ein
wichtiges Glied in der damaligen ökumenischen Bewegung. Jahrelang
war auch seine Zeitschrift, „Die Eiche", das bedeutendste Organ des
Ökumenismus in deutscher Sprache. Vgl. A. M. Heiler, Friedrich Heiler
und Friedrich Siegmund-Schultze, in: Aktiver Friede. Gedenkschrift für
Friedrich Siegmund-Schultze (1885-1969), hrsg. von H. Delfs, Soest
1972, S. 135-139; Nathan Söderblom, Briefe und Botschaften an einen
deutschen Mitarbeiter, hrsg. v. F. Siegmund-Schultze, Marburg 1966,
bes. S. 81-85. Siegmund-Schultze sollte ursprünglich in Stockholm zum
Thema Krieg und Frieden eine Rede halten, aber angesichts der über-
spannten Stimmung zumal in der deutschen Delegation verzichtete er
darauf, weil sonst die ganze Konferenz gesprengt werden konnte; vgl.
auch B. Sundkler, Nathan Söderblom und Friedrich Siegmund-Schultze,
in: Aktiver Friede, S. 119-122, und in seiner Söderblombiographie,

S. 373. Heiler durfte offener darüber urteilen als Siegmund-Schultze selber, der gleich nach der Konferenz einen fast protokollarischen Bericht veröffentlichte, Die Weltkirchenkonferenz in Stockholm, Berlin 1925.

3 Gegen völkische Propaganda blieb Heiler durchaus gefeit; vgl. z. B. seinen Beitrag, Die Kirche und das Dritte Reich, im gleichnamigen Sammelband, hrsg. von L. Klotz, Gotha 1932, S. 38-43.

4 D. h., Hochamt. In Schweden blieb von den katholischen liturgischen Bräuchen vieles auch nach der Reformation erhalten.

5 Küry (1870-1956) wurde 1924 Nachfolger von Bischof Herzog.

6 Hermann Gunkel (1862-1932) war Alttestamentler in Halle und führender Vertreter der „Religionsgeschichtlichen Schule" in der Bibelforschung.

7 Erzbischof Söderbloms Lebenswerk, in: Münchener Neueste Nachrichten, 28. 8. 1925.

8 Erschienen als: Der Streit um die evangelische Katholizität. Meine Stellung zu Erzbischof Söderblom, in: Die Eiche 14 (1926), S. 20-26 und in: Evangelische Katholizität, S. 179-198. Aus dem Antwortschreiben Söderbloms vom 24. 10. 1925 (UB Uppsala) ist festzuhalten, daß er Wallau nahegelegt hatte, vor einer neuen Auflage seine Darstellung von Söderbloms Auffassung der evangelischen Katholizität abändern und präzisieren zu lassen.

9 Wilhelm Laible (geb. 1856) war Redakteur und Herausgeber der Allgemeinen Evangelisch-Lutherischen Kirchenzeitung. Heiler verwahrte sich gegen seine Berichterstattung mit seinem Beitrag, Ein Zerrbild von Stockholm, in: Christliche Welt 39 (1925), Sp. 991-997.

10 Zu Wittig (1879-1949) s. Th. Kampmann und R. Padberg (Hrsg.), Der Fall Joseph Wittig, fünfzig Jahre danach, Paderborn 1975. Er stand seit 1922 (Artikel in Hochland) unter Häresieverdacht und wurde 1926 exkommuniziert. Heiler würdigte ihn in einem in der altkatholischen Internationalen Kirchlichen Zeitschrift (1928) erschienenen Beitrag, nachgedruckt in seinen Gesammelten Aufsätzen, Bd. II: Im Ringen um die Kirche, München 1931, S. 185-188.

Marburg, 12. Jänner 1926

Hochverehrter Hochwürdigster Herr Erzbischof,

zu Ihrem 60. Geburtstage[1] bringe ich Ihnen die herzlichsten Glückwünsche von mir und meiner Frau dar. Wir beide nehmen herzlichen Anteil an der Freude Ihrer ganzen Familie, die mit Ihnen diesen schönen Tag feiert. Mein innigster Gebetswunsch an diesem Tage ist, daß Gott Ihr großes Lebenswerk, die Einigung der Christenheit, bald der Vollendung entgegenführe. Mein zweiter Wunsch an diesem Tage ist, daß, wenn das große Einheitswerk befestigt ist, Gott Ihnen noch volle Kraft gebe, uns aus der Fülle Ihres religionsgeschichtlichen Wissens noch manch schönes Werk zu schenken.

In tiefer Dankbarkeit gedenke ich an diesem Tage all dessen, was ich im Laufe von vielen Jahren von Ihnen empfangen habe, Wissen, Freude, Liebe, Trost und Erquickung. Worte vermögen das nicht auszudrücken. Als bescheidenes Zeichen meiner Dankbarkeit sende ich Ihnen eine Schrift, die ich Ihnen zu diesem Gedenktage widmete.[2] Leider ist sie im Druck nicht fertig geworden; so bitte ich, einstweilen die Revisionsbogen entgegennehmen zu wollen (in denen noch einige Druckfehler stehen). In 10 Tagen hoffe ich Ihnen das Werk fertig übersenden zu können. Ich lege ferner einen Artikel[3] bei, den ich für eine Münchener Zeitung geschrieben habe, und der in diesen Tagen erscheinen soll — δόσις ὀλίγη τε φίλη τε.[4] Mehr noch als dieser Aufsatz und ähnliche legen all meine Bücher Zeugnis ab von dem, was ich Ihnen verdanke.

Ohne Ihre Einwirkung wäre alles in meinem Leben anders gegangen. Ich weiß, daß niemand für mein inneres Leben soviel bedeutet hat als Sie. Aber das Wunderbarste ist, daß Sie auch mir das geworden sind, was Sie Ihren Schutzbefohlenen werden wollten und geworden sind: „Mithelfer zur Freude".[5]

Mit innigen Segenswünschen begrüße ich Sie und Ihre ganze verehrte Familie zusammen mit meiner Frau und bleibe Ihr stets dankbar ergebener

Friedrich Heiler

Brief Nr. 68, UB Uppsala.

1 Am 15. 1. 1926.

2 F. Heiler, Christlicher Glaube und indisches Geistesleben. Rabindranath Tagore, Mahatma Gandhi, Brahmabandhav Upadhyaya, Sadhu Sundar Singh, München 1926.

3 Ein nordischer Kirchenfürst. Erzbischof Söderbloms Persönlichkeit. Zu seinem 60. Geburtstag, in: Münchener Neueste Nachrichten, 15. 1. 1926. Darin wendete Heiler auf Söderbloms wissenschaftliche und ökumenische Wirksamkeit den Spruch des Augustinus an: res tantum cognoscitur, quantum diligitur. Vgl. Brief Nr. 69.

4 „Eine kleine und freundschaftliche Gabe".

5 2 Kor 1,24.

Marburg, 22. Januar 1926

Hochverehrter, hochwürdigster Herr Erzbischof,
leider kenne ich Herrn Dr. Federhofer nicht persönlich.
Sein spezieller Lehrer, Professor Bäumker[1], der auch mein
Lehrer war, ist tot, so daß man von ihm keine Auskunft
bekommen kann. Doch glaube ich, daß er — seinem Brief
und seinen Arbeiten nach zu schließen — ein vortreffli-
cher Mann ist. Freilich würde ich ihm nicht zu einem
Übertritt in die schwedische Kirche raten, da er offenbar
mit Sprache und Volk noch nicht vertraut ist. Ich würde
ihm eher raten, zur altkatholischen Kirche überzutreten.
Die Altkatholiken nehmen gerne römische Theologen, die
noch nicht ordiniert sind. Allerdings müßte er noch ein
Semester an der altkatholischen Fakultät in Bern oder im
altkatholischen Priesterseminar in Bonn studieren. Da ich
die altkatholischen Bischöfe in Deutschland und in der
Schweiz kenne, wäre ich gerne bereit, das Weitere zu
vermitteln. Nach meinen Erfahrungen ist in solchen Fäl-
len der Übergang von der römischen zur altkatholischen
Kirche der beste Weg. Beim Übergang in den deutschen
Protestantismus ergeben sich, wie ich aus einer Reihe von
Fällen weiß, gewöhnlich Schwierigkeiten und Rück-
schläge. Vielleicht geben Sie Herrn Dr. Federhofer diesen
Rat. Gegebenenfalls würde ich dann an einen der altkatho-
lischen Bischöfe schreiben.
Anbei sende ich Ihnen meinen Artikel, den ich anläßlich
Ihres Geburtstages veröffentlicht habe. Die schreckliche
Überschrift vom „Kirchenfürsten" stammt nicht von mir,

sondern von der Redaktion. Aber es steht ja im Artikel das Gegenteil.

Nachträglich danke ich Ihnen auch herzlich für Ihren wunderschönen Artikel über den Patriarchen Photios[2], den ich mit großer Freude gelesen habe.

Wir haben gerade viel Krankheit im Hause. Ich selbst habe Keuchhusten und kann meine Vorlesungen nicht halten. Unsere kleine Birgitta hat ebenfalls Keuchhusten, so daß wir sie fortschicken mußten. Und leider scheint meine Frau, die in den nächsten Tagen die Geburt eines Kindes erwartet, auch angesteckt zu sein.

Ich lege auch noch meine „evangelische Marienbetrachtung"[3] bei. Das Ihnen gewidmete Buch hoffe ich in der nächsten Woche senden zu können.

Sind Sie davon unterrichtet, daß Sundar Singh auf einem Auge erblindet und ernstlich lungenkrank ist? Er selbst fühlt sich jetzt wieder etwas besser. Aber Dr. Peoples, der Arzt des Leprosenheims in Subathu, bei dem er wohnt, schrieb an Frau Parker, die jetzt in London ist, pessimistisch.[4]

Mit den herzlichsten Grüßen an Sie und Ihre verehrte Familie von meiner Frau und mir

Ihr dankbar ergebener
Friedrich Heiler

PS: Vor ein paar Tagen fand hier die „engere Tagung" der allgemeinen lutherischen Konferenz statt. Ihmels[5], Danell[6] und — Laible waren als Redner hier. Es tut mir leid, daß Ihmels Oslo so sehr über Stockholm erhob. Überhaupt trug die ganze Tagung einen so einseitig konfessionell-lutherischen Charakter, daß sogar die hiesigen Reformierten sich abgestoßen fühlten.

Brief Nr. 69, UB Uppsala. Ein Brief von Söderblom, den mir unbekannten Dr. Federhofer betreffend, wurde nicht aufgefunden.

1 Clemens Bäumker (1853-1924) erforschte die Geschichte der mittelalterlichen Philosophie und war seit 1912 Professor in München.

2 Photios, Patriarch von Alexandrien 1899-1925, war auf der Heimfahrt nach der Stockholmer Konferenz in Zürich gestorben, wie Heiler berichtet: Die religiöse Einheit der Stockholmer Konferenz, in: Evangelische Katholizität, S. 46. Söderbloms Nachruf auf Photios erschien unter anderem auch in seinem Kristenhetens möte, Stockholm 1926, S. 736-758.

3 Heiler, Die Gottesmutter. Eine evangelische Marienbetrachtung, zuerst in: Münchener Neueste Nachrichten, 23. 12. 1925, erschienen und abgedruckt in: Hk 8 (1926), S. 54-57.

4 Zu dieser Episode s. A. J. Appasamy, Sundar Singh: A Biography, London 1958, S. 209 und 222. Der Autor konnte etliche Briefe des Sadhus und Heilers verwerten, die entweder sich in Indien befinden oder schon durch Heiler veröffentlicht wurden, in: Die Wahrheit Sundar Singhs, München 1927. Auch ein Brief Söderbloms an Sundar Singh vom 12. 1. 1925 ist bei Appasamy, S. 207, abgedruckt. Vgl. auch oben Brief Nr. 48, Anm. 6.

5 Ludwig Heinrich Ihmels (1858-1933), Landesbischof der Evangelischen Kirche in Sachsen, hatte sich für Stockholm gewinnen lassen und maßgeblich daran beteiligt. Bei der Gründung des Lutherischen Weltkonvents 1923 in Eisenach hatte Ihmels erreicht, daß Söderblom die „universelle Bedeutung" Martin Luthers darlegen durfte.

6 Hjalmar Danell (1860-1938) war seit 1905 Bischof von Skara in Schweden; er war vorrängiger Bewerber für das Erzbistum Uppsala im Jahre 1914 gewesen, als Söderblom von der Regierung aus den drei Vorgeschlagenen erwählt wurde.

Marburg, 23. April 1926

Hochverehrter, hochwürdigster Herr Erzbischof,
haben Sie vielen herzlichen Dank für Ihren freundlichen
Brief und Ihre Bereitwilligkeit, mir auch hinsichtlich des
neuen Dokumentenbuches zu helfen. Mein Verleger
schrieb mir, daß mit einem Druckzuschuß von 500 Mark
geholfen wäre. Ich bin Ihnen herzlich dankbar, wenn Sie
mir freundlichst von der Olaus Petri-Stiftung diese Hilfe
vermittelten.
Ich sende Ihnen gleichzeitig verschiedene Nummern der
„Christlichen Welt" mit sozial-ethischen Aufsätzen unseres hiesigen Kollegen Lic. Wünsch[1]. Er ist der einzige
Dozent für Sozialethik an den evangelisch-theologischen
Fakultäten Deutschlands und hat sich sehr gut auch in die
rein wirtschaftlichen Fragen eingearbeitet. Ich glaube, daß
er eine ausgezeichnete Hilfe für das von der Stockholmer
Konferenz geplante sozialethische Institut wäre. Er hat
auch mit der Arbeiterschaft enge Fühlung und vertritt
ohne Zweifel die Gedanken eines christlichen Sozialismus
viel wirksamer als manche sogenannte Christlich-Soziale,
die nur in abstrakten Theorien stecken bleiben. Jedenfalls
möchte ich Sie ganz besonders nachdrücklich auf ihn
aufmerksam machen. Sollte Ihnen damit gedient sein, so
könnte ich Ihnen auch noch die übrigen Schriften und
Aufsätze von ihm zusenden lassen.
Mit den herzlichsten Grüßen an Sie und Ihre ganze
verehrte Familie von meiner Frau und mir verbleibe ich
Ihr stets dankbar ergebener
Friedrich Heiler

Brief Nr. 70, UB Uppsala. In einem Schreiben vom 2. 2. 1926 (UB Uppsala) antwortete Söderblom auf Nr. 69: „Die Freundschaft übertreibt. Aber ich danke Gott im Herzen für den ganzen durch Sie von mir empfangenen Reichtum. In den dunkelsten Kriegszeiten leuchteten für mich aus dem eingeschlossenen Deutschland heraus zwei je auf seine Weise strahlende Sterne des Genies und der Hingabe. Von beiden war es mir also besonders lieb, am 60. Geburtstag schöne Wünsche zu erhalten — von Friedrich Heiler und Wilhelm Kempff" (Musiker, Direktor des Konservatoriums in Stuttgart, der für Söderblom ein Te Deum komponiert hat). Ferner meint er über Gandhi noch nichts gelesen zu haben, was seine Bedeutung so herausstreicht wie Heilers Ausführungen. Gleichzeitig richtete er ein paar Zeilen an die neugeborene Heiler-Tochter (in: Sven Thulin, Hrsg., Hågkomster 14, 219): „Liebe kleine Ingrid! Danke Deinen Eltern ebenfalls für mich. Sag' ihnen wie wir sie mögen. Gott segne Dich!"

Aus einem Briefchen Söderbloms an Heiler vom 12. 4. 1926 (UB Uppsala) geht hervor, daß sich die Familie Heiler wieder erholt hat; Heiler habe noch ein Sadhu-Buch in Vorbereitung, Die Wahrheit Sundar Singhs. Neue Dokumente zum Sadhustreit, das erst 1927 erschien, wofür allerdings Mittel zur Drucklegung noch zu finden waren. Die hier von Heiler genannte Summe von 500 M war freilich unerschwinglich; Söderblom bot Kr. 300 in einem Brief vom 26. 4. 1926 (UB Uppsala) an.

1 Georg Wünsch (1887-1964) wurde 1931 ordentlicher Professor für Sozialethik in Marburg. Heiler erhielt den Rat, Bischof Billing in bezug auf Wünsch anzusprechen (26. 4. 1926).

71. Söderblom an Heiler

Upsala, 4. August 1926

Lieber Freund!

Vor meinen Vorlesungen in Dublin und meinem Besuch in England, wo mir die Ehre erwiesen wurde, Gegenstand eines sehr gehässigen Artikels in The Catholic Herald zu werden, schrieb ich einige Seiten zur Festschrift für Deißmann über Evangelische Katholizität. Hätte ich Ihr Buch gehabt, so hätte ich viel ausführlicher geschrieben.[1] Zu meiner großen Freude hörte ich in England, daß Sie dorthin kommen. Das ist keinen Tag zu früh. Unter den Anglokatholiken finden Sie hingebende Christen und auch gute Köpfe, aber auch ein Getue [snobberi] mit Wachskerzen, Weihrauch, neu angefertigten Meßgewändern usw., was gemacht wirkt und nach Sakristei riecht, aber dem Evangelium Christi sehr fremd ist. Ich habe selber ausgezeichnete Freunde unter den Anglokatholiken. Der Bischof von Bombay[2] ist ein herrlicher Mann, der aus der Menge hervorragt. Aber viele von ihnen sind sektiererisch engherzig, und man fühlt es als eine Befreiung, wenn man in England einen von jenen trifft, die beseelt sind von einer starken und freien Katholizität wie der Erzbischof von Canterbury[3], Domprobst Bell[4], der Bischof von Manchester[5], der Bischof von Lichfield[6], der Bischof von Winchester[7], der Bischof von Plymouth, Chelmsford[8], der Erzbischof von York[9], ein herrlicher Mann, der zuerst von strenger Hochkirchlichkeit in Oxford angesteckt wurde und nicht mit zur Abendandacht in dem presbyterianischen Pfarrhaus in Schottland

243

gehen konnte, wo er geboren war, der aber in der Schule des Lebens, d. h. Gottes sich zu einem freien evangelischen Mann entwickelt hat, einem Kirchenmann großen Stils. Ich sehne mich darnach, Sie zu treffen!

Wann kommen Sie hierher? Wir müssen ein langes und gründliches Gespräch miteinander haben. Ich denke an unsere Stunden auf der Eisenbahn und voriges Jahr in München. Die waren köstlich und andachtsvoll.[10] Wann reisen Sie nach England? Vom 21. bis zum 31. August bin ich in Bern, Villa Favorite, Diakonissenhaus, nachher predige ich am 5. September in St. Pierre, Genf. Könnten wir uns da vielleicht treffen? Ich wohne bei Professor Choisy[11], der auch Ihnen gerne ohne weiteres ein Zimmer zur Verfügung stellen würde.

Ihr Buch kommt zur rechten Zeit. Wenn ich nur endlich mit der großen Arbeit über die ökumenische Konferenz[12] fertig werden könnte, die ich in freien Stunden gemacht habe. Man lernt viel aus Ihrem Buch und wird warm im Herzen. Ich durchlebe wieder die unvergeßlichen Tage im August vorigen Jahres, derengleichen wir kaum je hier auf Erden wieder erleben dürfen, wir, die wir mit waren in Adoratio.

Was Sie S. 237 von den geschlossenen Kirchen sagen, ist mir aus dem Herzen gesprochen. Leider ist es mir nicht geglückt, die Kirchen in dem Umfang, wie ich hier in Schweden wollte, zu öffnen.

Lesen Sie S. 135 in Ihrem Buch.[13] Das ist himmlisch.

Was Sie S. 215 von der Augustana sagen, ist völlig wahr. Dagegen will ich darauf hinweisen, was, ich glaube, Professor Rawlinson[14] in Oxford vor nicht langer Zeit unterstrichen hat, daß, wenn der Ausdruck Protestant 1529 gebraucht wurde, das keineswegs im Sinne von

Opposition oder Protest geschah, so notwendig auch ein solcher immer ist gegenüber Aberglauben, weltlicher und ungöttlicher Kirchenmacht und Pharisäismus in allen Formen, gleichwie unser Heiland kräftig protestierte; sondern der Ausdruck Protestant bedeutet in seinem Ursprung protestati sumus, d. h., wir behaupten mit aller Kraft, nämlich die Rechtfertigung durch den Glauben.[15]

S. 234. Ich teile Ihre Meinung über den Segen des formulierten Gebets. Offenbar ist nun für alle, daß [die Bewegung von] Life and Work [der Arbeit von] Faith and Order vorausgehen muß.[16]

S. 234. Auch ich kann nicht mit dem liturgischen Dilettantismus bei meinen Freunden Otto und Linderholm und anderen mitgehen.[17] Wenn ich sehe, wie Sie ganz natürlich auf Grund von Eindrücken der Kindheit und Jugend eine Vorliebe für Frömmigkeitsformen hegen, die mir ganz fremd sind und, so weit ich sehe, der Bedenklichkeit nicht entraten (davon wird gleich die Rede sein), so freut es mich in der Seele, daß Sie wie ich sich erbauen an dem echten evangelischen Pathos bei einem so waschechten Protestanten wie Wilfred Monod[18] (S. 229).

Nun zitiere ich ganz kreuz und quer. Aber ich möchte nicht vergessen, auf ein paar Irrtümer hinzuweisen, welche in der Neuauflage, die sicher bald kommt, geändert werden können.

S. 125. Für *Message*[19] hat Monod das meiste getan, darnach Garvie[20], Deißmann, Ammundsen[21], aber auch die Beiträge von Ihmels und Conrad[22] haben Bedeutung. Doch worauf ich eigentlich hinweisen wollte, ist die Zeile über das Ausbleiben Roms am Anfang der Botschaft, welche der Bischof von Winchester und ich dorthin gestellt hatten als ein historisches Faktum, welche aber von uns allen einhellig gestrichen wurde auf Wunsch von Kapler[23]. Er sagte: „Die römisch-katholische Presse in Deutschland hat unsere Konferenz mit Achtung behandelt. Wir wollen nicht auf irgendeine Weise das gute Verhältnis zu unseren römisch-katholischen Brüdern stören. Ein Wort davon, daß Rom nicht teilgenommen hat, kann leicht als ein Tadel, eine Polemik verstanden werden. Darum wollen wir nichts sagen." Demzufolge soll das Wort „Verneigung" durch „Polemik oder Tadel" ersetzt werden („Dabei wurde der Abschnitt, der sich an die römische Kirche richtete, gestrichen, weil man die Befürchtung hegte, ein Ausdruck des Bedauerns über die Nichtteilnahme der päpstlichen Kirche könne als Polemik oder Tadel gedeutet werden".[24]) Diese Tatsache ist ein neuer Beweis, wie durchaus positiv alles in Stockholm vor sich ging. Ich könnte interne Dinge davon erzählen, wenn wir uns treffen. Charakteristisch ist, daß es der Wortführer der deutschen Delegation, Kapler, war, der selbst jeden Schein von Tadel oder Vorwurf gegen Rom vermeiden wollte.

S. 140. Gustaf Jensen ist Norweger, nicht Däne.

Klar ist, daß ich in evangelisch-katholisch mehr evangelisch betone, Sie mehr katholisch.[25] Für mich bedeutet evangelische Katholizität, daß nur die evangelische Erlösungslehre, welche nicht an Gesetze bindet, sondern befreit zum unbedingten Dienst für den allmächtigen Gott, eine wirkliche Katholizität zustande bringen kann.[26] Darüber werden wir das nächstemal lange miteinander reden.

In einem Punkte bin ich wirklich bedenklich. Das ist die Aufbewahrung des Sakraments, reservatio. Die Aufbewahrung selber kann verteidigt werden teils als ein Akt der schuldigen Pietät, teils um der Kranken willen. Aber Christi geheimnisvolle Gegenwart ist nicht bedingt durch irgendeine Form und verwandelt somit die Hostie nicht in eine Gottheit, welche angebetet werden kann, sondern sie ist bedingt durch Christi Verheißung, die Ubiquität der göttlichen Natur und durch den Glauben. Es ist für mich natürlich, daß ein Crucifix oder ein anderes Bild oder ein Licht die Anbetung auf einen bestimmten Punkt im Heiligtum oder im Raum sammelt. Das ist ein natürliches psychologisches Bedürfnis. Aber daß die konsekrierte Hostie in ihrem Sakramentshäuschen als ein leibhaftiger Gott dient, scheint mir sehr bedenklich, eine Analogie zu Soma, Haoma[27], ohne irgendeine eigentliche Verbindung mit dem Neuen Testament und der Offenbarung.

Darum hat der Eucharistische Kongreß, der den Papst mit dem Wort der Gottesmutter von ihr selber gegrüßt hat[28], auf mich einen äußerst niederschmetternden Eindruck gemacht. Gewiß ist, daß er Propaganda macht und dort vielen Seelen imponiert, besonders gegenüber dem törichten Antiklerikalismus in Mexiko. Aber bei aller Weitherzigkeit kann ich nicht anders als Widerwillen gegen eine solche Anbetung eines Gegenstandes empfinden.

Zwei religiöse Momente haben die Zeitungen in den Vereinigten Staaten erfüllt. Eine wirkt durch die Quantität: der Eucharistische Kongreß in Chicago; eine durch die Qualität: der rechtschaffene schwedische Kronprinz.

Wäre Professor Heiler von Anfang an dabei gewesen, so hätte wohl die Una Sancta nie das unpassende Beiwort „hochkirchlich" bekommen. Es reicht wohl mit Kirche. Ich muß Sie auch treffen, um näher von dieser Bewegung in Deutschland zu hören.

Ich verstehe Ihre Unruhe angesichts des geistigen Kampfes der theologischen Schulen. Aber eigentlich ist dieser ein Zeichen des Lebens und notwendig in Christi Kirche. Denn die Kirche ist stark genug, um auch die dialektische Theologie zu verdauen, auch sie kommt, um uns etwas zu lehren. Nur in der Luft der Freiheit kann Christi Sache siegen, und ich weiß und sehe, mit welcher Überzeugung Sie, lieber Professor und Freund, die Freiheit der Forschung behaupten und ausüben. Ich habe mich oft gefragt, warum mir Gott im Erdenleben einen solchen unverdienten und unendlich großen Segen sandte wie die Bekanntschaft mit Ihnen und alles, was sie mit sich geführt hat. Wir wollen beide unter dem Himmel leben und uns nicht in die Pferche hineinstopfen lassen, welche Freunde und Gegner uns anweisen, und nichts beweist die Una Sancta besser als die Tatsache, daß wir zwei von so ungleichem Ursprung und Umgebung und andere mit uns, ein Monod, ein Garvie, ein [Bischof von] Bombay, ein Sundar Singh, ein Glubokowsky[29] einander so innig gut verstehen ohne vorausgehende Übereinkunft. Diese Katholizität gehört zum göttlichen Geheimnis des Lebens und der Ewigkeit.

Mit herzlichen Grüßen Ihr ergebener
Nathan Söderblom

Brief Nr. 71, UB Marburg (wie auch UB Uppsala); Auszüge wurden von Heiler übersetzt und veröffentlicht, in: Hk 13 (1931), S. 299 f. und EhK 18 (1936), S. 150-153.

1 „Ihr Buch": Heiler, Evangelische Katholizität, München 1926 (Gesammelte Aufsätze und Vorträge, Bd. 1); Beitrag Söderbloms: Evangelische Katholizität, in: Festgabe für Adolf Deißmann zum 60. Geburtstag, 7. Nov. 1926, Tübingen 1927, S. 327-334.

2 Edwin James Palmer (1869-1954) war 1908-1929 anglikanischer Bischof von Bombay, seit 1929 Berater des Bischofs von Gloucester (Headlam).

3 Randall Thomas Davidson (1848-1930) war 1903-1928 Erzbischof von Canterbury.

4 George Kennedy Allen Bell (1881-1958), seit 1929 Bischof von Chichester, war als Dean of Canterbury engstens mit den verschiedenen ökumenischen Vorstößen vertraut gewesen, vgl. die von ihm herausgegebenen Documents on Christian Unity 1920-1924, London 1924. Er beteiligte sich auch stark an der Life-and-Work-Bewegung Söderbloms. Im Oktober 1926 waren bei ihm Heiler und seine Frau Hausgäste, woraus sich ein Briefwechsel und eine dauernde Freundschaft ergab. Bell ist in Deutschland besonders durch die Beziehungen Dietrich Bonhoeffers zu ihm in den dreißiger und vierziger Jahren bekannt geworden.

5 William Temple (1881-1944), Sohn eines Erzbischofs von Canterbury, wurde 1921 Bischof von Manchester, 1929 Erzbischof von York und 1942 Erzbischof von Canterbury.

6 John Augustine Kempthorne (1864-1946) war Bischof von Lichfield in den Jahren 1913 bis 1937.

7 Frank Theodore Woods (1874-1932) wurde 1924 von Peterborough nach Winchester versetzt. Nach Sundkler, a.a.O., S. 317, war er der vertraute Mitarbeiter Söderbloms in der Kirche von England.

8 Seit 1922 war John Howard Bertram Masterman (1867-1933) Bischof von Plymouth. F. S. Guy Warman (1872-1953) war 1923-29 Bischof von Chelmsford, 1929-47 von Manchester.

9 Cosmo Gordon Lang (1864-1945) war 1908-1928 Erzbischof von York und 1928-42 von Canterbury.

10 Im April 1925 gingen Heiler und Söderblom während einer kurzen Fahrtunterbrechung vom Hauptbahnhof München zur Frauenkirche, vgl. o. Brief Nr. 65, Anm. 3. Söderblom reiste gerade zum Treffen der europäischen Sektion von Life and Work nach Zürich, vgl. Heiler, in: Hågkomster 14 (Uppsala 1933), S. 221 f. Heiler begleitete Söderblom dann auf der nächsten Strecke bis Augsburg.

11 Jacques Eugène Choisy (1866-1949) war 1909-1939 Professor für Kirchengeschichte an der Universität Genf.

12 Söderblom, Kristenhetens möte i Stockholm, augusti 1925, Stockholm 1926, 964 S.

13 Die Feststellung des Bekenntnisses der Stockholmer Konferenz zur Gottheit Christi, welches nach einzelnen römisch-katholischen und

lutherischen Polemikern fehlte (Anm. Heilers in EhK 18, S. 151; bezieht sich auf den ausführlichen Bericht, Die Weltkonferenz für praktisches Christentum in Stockholm, in: Evangelische Katholizität, S. 56-150).

14 Alfred Edward John Rawlinson (1884-1960) war 1909 bis 1929 Dozent in verschiedenen Oxforder Stellungen und 1936-1959 Bischof von Derby.

15 Vorstehender Text ab „d. h . . ." im Original deutsch.

16 Dies letztere ist ein Hauptpunkt, den Heiler aus der Übersicht bisheriger Unionsbemühungen folgert, in: Wege zur Einheit der Kirche Christi, a.a.O., S. 250-351, bes. 284-302; Zusätze in eckigen Klammern von Heiler.

17 Heiler, Evangelisches Hochkirchentum, Vortrag auf dem 7. Hochkirchentag in Magdeburg, 1. 12. 1925, abgedruckt in: Hk 8 (1926), S. 2-16, 36-46, 68-74; Una Sancta 2 (1926), S. 37-57, 128-153; und in: Evangelische Katholizität, worauf hier verwiesen wird, S. 198-250; S. 234: „[die alten liturgischen Gebete] allein bieten Schutz gegen den verderblichen Subjektivismus, der in der modernen liturgischen Bewegung bisweilen Orgien feiert."
Dieser Vortrag bezeichnet den Übergang Heilers in die Hochkirchliche Vereinigung, worin er bald eine führende Rolle übernahm.
R. Otto „und seine Schüler erprobten in der Kapelle St. Jost mit feinsinnigem Empfinden für *das Heilige* dichterisch frei gestaltete Feiern, religiös-ästhetisch aus Bibel und Dichtung komponiert, abseits von aller Tradition" (Herbert Goltzen, bei Hans Carl von Haebler, Geschichte der Evangelischen Michaelsbruderschaft, Marburg 1975, S. 219).
Emanuel Linderholm (1872-1937) war seit 1919 Professor für Kirchengeschichte in Uppsala; er entwickelte und förderte ein eigenes kirchliches Erneuerungsprogramm.

18 Wilfred Monod (1867-1943), Theologieprofessor in Paris und Erbe der französischen reformierten Tradition, war schon seit 1888 mit Söderblom bekannt. Dieser stellte jenem 1925 während der Stockholmer Konferenz Heiler vor.

19 Die kurze „Botschaft" der Konferenz an die Kirchen und an die Welt wurde am Samstag, 29. 8. 1925, verabschiedet, s. Söderblom, Kristenhetens möte, S. 675-693. Das, was Söderblom hier bietet, ist gleichsam eine Glosse zu S. 686.

20 Alfred Ernest Garvie (1861-1945) war als Principal von New College, London, führender kongregationalistischer Theologe und Kirchenmann.

21 O. Valdemar Ammundsen (1875-1936), dänischer Bischof von

250

Haderslev von 1923 bis zu seinem Tod, war 1901-1923 Professor für Kirchengeschichte in Kopenhagen gewesen.

22 Paul Conrad (1865-1927) war geistlicher Vizepräsident des Evangelischen Oberkirchenrats in Berlin.

23 Hermann Kapler (1867-1941) war Präsident des Evangelischen Oberkirchenrats und des Deutschen Evangelischen Kirchenausschusses; vgl. bes. Sundkler, a.a.O., S. 340, 347.

24 Diese Parenthese, auf deutsch, sollte Heilers Satz (Evangelische Katholizität, S. 125) berichtigen, wo stand: „Dabei wurde der Abschnitt . . . gestrichen, weil man die Befürchtung hegte, ein Ausdruck des Bedauerns über die Nichtteilnahme der päpstlichen Kirche könne als Verneigung vor ihr gedeutet werden!"

25 Heiler hat diesen Satz in Hk 13 (1931), S. 300 gesperrt drucken lassen.

26 Auch Sundkler, a.a.O., S. 265, der den vorstehenden Text ab „Klar ist . . ." zitiert, scheint das Hauptgewicht des Briefes darin zu sehen. Vgl. R. Frieling, Die Bewegung für Glauben und Kirchenverfassung, Göttingen 1970, S. 80-84. Unberücksichtigt bleibt aber der Umstand, daß sich Söderblom mit Wallaus Auffassung nicht zu identifizieren vermochte (s. o. Brief Nr. 67, Anm. 8) und daß Heiler schon die verschiedene Gewichtung bei allem Gemeinsamen zwischen sich und Söderblom herausgestellt hatte (ebda.), offenbar zu Söderbloms Zufriedenheit.

27 Der heilige Trank im vedischen Indien und im alten Persien (Anm. von Heiler in EhK 18, S. 152).

28 Ein Internationaler Eucharistischer Kongreß fand 1926 in Chicago statt.

29 Nikolai Glubokowsky (1863-1937) übersiedelte nach der Revolution von Petersburg nach Belgrad und dann nach Sofia; bereits 1919 hielt er Olaus-Petri-Vorlesungen über die Orthodoxie in Uppsala, vgl. Sundkler, a.a.O., S. 271 f.

Upsala, 7. August 1926

Lieber Herr Professor!

Ich habe eben mit großem Gewinn *Una Sancta* und Franz von Assisi[1] gelesen. Es ist vorzüglich, daß Evangelische und Katholische in derselben Zeitschrift schreiben. Und wichtig ist, daß hervorragende und charaktervolle Verfasser zu Worte kommen. Das vornehmste ist Ihr Artikel über den heiligen Franz. Die Lebensbeschreibung des Franziskus hatte Luther gewiß nicht gelesen. Die scharfen Worte, die Sie S. 50 anführen[2], sind doch mild im Vergleich mit dem Urteil des Erasmus über die Bettelorden, zumal die Franziskaner. Um die Zeit werden wohl besonders die Franziskaner in tiefen Verfall, Laxheit, Unwissenheit und Laster geraten sein. Daß die Beurteilungen, denen man aus dem 15. und 16. Jahrhundert über die Franziskaner begegnet, äußerst ungünstig lauten, erklärt sich wohl daraus. Gibt es überhaupt einen bedeutenden Schriftsteller des 16. Jahrhunderts, der Franz und seinen Orden preist? Daß er jetzt allgemeines Gut geworden ist und der ganzen Kirche angehört ist besonders Sabatier zu verdanken.[3]

Mir kam ein Gedanke, den ich Ihnen gleich mitteilen will. Ein Mitarbeiter schreibt von Vilmar[4]: die *Una Sancta* müßte sich gründlich mit Vilmar, Löhe[5], Kliefoth[6] und deren Gesinnungsgenossen befassen. Man findet bei diesen Männern nicht selten eine tiefere Auffassung als bei den Anglokatholiken. Vorzüglich wäre es, wenn Löhe und die anderen durch eine Darstellung in England bekannt werden könnten. Wenn Sie zu Vorlesungen in Oxford oder sonst wo eingeladen werden, würde es sich ausgezeichnet machen, eine Anzahl von Vorlesungen gerade über dieses universalkirchliche und tief mystische Luthertum zu halten. Zwar betonen sie das Amt in einer Weise, bei der ich nicht immer mitgehen kann. Aber in ihrem Wesen findet sich ein Gewicht, dessen die Anglikaner oft ermangeln und das sie kennenlernen sollten.

Mit herzlichen Grüßen
Ihr[7] ergebener
Nathan Söderblom

Brief Nr. 72, UB Uppsala; z. T. in Hk 13 (1931), S. 300-301 veröffentlicht.

1 Zur Zeitschrift Una Sancta s. Heiler, Evangelische Katholizität, S. 340; Prof. Alfred von Martin, München, war Herausgeber. 1927 mußte er die Veröffentlichung infolge römischer Mißbilligung einstellen, vgl. L. Swidler, Ecumenical Vanguard, Pittsburgh 1966, S. 116. Im zweiten Jahrgang (1926) ist ein Sonderheft über Franz von Assisi erschienen, mit einem Beitrag von Heiler, Der heilige Franz von Assisi und die katholische Kirche, S. 19-61.

2 Ebda., abgedruckt in: Im Ringen um die Kirche, S. 133.

3 Zu Paul Sabatier s. o. Brief Nr. 6, Anm. 3. Vorstehender Text ab „Das vornehmste ist . . .“ von Heiler übergangen.

4 August F. C. Vilmar (1800-1868) war seit 1855 Professor in Marburg.

5 Johann K. W. Löhe (1808-1872) gründete u. a. die Neuendettelsauer Diakonissenanstalt.

6 Theodor F. D. Kliefoth (1810-1895) war Mecklenburger Kirchenmann. Heiler förderte das Bekanntwerden der hochkirchlichen lutherischen Theologen in seiner Zeitschrift, auch in: Im Ringen um die Kirche, bes. S. 447, wo er die Reihe mit der Erwähnung Theodosius Harnacks vervollständigt.

7 Versehentlich schrieb Söderblom hier „Din“ = „Dein“.

Marburg, 10. August 1926

Hochverehrter, hochwürdigster Herr Erzbischof,
haben Sie sehr herzlichen Dank für Ihren lieben Brief, der
mir eine aufrichtige Freude und ein erquickender Trost ist
in allen Anfechtungen, die ich in der letzten Zeit zu
erleiden hatte. Ihre verständnisinnige Liebe ist mir ein
wahres Gottesgeschenk, für das ich nicht genug dankbar
sein kann inmitten von Mißverständnissen und Anfeindungen. Die Angriffe kommen von beiden Seiten. Der
hiesige römisch-katholische Pfarrer, ein sehr frommer,
aber engherziger Priester, hat kürzlich auf der Kanzel
beim Gottesdienst in zornigen Worten vor mir gewarnt
(weil zahlreiche römische Studenten meine Vorlesungen
besuchten). Auf der anderen Seite werde ich sogar von
ernsten Leuten als „Kryptojesuit" verdächtigt, der mit
raffinierter Technik die deutschen Protestanten in den
Schafstall des heiligen Vaters zu locken versucht. Der
hessische Zweigverein des Evangelischen Bundes suchte
das Konsistorium in Cassel gegen mich scharf zu machen,
um so meine Entfernung aus der theologischen Fakultät
herbeizuführen. Das Konsistorium hat jedoch keine
Schritte unternommen. So geht es hin und her und immer
wieder schaffen sich hüben und drüben Angst und Mißtrauen einen bildhaften Ausdruck in Märchen und Legen-
den über meine Person. Augenblicklich habe ich freilich
mehr von protestantischer als von römischer Seite zu
leiden.
Für Ihre Mitteilungen betreffend die interiora der Weltkonferenz bin ich Ihnen sehr dankbar. Meine Bemerkun-

gen betreffs der Botschaft fußten auf den Aussagen Monods in Le christianisme social[1], die ich als absolut zuverlässig ansah. Natürlich werde ich in der nächsten Auflage an diesen Stellen Korrekturen anbringen.

Ihre Bemerkungen betreffend die Reservation der Eucharistie, besser gesagt, die Andacht zur aufbewahrten Eucharistie, verstehe ich sehr wohl. Ich selber möchte niemals daraus ein Gesetz machen und jenen, die diese Sitte nicht annehmen, eine geringere Schätzung des Abendmahls zum Vorwurf machen. Ich selber habe ja seiner Zeit im „Gebet" den sehr späten Ursprung dieser Devotion aufgedeckt. Die ganze alte Kirche und alle heutigen Kirchen des Ostens kennen wohl eine Aufbewahrung der Eucharistie für die Kranken, aber nicht zum Zweck der privaten oder öffentlichen Andacht. Und doch wird niemand auf den Gedanken kommen, ihnen eine geringere Schätzung der Eucharistie zuzuschreiben. Dennoch glaube ich mit vielen römischen und anglikanischen Katholiken an die besondere Segenskraft dieser Sitte; ich denke dabei nicht nur an Franz von Assisi und Thomas von Aquino, sondern auch an unseren unvergeßlichen Freund Friedrich von Hügel, der sie selber so eifrig übte. Natürlich können sich an die Aufbewahrung der Eucharistie schwere Mißbräuche und abergläubische Vorstellungen knüpfen, wie die mittelalterliche Frömmigkeitsgeschichte und die heutige Praxis der römischen Kirche zeigt. Ich selber verabscheue von ganzer Seele den pomphaften und aufdringlichen Eucharistiekult, wie er vor allem in den eucharistischen Konferenzen zu Tage tritt. Ich sehe darin geradezu eine Entwürdigung des Mysteriums. Aber ich glaube nicht, daß all diese Auswüchse die notwendigen Konsequenzen des altchristlichen Eucharistieglaubens sind, sondern bin überzeugt, daß gerade eine reinere und zartere Auffassung der Eucharistie im Stande ist, diese Mißbräuche zu entwurzeln. Ich glaube auch keineswegs, daß die Gegenwart Christi an die Abendmahlselemente gebunden sei; denn Christus ist in erster Linie in den Herzen der von ihm gerechtfertigten und geheiligten Gläubigen, der χριστόφοροι, und darum ist er allzeit mit ihnen. Aber die Andacht vor der aufbewahrten Eucharistie ist ein ausgezeichnetes Mittel, um sich auf Christus und seine unmittelbare Gegenwart im eigenen Herzen zu konzentrieren. Die Seele denkt vor dem Altar nicht an die Hostie, sondern nur an Christus, dessen Zeichen sie ist und auf den sie hinweist. Der Anblick des Tabernakels ist nur ein erster Anreiz für den Glauben; dann aber tritt das äußere Zeichen zurück und Christus allein tritt vor die Seele. Die sinnenfällige Erscheinung weist so über sich hinaus und ruft uns ein stetes „quaere super nos" entgegen. Natürlich kann dieselbe Wirkung auch von einem Crucifix oder einem Altarbilde ausgehen; aber ich gebe der aufbewahrten Eucharistie deshalb den Vorzug, weil sie eine Verbindung herstellt mit dem zentralen christlichen Gottesdienst und gerade dadurch einen intimen Kontakt des Privatgebets mit dem gottesdienstlichen Gemeindegebet ermöglicht. Ich kann in dieser Auffassung nichts Bedenkliches finden; ich habe einmal darüber Sundar Singh gefragt, und er antwortete mir, er habe „nicht einmal einen Einwand gegen die Verehrung von Idolen, wenn sie sich als ein Mittel erweise, die Menschen zu Christus zu bringen, und als eine Hilfe zur Sammlung des Geistes und zum Gebet". Ich habe dieses Mittel oft genug erprobt und verdanke ihm viele glückliche Stunden meines Lebens. Dennoch würde ich es nie anderen aufdrängen. Ein jeder möge in seinem Umgang mit Christus den Weg gehen und die Mittel gebrauchen, die ihm nützlich und heilsam sind. Ich glaube, die Kirchenchristen sollten in dieser Frage wie in anderen einander volle Freiheit einräumen. Es scheint mir gleich verfehlt, wenn solche, die diese Sitte üben, ihr irgend welche Exklusivität und Gesetzlichkeit zuschreiben, wie wenn jene, die sie nicht gutheißen, den anderen ein Abweichen vom neutestamentlichen Geist vorwerfen.

Von Herzen stimme ich Ihnen darin bei, daß das Wesen des Christentums im unmittelbaren, persönlichen Leben, in der Gemeinschaft des Herzens mit Christus zu suchen ist, und nicht in einer Institution, sei sie auch noch so altehrwürdig; eine Institution ohne Leben und Liebe ist nur tönendes Erz. Die Institution ist auch für mich nur Mittel im Dienste jenes Höheren und Reicheren. Wenn die Institution für einen Menschen oder eine Gruppe den Weg zum persönlichen Leben versperrt, so erkenne ich ihnen durchaus das Recht zu, sich über die Institution hinwegzusetzen. Aber andererseits glaube ich, daß die schon im Leben der urchristlichen Gemeinde wurzelnden Institutionen der alten Kirche für die größere Zahl der Christen die besten Hilfsmittel für das persönliche Glaubensleben sind. Ich sehe darum das christliche Ideal in der Harmonie eines starken persönlichen Lebens mit den kirchlichen Institutionen; die größte christliche Freiheit scheint mir nicht die Freiheit *von* den Institutionen, sondern *in* den Institutionen zu sein: οὐκ ἄνομος, ἀλλ᾽ ἔννομος χριστοῦ.[2]

Für die Anglokatholiken hege ich große Sympathie, aber nur für Männer vom Typ eines Pusey, Keble[3], Stones[4], Gore[5], Palmer[6], nicht für jene, die nur den römischen

Ritualismus recht und schlecht imitieren und die z. T. päpstlicher sind als der Papst; Tyrrell hat einmal gesagt, diese Leute würden ihn noch schlechter behandeln als die römische Kirche. Ich werde das auch, wenn ich nach England komme, sagen. Ich werde in Oxford wahrscheinlich auch in London und Canterbury einen Vortrag über Luthers Bedeutung[7] halten.

Meine Unruhe hinsichtlich der Lage der deutschen Theologie ist tatsächlich sehr groß. Weniger wegen der neuesten theologischen Theorien, als vielmehr wegen ihrer verheerenden praktischen Wirkungen. Ich finde bei den jungen Leuten, welche die dialektische Theologie eingesogen haben, allenthalben Intellektualismus und Skeptizismus, Aufgeblasenheit, Lieblosigkeit und geistige Armut, aber keinen lebendigen, frohen und sieghaften Glauben. Ich will hier nur eine Begebenheit erzählen, welche die Situation beleuchtet. Gogarten[8], einer der Führer der Dialektiker, ging mit der Dichterin[9] der „Hymnen an die Kirche" (dem größten religiösen Dichtwerk der letzten Jahre in Deutschland) in der Nähe von München an der Isar spazieren und entwickelte ihr seine negativistische Theologie. Schließlich sagte ihm seine Begleiterin: „Hören Sie auf, Herr Gogarten, denn wenn das so ist, wie Sie sagen, dann springe ich sofort in die Isar." Das ist eben die Theologie der Verzweiflung, doch nicht der salubris desperatio, von der Luther redet.

Sehr gern würde ich mit Ihnen zusammentreffen. Ich werde erst Ende September nach England reisen. Vom 17. August bis 17. September werde ich in Bayern, zumeist in München sein. Wäre es nicht möglich, daß ich Sie dort auf Ihrer Reise in die Schweiz treffen könnte, sei es nun auf der Hin- oder auf der Rückreise? Der Weg über

Berlin — München — Lindau in die Schweiz ist ja nicht wesentlich weiter als der über Berlin — Frankfurt — Basel. Eine Reise nach Genf ist für mich doch mit einigen Schwierigkeiten verbunden. Meine Adresse ist von nächster Woche an: München, Breisacherstraße 2/III.

Ich habe eben mit meiner Frau die „Visionen" des Sadhu[10] übersetzt, ein wunderbar nüchternes Buch von ausgesprochen ethischem Pathos, das mir viel Freude gemacht hat, ebenso wie das andere von den Meditationen, das ebenfalls sehr feine Gedanken enthält.

Mit den herzlichsten Grüßen an Sie und Ihre verehrte Gattin von meiner Frau und mir verbleibe ich in der Freude auf ein baldiges Wiedersehen

Ihr stets dankbar ergebener
Friedrich Heiler

Brief Nr. 73, UB Uppsala.

1 W. Monod, Que signifie le Message à la Chrétienté? in: La Revue du christianisme social 38 (1925), S. 866-908, hier S. 890.

2 1 Kor 9. 21: „ich bin doch nicht ohne Gesetz vor Gott, sondern bin in dem Gesetz Christi."

3 Edward Bouverie Pusey (1800-1882) war nach Newman der Führer der Oxford-Bewegung in der anglikanischen Kirche. John Keble (1792-1866) war ein Verbindungsglied zwischen den Traktarianern und einem älteren Anglokatholizismus, den er als Dorfpfarrer und Sohn eines Dorfpfarrers seit jeher praktizierte.

4 Darwell Stone (1859-1941) war Principal von Pusey House, Oxford, konservativer als sein Vorgänger, Gore.

5 Charles Gore (1853-1932) war Verfechter, auch in ökumenischen Belängen, eines „liberalen Katholizismus", 1905-1911 Bischof von Birmingham, danach bis 1919 von Oxford, und „a fervid apologist for High Church principles until his death" (Oxford Dictionary of the Christian Church, [1]1957).

6 S. o. Brief Nr. 71, Anm. 2.

7 Anstattdessen hat er über Franz von Assisi gesprochen.

8 Friedrich Gogarten (1887-1967) war Mitbegründer mit E. Thurney-sen, G. Merz und Karl Barth der Zeitschrift Zwischen den Zeiten (1922).

9 Gertrud von Le Fort (1876-1971) konvertierte im Jahre 1925.

10 Sundar Singh, „Visionen", wurde als: Gedichte aus der jenseitigen Welt, deutsch von A. M. Heiler, 1930 herausgegeben; ebenfalls „Meditationen" als: Geheimnisse des inneren Lebens, deutsch von A. M. Heiler, 1930.

74. Söderblom an Heiler

14. August 1926

Lieber Freund!

Ich bin sehr dankbar für diese Motivierung der eucharistischen Andacht. Man bewegt sich hier auf einem heiklen
und heiligen Boden. Nachdem die Sache für mich so fremd
ist, zeigt sie sich auch, ich muß das bekennen, gefährlich.
Ich habe gesehen, wie sie mißbraucht werden kann. Aber
wenn Sie, lieber Freund, darüber mit innerer Freude
reden, muß sie auch für mich einen religiösen Wert bilden.
Schon als ich „Das Gebet" las, stand ich vor dieser
Tatsache. Dem Reinen ist alles rein.
Leider muß ich den kürzesten Weg sowohl hin als zurück
von Bern über Basel fahren. Sonst würde ich Sie gern in
München getroffen haben.
Falls Sie sich mit irgendwelcher größeren zusammenfas-
senden Arbeit beschäftigen, so geben Sie mir Bescheid.
Dann werden wir eine Einladung besorgen, hier an der
Universität Upsala Vorlesungen zu halten.
Mit unseren herzlichen Grüßen und Wünschen

Ihr sehr ergebener
Nathan Söderblom

Brief Nr. 74, UB Uppsala (Abschrift; Datum, Anrede und Unterschrift
von EhK 18, 1936, S. 153, entlehnt). Die Paragraphen „Leider . . ." und
„Falls . . ." wurden von Heiler nicht mitveröffentlicht.

75. Heiler an Söderblom

Hochverehrter Herr Erzbischof,
erlauben Sie, daß ich Ihnen zwei Bitten von anderer Seite
übermittele. Prof. von Martin in München, der Herausgeber der „Una Sancta", bat mich, seine Bitte zu unterstützen, daß Sie in dem Lutherheft der Una Sancta, das dem
Franziskusheft folgen wird, einen Aufsatz über Luther
schreiben möchten. Ich selbst habe dafür einen längeren
Aufsatz „Die Bedeutung Luthers für die christliche Kirche" geschrieben. Durch einen solchen Beitrag würden Sie
sehr zu dem wirklichen ökumenischen Charakter der
„Una Sancta" beitragen und ich würde mich sehr darüber
freuen.[1]
Außerdem bat mich der Feuilleton-Redakteur der „Münchener Neuesten Nachrichten", W. Behrend, Sie zu bitten, für die „Münchener Neuesten Nachrichten" einen
Artikel über die bisherigen Ergebnisse Ihrer christlichen
Einheitsbestrebungen zu schreiben. Ich weiß nicht, ob das
nicht eine zu große Zumutung ist. Andererseits sind die
„MNN" eines der weitest verbreiteten Blätter in Deutsch-
land und werden von zahllosen römischen Katholiken
gelesen. Insofern wären sie ein sehr geeignetes Sprach-
rohr. Es wäre ja auch möglich, daß Sie irgend einen
schwedisch schon veröffentlichten Artikel für diesen
Zweck übersetzen ließen. Die Adresse ist: Redaktion der
Münchener Neuesten Nachrichten. Feuilleton. München.
Sendlingerstr. 80.
Ich habe hier in Canterbury sehr schöne und interessante

Tage verlebt. In dieser Woche werde ich von hier nach Oxford gehen; dann nach London und Cambridge.

Mit den herzlichsten Grüßen an Sie und Ihre Familie von meiner Frau und mir

Ihr stets dankbar ergebener
Friedrich Heiler

Brief Nr. 75, UB Uppsala.

1 Alfred von Martin (geb. 1882), Professor in München 1924-31 und 1955-58, konnte wie schon erwähnt die ökumenische Zeitschrift nicht aufrechterhalten, wohl aber einen bahnbrechenden Sammelband herausgeben, Luther in ökumenischer Sicht, Stuttgart 1929, worin neben Söderblom, Luther im Lichte der Ökumenizität, S. 64-68, und Heiler, Luthers Bedeutung für die christliche Kirche, S. 136-186, auch Sebastian Merkle (1862-1945) sich kritisch zu „Luthers Tadlern" äußerte.

76. Heiler an Söderblom

Marburg/Lahn, 9. December 1926

Hochverehrter Hochwürdigster Herr Erzbischof,

dieser Gruß kommt von zweien Ihrer Freunde, die ganz eins sind in ihrer Liebe und Bewunderung für den Erzbischof von Upsala. Wir hatten hier schöne und reiche Tage. Unser indischer Freund hat hier fünfmal gesprochen, darunter zweimal in der Universität. Ich habe viel von ihm gelernt. Er ist der beste Lutheraner, den ich je getroffen habe, abgesehen von Ihnen selbst. Ich bin Ihnen sehr dankbar dafür, daß Sie sich seiner so angenommen haben, um so mehr, als manche unserer Freunde ihm Schwierigkeiten gemacht haben. Er ist das Gegenstück von Sundar Singh. Während Sundar Singh den mystischen Typ im indischen Christentum ausprägt, stellt Christânanda (welch schöner indischer Name) den prophetischen Typ dar. Wir beide grüßen Sie herzlich in dankbarer Erinnerung dessen, was Sie uns beiden geschenkt haben. Ich schreibe Ihnen in den nächsten Tagen über meine Eindrücke in England und über unsere hochkirchlich-ökumenische Tagung in Berlin.
Mit den innigsten Grüßen an Sie und Ihre liebe Familie
Ihr stets dankbar ergebener
Friedrich Heiler

Beiliegend ein paar Photos.

Brief Nr. 76, UB Uppsala. Anlaß zum Brief ist der Besuch von John Nelson Christânanda in Marburg. Nach Söderblom, Kristenhetens möte, S. 657 war Nelson anwesend in Stockholm und in Bern 1926 (Fortsetzungsarbeit von Life and Work); er war südindischer Sadhu lutherischen Bekenntnisses und hochbegabt. Der Sadhu fügte zum gegenwärtigen Brief diese Zeilen bei: „My dear Archbishop, you have been every day with us, I'm sure, here. I've immensely enjoyed my stay with the Heilers. John Nelson Chris."

Upsala, 14. Januar 1927

Mein lieber Freund!

Es ist mir eine große Freude, näher von Ihren Eindrücken in England zu hören. Ich verstehe so gut alles, was Sie sagen. Der außerordentlich reiche und vielseitige Anglikanismus hat einen Mangel darin, daß er im allgemeinen sich nicht Martin Luther zu eigen gemacht hat. Das erfreulichste Zeichen ist, daß der neuere Anglokatholizismus versteht, daß das Evangelium der Kern sein muß. Und der Irländer Gore versetzt mich stets in Staunen durch die Frische seines Geistes und seinen Blick für das Wesentliche.

Aber ich kann nicht Ihren Wunsch teilen, daß bei der kommenden Konferenz in Lausanne oder sonst eine Aufteilung von katholischen und protestantischen Mitgliedern und Gemeinschaften vorgenommen werde.[1] Mein Haupteinwand gegen einen solchen Vorschlag ist, daß er unwahr und unklar ist, und ich erhalte soeben einen Brief von Wilfred Monod, welcher beinahe Wort für Wort meine Gedanken und Befürchtungen ausspricht. Notwendig ist ja, daß wir das Evangelium über alles andere stellen. Sodann findet sich eine unendliche Nuancierung im Hinblick auf die mehr oder weniger nötigen Anknüpfungen, welche das Evangelium mit den Einrichtungen der Kirche eingeht. Eigentlich sollte ja das ganze Sein, das materielle wie das persönliche und gesellschaftliche, gereinigt von Sünde und Bosheit, ein Sakrament sein, ein Ausdruck für das reine Leben des Geistes oder, wenn man so will, durchdrungen von Christi Menschwerdung oder von der Herrschaft des Auferstandenen. Aber dabei begegnen sich die Gedanken in so vielen Bahnen, daß es nach meiner Meinung verhängnisvoll wäre, eine Grenze festzustellen. Es ist ja wunderbar, den vielleicht sublimsten Ausdruck für die Sakramentsmystik in der Neuzeit bei einem solchen Erzprotestanten und modernen Menschen wie Wilfred Monod zu finden, während man hinter dem dicksten Sakramentalismus da und dort ein dünnes rationalistisches Minimum von Religion findet. Sie haben in dieser Sache eine Mission in der Neuzeit wie kein anderer, ich meine nicht die Türen zu verschließen, sondern im Gegenteil das Licht der göttlichen Liebe über die Zäune und durch sie hindurch leuchten zu lassen.

Wie verhält es sich mit dem Plan, in Canterbury ein Theologengespräch zu halten?[2] Ich frage mich, ob man einen Termin festgesetzt hat?

Gerne würde ich noch etwas für Ihre Forschungen über den Sadhu ausrichten, es ist aber gegenwärtig überaus schwierig, wegen Krisen und Knappheiten hier eine Sammlung durchzuführen. Sagen Sie mir, wieviel Sie brauchen. Das Beste wäre, daß die Kanaresische Mission[3] die Unkosten trüge, welches sie nun im Notfall zu tun bereit ist. Antworten Sie ihnen, daß Sie leider außerstande sind, zu diesen 250 Rupien etwas beizutragen. Es ist recht und billig, daß das schweizerische Komitee[4] diese Spesen zahlt. Dazu werde ich noch versuchen, Ihnen dann zu helfen, wenn die Frage der Drucklegung wieder akut wird.

Jenen lic. Braeunlich[5] ließen wir einmal zur Universität zu. Er hat auf eine Art geredet, daß wir vor Scham vergehen konnten, und ich nahm mir vor, zukünftig an der Universität die Kirche nicht durch ein solches Malheur bloßzustellen.

Es freut mich, daß der Evangelische Bund jetzt in so viel bessere Hände gekommen ist.[6]

Nehmen Sie das Wort „Hoch" im Namen des Bundes[7] weg; nennen Sie ihn „kirchlich-ökumenisch", und sagen Sie Ihren Freunden, daß, wie überall in der Kirchengeschichte, die Frage der episkopalen Ordination vorsichtig und gründlich genommen werden muß. In der Kirche darf man nicht Eile haben. Die Sache kommt doch mit Notwendigkeit. Sie wissen auch aus Headlams Buch, daß die apostolische Sukzession nicht die Unabgebrochenheit der Handauflegung bedeutet, sondern daß ein Bischofsstuhl nicht vakant war.[8] Ganz töricht und dilettantisch wäre es, sich an einen episcopus vagans wie Herford[9] zu wenden. Das wäre betrüblich. Wir müssen uns gestatten, eingehender darüber zu sprechen. Ich will gerne dabei behilflich sein, aber diese Sache fordert große Vorsicht, zumal es sich um außerhalb meiner eigenen bischöflichen Jurisdiktion stehende Priester handelt. Die einfachste Lösung wäre wohl, daß diejenigen, die so wünschen, sich bei dem von mir geweihten deutsch-baltischen Bischof Dr. Poelchau[10], Riga, melden, einem weitherzigen und intelligenten Mann, an den Sie sich frei und aufrichtig wenden können. Kein englischer Bischof würde sich zu einem solchen Akt hergeben ohne die Zusage des Erzbischofs von Canterbury[11], und der denkt evangelisch.

Noch einmal Dank für Ihren beachtenswerten Brief. Gott stärke und erhalte Sie in Ihrem wichtigen Dienst.[12]

Ich hätte betonen müssen, daß die Bewegung, welche sich hochkirchlich-ökumenisch nennt und welche sich ganz einfach kirchlich-ökumenisch nennen sollte, nach meiner

Meinung drei wichtige und unentbehrliche Dinge behauptet:

1. Das Mysterium und die Anbetung in der Religion, welche nicht eine mehr oder weniger langweilige Schule oder Vereinigung bleiben darf. Hier ist die Gemeinschaft mit den Orientalen wie mit den Orthodoxen für uns von außerordentlicher Bedeutung. Denn bei diesen findet sich mehr Gefühl für Mysterium und Anbetung als beim offiziellen Rom.

2. Weiter brauchen wir das Bewußtsein, daß die Kirche eine zugleich geschichtliche wie übergeschichtliche Gemeinschaft über alle Grenzen von Völkern und Ländern ist.

3. Ferner brauchen wir in unserem Frömmigkeitsleben mehr Zucht und Ordnung und Übung.

Das alles steht in bester Übereinstimmung mit dem Bekenntnis und Ideal des evangelischen Christentums.

Ihr sehr ergebener
N. Sm.

Brief Nr. 77, UB Uppsala. Söderblom bedankte sich am 18. 12. 1926 für den Brief vom 9. 12. 1926; er erwarte mit Spannung den in Aussicht gestellten Bericht über Heilers Eindrücke in England, worauf der hier abgedruckte Brief mithin eingeht. Leider ist der Brief Heilers über Englisches und Hochkirchliches nicht mehr vorhanden. Offenbar wies Heiler darin auf die hochkirchlichen Bemühungen hin, durch Weihen evangelischer Geistlicher wieder mit der gesamtkirchlichen apostolischen Sukzession anzuknüpfen, die von diesem Zeitpunkt an ein eher stillschweigendes Thema des Briefwechsels bildet. In Hk 13 (1931), S. 301-303 von Heiler übersetzt und herausgegeben.

1 Heiler in: Evangelische Katholizität, S. 302-310, fand es unter den damaligen Umständen nicht sinnvoll, Fragen über das Kirchenverständnis, das doch grundverschieden auf protestantischer und katholischer

(d. h. bei Orthodoxen, Anglokatholiken, luth. Hochkirchlern) Seite beschaffen war, auf der ganzen ökumenischen Breite gemeinsam zu erörtern, während eben diese Breite von Life and Work vorzüglich umfaßt werden solle und könne. Vielmehr sollen die katholisch denkenden außerrömischen Gemeinschaften miteinander in Lausanne (Faith-and-Order-Konferenz 1927) reden, die ausgeprägt protestantischen aber ebenfalls untereinander die sie interessierenden Glaubensfragen angehen, die von Life and Work ausgeklammert waren.

Zum Brief vom 2. Jan. 1927 von Monod an Söderblom, s. Nils Ehrenström, in: R. Rouse and S. C. Neill, Geschichte der Ökumenischen Bewegung 1517-1949, II, S. 226.

2 Eine Britisch-Deutsche Theologenkonferenz wurde 1927 gemeinsam von G. K. A. Bell und Adolf Deißmann organisiert, vgl. K. H. Neufeld, Grundlagen des ökumenischen Dialogs: A. Deißmanns Briefe an M. Pribilla S. J. 1927-1928, in: Theologie und Philosophie 52 (1977), S. 230.

3 Vgl. folgenden Brief, Nr. 78.

4 Vielleicht ist das Komitee gemeint, das zur Vorbereitung der Vortragsreise Sundar Singhs 1922 in der Schweiz gebildet worden war und das von P. M. Schaerer und G. Secretan herausgegebene Buch, Par Christ et Pour Christ, 1923, gefördert hatte.

5 Lic. Paul Braeunlich (geb. 1866) war Verfasser des Buches, Sundar Singh in seiner wahren Gestalt, Dresden 1927.

6 Der Evangelische Bund, dessen Deutsch-Evangelische Korrespondenz 1931—32 Heiler wegen seiner Bischofsweihe heftig angreifen sollte, vollzog keine durchschlagende Wende zum Besseren bis zu dem Jahre 1935, als Heinrich Bornkamm die Leitung übernahm. Der Bund wurde wie bekannt 1886 als Gegenmaßnahme des deutschen Luthertums gegen die erneut erstarkende katholische Kirche gegründet.

Vorstehender Text ab „Wie verhält es sich . . ." von Heiler übergangen.

7 Die Hochkirchliche Vereinigung hat in der Tat im Laufe der Jahre seit 1918 einige Varianten in ihrer Selbstbenennung aufzuweisen, s. Hans Joachim Mund, 50 Jahre Hochkirchliche Vereinigung 1918/1968, in: Hochkirche heute. Vorträge von den Jahrestagungen der Evangelisch-Ökumenischen Vereinigung des Augsburgischen Bekenntnisses (Hochkirchliche Vereinigung des AB), Marburg 1970, S. 29-55.

8 Arthur Cayley Headlam (1862-1947) war seit 1923 Bischof von Gloucester, Ökumeniker und allen anglikanischen Parteibezeichnungen abhold. Das erwähnte Buch heißt: The Doctrine of the Church and Christian Reunion (1920). Heiler merkte in Hk 13 (1931) S. 302 an: „Diese Auffassung, die ich früher ebenfalls vertrat (Evangelische Katho-

270

lizität, 1926), hat sich mir bei näherem Studium der altchristlichen Quellen mehr und mehr als unhaltbar erwiesen."

9 Vernon Herford (1866-1938) vertrat nach eigenem Anspruch im Abendland (mit Sitz in Oxford) „die Sukzession des altkirchlichen syrischen Patriarchats des Ostens". Vgl. Peter Anson, Bishops at Large, London 1964, S. 130-155. Die Korrespondenz Heiler-Herford harrt noch der Erschließung (wenigstens z. T. in der UB Marburg erhalten). Heiler hat bei der Veröffentlichung dieses Briefes naturgemäß diesen Namen weggelassen.

10 Peter Harold Poelchau (1870-1945) wurde 1922 für die kleine deutsche Minderheit im neuerstandenen Lettland zum Bischof geweiht, vgl. Sundkler, a.a.O., S. 274-287.

11 Vgl. Brief Nr. 71, Anm. 3.

12 Vorstehender Text ab „Wir müssen uns gestatten . . ." von Heiler übergangen.

Marburg, 20. April 1927

Hochverehrter Hochwürdigster Herr Erzbischof!

Eben komme ich von einer längeren Reise zurück. So komme ich erst heute dazu, Sie herzlich zu bitten, für das neue Dokumentenbuch betreffend den Streit um Sundar Singh[1] ein kurzes Vorwort zu schreiben. Sie haben von der Druckerei direkt die Korrekturbogen zugesandt erhalten, so daß Sie im Bilde sind; der Rest geht Ihnen in den nächsten Tagen zu. Eben in diesen Tagen habe ich noch eine Reihe wichtiger Dokumente aus Indien erhalten, vor allem von einem Schulkameraden des Sadhu, der mit ihm schon in seinem Heimatdorfe zusammen war und der höchst interessante Aufschlüsse über die Zeit seiner Bekehrung geben konnte. Desgleichen glückte es meinem Mitarbeiter Missionar Schwab[2] einen Brief des Sadhu aus dem Jahre 1917 zu bekommen, in dem dieser unmittelbar nach seiner Rückkehr aus Tibet seine Reise beschreibt. Ich habe mit Missionar Schwab zusammen an der Hand der besten Vermessungskarten von Tibet die genauen Ortsangaben nachgeprüft; wir konnten so feststellen, daß der Sadhu mit Weg und Steg vertraut ist. Überhaupt bewahrheitet sich Punkt für Punkt seiner Erzählungen, und ich zweifle nicht daran, daß in einem oder zwei Jahren so ziemlich alles in seinem Leben geklärt sein wird. Es ist eigentlich wunderbar, wie zum Teil durch Zufälle die Wahrheit des Sadhu gerechtfertigt wird. Ich zweifle nicht daran, daß der ganze Sadhustreit mit einer Beschränkung der abendländischen Skepsis endigen wird. Ein großes Verdienst kommt Missionar Schwab von der Schweizer Kanaresischen Mission zu, der in Indien gereist ist und der vor vierzehn Tagen in seine Schweizer Heimat zurückkam. Ich wäre Ihnen dankbar, wenn Sie in Ihrem Vorwort seiner Arbeit kurz gedächten. Da das Dokumentenbuch im Mai erscheinen soll, möchte ich Sie herzlich bitten, mir Ihr Geleitwort sogleich zu senden, wenn Sie den Rest der Korrekturbogen mit meinem Schlußwort bekommen haben. Bitte, schreiben Sie schwedisch, ich werde es dann übersetzen, wie das letzte Mal. Pfisters und Braeunlichs Buch[3] haben recht großes Unheil angerichtet, nicht in den Kreisen der engeren Freunde des Sadhu, wohl aber beim großen Publikum und vor allem in der intellektuellen und theologischen Welt, in der man immer mißtrauisch gegen ihn war und in der man jetzt seine „Entlarvung" mit Befriedigung feststellte. Die liberale Theologie hat in meinen Augen durch ihre feindselige Haltung gegen den Sadhu viel Kredit eingebüßt. Daß eine Reihe deutscher und Schweizer Pfarrer auf das Machwerk von Braeunlich (das mein indologischer Kollege Hauer[4] geradezu als eine Schundschrift bezeichnet hat, die polizeilich verboten gehört) hereingefallen sind, ist ein betrübliches Symptom für die Kritiklosigkeit der Kreise, welche sich so laut ihrer kritischen Haltung rühmen.

Wie ich von meinem Kollegen Wünsch[5] höre, widersetzt sich der deutsche Kirchenausschuß dem Vorschlag seiner Person für das Sozialethische Institut[6] der Stockholmer Konferenz, und zwar weil er Sozialist ist. Ich würde es sehr bedauern, wenn seine Berufung nach Zürich daran scheitern würde; denn er ist der einzige deutsche Theologe, der fachmäßig das ganze Gebiet der Sozialethik beherrscht. Er ist eben auf Antrag unserer Fakultät zum außerordentlichen Professor ernannt worden, woraus Sie seine wissenschaftlichen Qualitäten ersehen. Es wäre auch sehr betrüblich, wenn an seiner Stelle, wie vom Kirchenausschuß geplant, ein deutscher Nationalökonom berufen würde und so die deutsche Theologie ausgeschaltet würde. Man sieht daraus wiederum, daß unsere verantwortlichen Kirchenleute lieber die deutsche Theologie preisgeben, als daß ein politisch links eingestellter Mann eine solche Stelle erhält. Ich würde es für einen unheilbaren Schaden der ganzen Stockholmer Sache ansehen, wenn Wünsch abgelehnt und an seiner Stelle ein Nationalökonom berufen würde, und möchte Sie deshalb bitten, Ihren Einfluß für Wünsch geltend zu machen. Er ist ein ausgezeichneter, kenntnisreicher und überaus eifriger Mann. Wir sind sehr gute Freunde, trotzdem wir in dogmatischer Hinsicht völlig differieren.

Ich wäre Ihnen dankbar, wenn Sie mir schreiben würden, wie Sie über Sadhu John Nelson[7] urteilen. Ich selber habe von ihm bei seinem längeren Aufenthalt bei mir sehr gute Eindrücke bekommen und wir sind sehr gute Freunde geworden. Dagegen habe ich von anderen, auch von Missionar Schwab, recht ungünstige Urteile über ihn gehört. Ich kann mir diese Differenzen nur so erklären, daß er in früheren Jahren noch recht unvollkommen war, aber in der letzten Zeit religiös sehr gewachsen ist. Ich halte ihn für einen sehr frommen und kraftvollen Lutheraner, gewiß wie viele Lutheraner einseitig, aber unbedingt echt. Ich habe ihm auch Empfehlungsbriefe nach England mitgegeben.

Ich hoffe, Sie und Ihre Familie sind wohl. Ich freue mich sehr darauf, Sie in Lausanne wiederzusehen und dort ausgiebig Gelegenheit zu haben, mich über viele Fragen zu besprechen.

Indem ich zusammen mit meiner Frau Sie und Ihre Familie herzlich grüße, verbleibe ich in steter Dankbarkeit

Ihr sehr ergebener
Friedrich Heiler

PS: Sehr dankbar wäre ich Ihnen, wenn Sie mir Ihre Übersetzung des Visionsbüchleins des Sadhu senden wollten. Ich habe es zusammen mit meiner Frau ebenfalls übersetzt, aber wegen des Sadhustreites bisher nicht herausgegeben.

F. H.

Brief Nr. 78, UB Uppsala.

1 Dasselbe Buch, wovon oben zu Brief Nr. 70 die Rede war: Die Wahrheit Sundar Singhs. Im Antwortschreiben vom 7. 5. 1927 (UB Uppsala) meinte Söderblom, es wäre der Sache kaum förderlich, wenn er das Vorwort beisteuerte. Die Postkarte Heilers, hier Nr. 79, kam aber inzwischen an, und Söderblom lieferte doch am 14. 5. 1927 das Vorwort.

2 E. Schwab lernte Sundar Singh bereits 1922 in der Schweiz kennen, vgl. seinen Brief vom 3. 5. 1950 an Appasamy, a.a.O., S. 176.

3 Zu Braeunlich s. Brief Nr. 77, Anm. 5. Oskar Pfister, geb. 1889, schrieb ein Buch voll herablassender Bemerkungen über Heilers angeblich unzuverlässige und unkritische Sadhu-Schriften: Die Legende Sundar Singhs. Eine auf Enthüllungen protestantischer Augenzeugen in Indien gegründete religionspsychologische Untersuchung, Bern und Leipzig, 1926.

4 Jakob Wilhelm Hauer (1881-1962) wurde von Heiler stets persönlich geachtet, selbst nachdem er sich wegen seiner rassenideologischen Argumente seines wissenschaftlichen Ansehens beraubt hatte. Vgl. Heiler, Die „Deutsche Glaubensbewegung", in: EhK 16 (1934), S. 12 bis 21.

5 S. o. Brief Nr. 70, Anm. 1.

6 Zur Fortsetzung der Arbeit von Life and Work wurde 1928 (in Genf, wie es sich ergab) ein Internationales Sozialwissenschaftliches Institut gegründet. Wünsch wurde meines Wissens nicht herangezogen.

7 Söderblom antwortete (7. 5. 1927), der Sadhu sei hochbegabt, kümmere sich aber übermäßig um Geltung im Abendland, während doch sein Ruf in Indien zu erfüllen sei.

79. Heiler an Söderblom

Marburg, 7. Mai 1927

Hochwürdigster Herr Erzbischof,

dürfte ich Sie um die Liebenswürdigkeit bitten, mir sogleich das Geleitwort zu den Sadhu-Dokumenten zu senden, da das Buch fertig gesetzt ist. Ich hoffe, Sie haben das ganze vom Verlag in den Fahnen zugeschickt bekommen.

Ich liege eben krank an einer Magenattacke.

Mit verehrungsvollen Grüßen

Ihr stets dankbar ergebener
Fr. Heiler

Brief Nr. 79, UB Uppsala.

80. Söderblom an Heiler

Upsala, 1. Dez. 1927

Bester Herr Professor und Freund!

Herzlichen Dank für die sehr interessanten und bedeutenden Aufsätze über Lausanne.[1] Die Rolle, die ich mich dort
zu spielen genötigt fühlte, nämlich den Grund der evangelischen Ökumenizität und Katholizität in einer Weise zu
betonen, welche bei der einen oder anderen nichttheolo-
giekundigen Person ein wenig Anstoß erregte, war weniger angenehm als notwendig. Ich glaube jedoch, daß
Verschiedenes für unsere nächste Konferenz unternommen wurde. Nach ein paar Wochen werde ich meine
schwedischen Aufsätze zur Sache[2] senden.
Mit guten Grüßen

Ihr ergebener
Nathan Söderblom

Brief Nr. 80, UB Marburg. Im August 1927 tagte die erste von Faith and
Order veranstaltete Weltkirchenkonferenz in Lausanne. War Stockholm
1925 ein sehr dringendes Nahziel gesetzt, nämlich die Kirchen angesichts
ihrer in der kritischen Weltkriegslage zutagetretenden Ohnmacht etwas
Christliches auszurichten, um eine Zusammenarbeit im Nächstendienst
unter Hintanstellung aller dogmatischen Fragen zustandezubringen, so
diente Lausanne — Söderbloms Ansicht nach — einem notwendigerweise viel entfernteren Ziel, dem naturgemäß eine lange geistige Vorbereitung und immer wieder aufzunehmende Theologengespräche vorausgehen mußten. So nannte er Lausanne nicht ohne tiefe Anerkennung
„das größte Symbolikseminar, das die Welt bis jetzt gesehen hat" (zitiert
in: Sundkler, a.a.O., S. 404). Andere Teilnehmer, hauptsächlich die aus
den Missionsländern, durch Bischof Palmer von Bombay glänzend
vertreten, sahen sich durch ihre Lage dringend herausgefordert, Richtli-

nien zur Union verschiedener kirchlichen Traditionen in einer einheitlichen Gestalt auszuarbeiten, und zwar als eine höchst praktische, wenn auch tief theologische, gegenwärtige Notwendigkeit. Dagegen wandte sich Söderblom sowohl in seiner Ausschußarbeit wie in seiner Anregung, konfessionelle Stellungnahmen zu den Ergebnissen der Konferenz vorzulegen. Es scheinen vorwiegend Anglokatholiken gewesen zu sein, mit denen gewisse Spannungen entstanden, weil er dabei eine betont evangelische Haltung vertrat. Wenn man hier wiederzugeben versucht, was Söderblom unter dem „Grund der evangelischen Ökumenizität" (wie er sich in diesem kurzen Brief ausdrückt) versteht, so wird man etwa wie folgt formulieren: Kirchenverfassungsfragen gehören dem Evangelium eigentlich nicht an, sie haben lediglich eine stets dem Evangelium untergeordnete Funktion.

1 Heiler, Die Lausanner Konferenz für Glaube und Kirchenverfassung, in: Hk 9 (1927), S. 297-301, und: Auf dem Wege zur einen Kirche. Kritische Gedanken über Lausanne, in: Christliche Welt 41 (1927), Sp. 899-907, abgedruckt in: Im Ringen um die Kirche, S. 287-300.

2 Söderblom, Randanmärkningar till Lausanne, in: Svenska teologisk kvartalskrift 3 (1927), S. 336-381; s. ferner Ågren, Nr. 574, 578 und 583. Der Hauptaufsatz erschien auch etwas verändert als: Randbemerkungen zu Lausanne, in: Zeitschrift für systematische Theologie, 6 (1929), S. 538-598.

Durch die Zäune hindurch

Marburg, 22. Januar 1928

Hochverehrter Hochwürdigster Herr Erzbischof,

verzeihen Sie, wenn ich mit einer Bitte komme. Hier lebt
ein schwedischer Staatsangehöriger Graf R. von Stenbock
mit seiner Frau Mathilde, einer gebürtigen Deutschbaltin.
Er hat wie Tausende von Balten seinen Besitz und sein
Vermögen durch die grausame Konfiskation verloren (er
war, glaube ich, kaiserlich-russischer Beamter und hatte
bei Dorpat Besitz, hat aber die schwedische Staatsangehö-
rigkeit beibehalten, seine Geschwister und seine Mutter
leben in Schweden). Er ist mir von dem hiesigen Vorsitzenden der Baltenfürsorge als ein ausgezeichneter Mann
mit hoher Kultur geschildert worden, desgleichen ist seine
Frau eine treffliche Dame. Letztere hat sich eine Zeit lang
durch russische Kurse hier etwas verdient. Jetzt sind beide
krank und leben in den dürftigsten Verhältnissen. Die
Frau Gräfin, die wiederholt Lungenentzündungen hatte,
muß von hier wegen des feuchten Klimas fort, entweder
nach Südtirol oder auch (vielleicht etwas später) nach
Schweden. Da es sich um einen schwedischen Staatsange-
hörigen handelt, ist es schwierig, für ihn in Deutschland
Hilfe zu schaffen. Wäre es nicht möglich, daß Sie, hochverehrter Herr Erzbischof, für ihn durch Ihre Beziehun-

gen zum schwedischen Adel etwas erreichen können? Vielleicht bietet sich Ihnen einmal eine Gelegenheit.

Haben Sie davon gelesen, daß eine spanische Frau namens Carmen zu zwei Jahren Gefängnis verurteilt wurde, weil sie behauptete, Jesus habe wirkliche Brüder gehabt, was doch alle modernen protestantischen Theologen sagen. Wäre es nicht möglich, daß das Exekutiv-Committee von Life and Work etwas für sie unternähme? Sie befindet sich jetzt im Gefängnis in Segovia. Ich bin überzeugt, daß eine einfache Aktion ihre „Begnadigung" erwirken könnte.

Sehr dankbar wäre ich, wenn ich von Ihnen Ihre Rede bei dem Reformationsjubiläum in Västerås im vorigen Jahre erhalten könnte.

Mit verehrungsvollen Grüßen an Sie und Ihre verehrte Familie von uns beiden

Ihr stets dankbar ergebener
Friedrich Heiler

Brief Nr. 81, UB Uppsala.

Marburg, 9. Februar 1928

Hochverehrter Hochwürdigster Herr Erzbischof,

für die freundliche Zusendung Ihrer Artikel über die päpstliche Enzyklika[1] danke ich Ihnen aufs herzlichste. Die Enzyklika ist offenbar unter jesuitischem Einfluß erfolgt; sie trifft vor allem die sehr irenischen Bestrebungen der benediktinischen Patres unionis[2] mit denen ich auch Beziehungen habe. Ihre Zeitschrift „Irénicon" (Monastère Amay sur Meuse) würde Sie, falls Sie dieselbe noch nicht kennen, interessieren. Ich glaube jedoch nicht, daß diese kurialen Absperrungsmaßnahmen verhindern können, daß die ökumenische Welle in die römische Kirche hineinflutet. Die Zahl der freiheitlichen Katholiken ist zu groß, als daß eine solche Bewegung einfach erstickt werden könnte. Ich habe sehr viele freundschaftliche Beziehungen zu katholischen Kreisen und weiß, wie sie über solche römischen Dekrete sich hinwegsetzen. Ich habe den Eindruck, daß gerade unsere evangelische Franziskanertertiarenbruderschaft verschlossene Türen aufsprengt.

Anbei sende ich Ihnen ein recht unerfreuliches Dokument[3], das zeigt, wie die ultramontanen Kreise Ihre ökumenische Arbeit zu diskreditieren suchen. Soweit ich feststellen konnte, ist die Mehrzahl der Zitate aus „Religionsproblemet" gefälscht. Ich möchte aber, ehe ich gegen den Verfasser (einen Anonymus) den Vorwurf der Fälschung erhebe, mich noch bei Ihnen vergewissern. Falls Sie selber darauf etwas zu erwidern wünschen, kann ich durch meine benediktinischen Freunde eine Entgegnung Ihrerseits in die betreffende Zeitung bringen.

Ein junger deutscher Gelehrter, Dr. Wolfram List, der mir durch ein Mitglied der deutschen Delegation in Stockholm, Kirchenrat D. Engelhardt, empfohlen ist, hat sich um die deutsche Lektorenstelle in Uppsala beworben. Er bat mich Ihnen zu schreiben. Falls Sie als Prokanzler der Universität ein Votum abzugeben haben, würde ich Sie bitten, ihn zu berücksichtigen.

Mit verehrungsvollen Grüßen an Sie und Ihre verehrte Familie von meiner Frau und mir verbleibe ich, hochwürdigster Herr Erzbischof,

Ihr stets dankbar ergebener
Friedrich Heiler

Brief Nr. 82, UB Uppsala.

1 Vgl. Ågren, Bibliografi, Nr. 595. Die Artikel erschienen auch in deutscher Übersetzung im Sammelband, Kritische Stimmen zum päpstlichen Rundschreiben über die Einigungsfrage der Kirchen, Berlin 1928, S. 9-32, wie auch in: Söderblom, Christliche Einheit, Berlin 1928. Durch die Sprache dieser Enzyklika, Mortalium animos (6. 1. 1928), fühlte sich Söderblom brüskiert, zumal er stets im Hinblick auf den römischen Katholizismus eine besondere Nachsicht hatte walten lassen.

2 Besonders mit Dom André de Lilienfeld und Dom Clément Lialine stand Heiler im Briefwechsel. Den Gründer von Amay, Dom Lambert Beauduin, der sich so sehr für die Annäherung mit den Ostkirchen exponierte, scheint er nicht persönlich gekannt zu haben. Vgl. Heiler, Rom und die Einigung der Kirchen, in: Im Ringen um die Kirche, S. 346; zur Enzyklika, S. 355-372.

3 In der Augsburger Postzeitung, Sonntag, 5. 2. 1928, S. 4, erschien ein Artikel, Dr. Soederblom. Der protestantische Bischof von Upsala (dargestellt nach seinem Buch: „Das religiöse Problem"). Der Erzbischof erkannte sofort (vgl. Brief Nr. 83), daß es sich um den gleichen Artikel

handelte, der schon am 15. 9. 1927 in der Germania (Berlin) erschienen war und gegen den er erfolglos protestiert hatte. Endlich ließ er sein Berichtigungsschreiben, Ultramontane Kampfweise, in: Dienst am Volk, Beilage der Täglichen Rundschau, 11. 3. 1928, erscheinen, da die beiden Zentrumsblätter die Sache auf die lange Bank schoben.

Unter Heilers benediktinischen Freunden ist P. Bernhard Seiller, Ober-studienrat am Lyzeum St. Stephan, Augsburg, hervorzuheben. S. Anhang, X.

83. Söderblom an Heiler

Upsala, 15. Februar 1928

Lieber Freund!

Innigen Dank für Ihre beiden wertvollen und beachtlichen Briefe. Mein Artikel über die Enzyklika wird teils in Broschürenform, teils in „Die Eiche" herausgegeben.[1] Ich werde Ihnen noch andere von mir zu diesem Thema verfaßten Schriften zuschicken. Wahrscheinlich wird die Enzyklika auf das Einheitswerk anspornend und konsolidierend wirken.

Der ungeheuerlich lügnerische Artikel in der Germania, der jetzt in der Augsburger Postzeitung wiedergegeben worden ist, veranlaßte beiliegendes Schreiben an beide Zeitungen.[2] Die Germania verspricht mir, meine Antwort „nach Prüfung" zu bringen, aber bisher wurde sie nicht aufgenommen. Gewisse von den Zitaten haben eine lose Anknüpfung, andere sind reine Fälschung.

Ergebener
N. Sm.

Brief Nr. 83, UB Marburg (Abschrift: UB Uppsala); übersetzt von Heiler, in: EhK 18 (1936), S. 153-154.

1 S. Brief Nr. 82, Anm. 1.

2 S. Brief Nr. 82, Anm. 3. Der Brief an die Redaktion der Germania ist vom 6. 12. 1927 datiert (Abschrift: UB Marburg).

Marburg, 23. Februar 1928

Hochverehrter, hochwürdigster Herr Erzbischof,
die Buchhandlung Biller sendet mir eben die ersten Fah-
nenkorrekturen der neuen Auflage Ihres Kompendiums[1]
mit dem Ersuchen, größere Korrekturen zu vermeiden. So
weit ich sah, ist die letzte Auflage unverändert abgedruckt, im Literaturverzeichnis ist die neuere Literatur
nur unvollständig nachgetragen. Dies versetzt mich in eine
schwierige Lage. Das Kompendium dürfte meiner Meinung nach nicht ohne eine gründliche Revision neu herausgegeben werden. Schon bei der letzten Auflage haben
Kritiker wie Clemen sich darüber beklagt, daß die Revision nicht weit genug ging. Das mindeste wäre jedoch eine
vollständige Ergänzung der Literatur.
Leider muß ich in den nächsten Tagen verreisen und werde
erst am 24. März wieder hier sein, so daß ich bis dahin
nichts für das Buch tun kann. Wenn ich rechtzeitig davon
gewußt hätte, so hätte ich natürlich längst die Ergänzungen vornehmen können. Falls Sie nicht sogleich für die
Ergänzung jemand gewinnen können (etwa Tor Andrae),
so wäre ich natürlich nach meiner Reise dazu bereit; in
diesem Falle wäre es jedoch das Richtige, dann den Druck
einstweilen zu inhibieren, damit die Nachträge in das
Manuskript gemacht werden können.
Für eine baldige Mitteilung wäre ich Ihnen sehr dankbar.
Mit verehrungsvollen Grüßen an Sie und Ihre Familie
Ihr dankbar ergebener
Friedrich Heiler

Brief Nr. 84, UB Uppsala.

1 Die 6., verbesserte Auflage von Tieles Kompendium der Religionsgeschichte (die 4. von Söderblom besorgte Auflage) erschien 1931.

Assisi, 24. September 1928

Hochverehrter Herr Erzbischof,

aus der Stadt des Poverello senden wir Ihnen und Ihrer verehrten Frau die herzlichsten Grüße. Es ist erhebend, die Stätten des umbrischen Heiligen zu besuchen, freilich auch enttäuschend zu sehen, wie viel von seinem Geiste verloren gegangen. Um so wunderbarer war es für uns, in einer alten franziskanischen Eremitage die schlichten Franziskanerschwestern, die nach der Regula prima als einfache Familie, nicht als kirchlich approbierter Orden leben, seinen Geist verkörpert zu finden. Sie sind evangelisch-ökumenisch gesinnt und nennen sich selber „pancristiani", und sind den römischen Autoritäten suspekt. Sorella Maria, die „soror minor", ist mit Sundar Singh und Gandhi befreundet! Wollen Sie diesen armen Jüngerinnen des Poverello die Freude machen, den Bericht der Stockholmer Konferenz *französisch* zu senden [— sie] sind so vereinsamt und würden große Freude empfinden, mit Ihnen in Kontakt zu kommen. Die Adresse ist: Sorella Maria, L'Eremo francescano, Campello sul Clitunno, Umbria, Italia.[1]

Ich bin im August leider krank gewesen, so daß ich die Literaturergänzungen für Ihr Kompendium nicht mehr fertigstellen konnte, werde es gleich nach meiner Rückkehr (10. Okt.) tun.

Mit verehrungsvollen Grüßen von uns beiden

Ihre dankbar ergebenen

Anne Marie Heiler   Friedrich Heiler

Brief Nr. 85, UB Uppsala (Postkarte).

1 Vgl. Heiler, Wo ich Sankt Franziskus fand, in: Religiöse Besinnung 2 (1929/30), S. 78-87. Zu Maria Valeria Pignetti (1876-1961) s. Heiler, Eine Franziskanische Pionierin der Una Sancta, Sorella Maria, in: EhK, N. F. 1 (= Neue Wege zur Einen Kirche, München 1963), S. 40-50. (Der Ausdruck „Panchristiani" wurde übrigens von Pius XI. in Mortalium animos, AAS 20 (1928), S. 12, als überheblich und irreführend zurückgewiesen, vgl. Heiler, in: Im Ringen um die Kirche, S. 356 und 362.)

Marburg, 19. November 1928

Hochverehrter Hochwürdigster Herr Erzbischof,

mit der Zusammenstellung der neuen Literatur für Ihr Kompendium bin ich eben beschäftigt und werde in etwa acht Tagen damit fertig sein. Ich halte es jedoch für ein Wagnis, die Neuauflage nur mit einer Literaturergänzung hinausgehen zu lassen, ohne Ergänzung und Revision des Textes. Schon bei der letzten Auflage (1920) hatte die Kritik die fehlende Umarbeitung beanstandet, und wird es diesmal noch mehr tun. Wäre es Ihnen nicht möglich, doch auch selber eine Textrevision vorzunehmen? Vielleicht könnte Ihnen auch Prof. Andrae[1] und Prof. Clemen[2], Bonn, dabei behilflich sein.

Leider hat sich meine Arbeit dadurch sehr verzögert, daß ich infolge Überanstrengung Mitte August sehr nervenkrank wurde und dann zur Erholung in die Schweiz und nach Italien reiste. Nach meiner Rückkehr mußte ich leider eine Rechtfertigungsschrift für meine Fakultätskollegen abfassen, da mich diese wegen der neuesten Schmäh- und Verleumdungsschrift Pfisters gegen den Sadhu und mich (die Haas in Leipzig in seiner Zeitschrift herauszubringen sich nicht scheute[3]) zur Verantwortung zogen, es scheint jedoch, daß jetzt wenigstens ein Teil sich beruhigt hat.

Gleich nach Fertigstellung werde ich Ihnen das Literaturverzeichnis zusenden. Ist das Kompendium auch schwedisch erschienen? Wenn ja, so würde ich vorschlagen, die in skandinavischen Sprachen erschienene religionsgeschichtliche Literatur nur in Auswahl aufzuführen. Ohne erhebliche Kürzung wird es nicht möglich sein, für die zahlreichen Neuerscheinungen den Platz zu finden.

Mit herzlichen Grüßen von uns beiden an Sie und Ihre verehrte Familie verbleibe ich in steter Dankbarkeit

Ihr aufrichtig ergebenster
Friedrich Heiler

Brief Nr. 86, UB Uppsala.

1 Tor Andrae (1885-1947), Islamforscher, wurde 1929 Professor in Uppsala und 1936 Bischof von Linköping.

2 Carl Clemen (1865-1940) war seit 1920 Professor der Religionsgeschichte in Bonn.

3 O. Pfister, in: Zeitschrift für Missionskunde und Religionswissenschaft 43 (1928). Zu Hans Haas s. oben, Brief Nr. 33, Anm. 1.

Marburg, 2. December 1928

Hochverehrter Hochwürdigster Herr Erzbischof,

haben Sie vielen Dank für Ihre beiden Briefe.[1] Ich habe nun die Ergänzungen zur Bibliographie nahezu vollendet, nachdem die Gebrauchsunfähigkeit meiner rechten Hand durch ein böses Geschwür am Handgelenk mich einige Tage lang an der Arbeit gehemmt hatte. Ich möchte nun fragen, ob es Ihnen genügt, wenn ich Ihnen die Ergänzungen (Neuerscheinungen, Neuauflagen etc.) schicke, so daß Sie selber die Kürzung der alten Bibliographie vornehmen, oder ob ich selber die Kürzung vornehmen soll. Da die Zahl der Neuerscheinungen seit 1920 sehr groß ist, müssen naturgemäß eine Menge alter Werke gestrichen werden. Für baldige Antwort wäre ich Ihnen sehr dankbar.

Im Text möchte ich Ihnen empfehlen an folgenden Abschnitten Ergänzungen anzubringen:

1. Islam, Berücksichtigung der Werke von Tor Andrae
2. Einzufügen wäre ein kurzer Abschnitt über die Entwicklung des Judentums nach Christus.
3. Einzufügen ein Abschnitt über die mandäische Religion unter Berücksichtigung der Arbeiten von Lidzbarski[2].
4. Berücksichtigung der Arbeiten von Reitzenstein[3] über das iranische Erlösungsmysterium in der Darstellung der Mysterienreligionen.
5. Die Darstellung der germanischen Religion wäre nach Grönbechs[4] Forschungen etwas zu überarbeiten.

6. Beim Mahayanabuddhismus wäre Reichelts[5] Arbeit heranzuziehen.

Es ist sehr fraglich, ob ich zum religionsgeschichtlichen Kongreß nach Lund[6] kommen kann.

Mit verehrungsvollen Grüßen an Sie und Ihre Familie von uns beiden

Ihr stets dankbar ergebener
Friedrich Heiler

Brief Nr. 87, UB Uppsala.

1 Es findet sich die Abschrift eines Briefes an Heiler vom 24. 11. 1928 in der UB Uppsala, wo Söderblom auf die Revision des Kompendiums wie schon öfters einging und bat, daß Heiler ihm die Stellen nenne, die besonders verbesserungsbedürftig waren.

2 Mark Lidzbarski (1868-1928) wurde 1907 Professor in Greifswald, 1917 in Göttingen.

3 Richard Reitzenstein (1861-1931), seit 1914 Professor in Göttingen, war Verfasser von: Das iranische Erlösungsmysterium, Bonn 1921.

4 Vilhelm P. Grönbech (1873-1948) veröffentlichte schon 1909-1915 das vierbändige Werk, Vor Folkeaet i Oldtiden, Kopenhagen.

5 Karl Ludvig Reichelt (1877-1952) hat sich als Missionar und Buddhismusforscher verdient gemacht.

6 Dieser erste seit dem Krieg abgehaltene internationale Kongreß für Religionsgeschichte tagte vom 27. bis 30. August 1929 in Lund.

Upsala, 31. August 1929

Verehrter und lieber Freund!

Herzlichen Dank für Ihren Brief. Was die Olaus Petri-Vorlesungen angeht, können Sie aus den Themen wählen, welches Sie wünschen; uns ist „Die Absolutheit usw." ebenso willkommen wie das andere.[1]

Leider kann ich unmöglich zum Marburger Jubiläum kommen.[2] Ich lege eine Äußerung bei aus Anlaß von Professor Ottos Vortrag über „Gemeinsame Aufgaben des Protestantismus"[3], welche Äußerung ich den schwedischen Repräsentanten beim Jubiläum sowie Professor Otto übergeben habe. Dürfte ich Sie bitten, eine deutsche Übersetzung herzustellen und sie an Landesoberpfarrer D. Möller und Professor Hermelink weiterzuleiten.[4] Wie Sie sehen, finde ich den Vorschlag Ottos wegen eines ‚Weltprotestantismus' ganz bedenklich.

Mit den besten Grüßen an Ihre Gattin und Sie selber

Ihr ergebener
Nathan Söderblom

Brief Nr. 88, UB Uppsala, von Heiler übersetzt, in: EhK 18 (1937), S. 154.
Zum Thema Olaus-Petri-Vorlesungen waren seit einiger Zeit Vorschläge ausgetauscht worden; dies zeigen die Briefe Söderbloms an Heiler (in Abschriften in der UB Uppsala erhalten) vom 27. 4., 22. 5. und 24. 11. 1928 mit dem vom 2. 8. 1929.

1 Es war von der „Absolutheit des Christentums" oder aber von der „Gottesmutter in der Religionsgeschichte" die Rede gewesen. Heilers

Wahl fiel schließlich auf die „Absolutheit", vgl. Heiler, Die Frage der „Absolutheit" des Christentums im Lichte der Religionsgeschichte, in: EhK 20 (1938), S. 306-336, kürzlich abgedruckt, in: Una Sancta 30 (1975), S. 4-21. (Dieser Paragraph sowie sämtliche Personennamen wurden von Heiler übergangen bzw. unterschlagen.)

2 Es handelt sich um das Andenken an das Marburger Religionsgespräch vom 1.-3. 10. 1529, wo die Wittenberger und die Schweizer Reformatoren versuchten, sich theologisch zu einigen. Vgl. H. Hermelink (Hrsg.), Das Marburger Religionsgespräch 1529-1929, Gotha 1929.

3 R. Otto, Gemeinsame Aufgaben des Protestantismus, Vortrag gehalten am 14. Sept. 1929, in Auszügen veröffentlicht, in: Christliche Welt 43 (1929), Sp. 885-887; vgl. Otto, Sünde und Urschuld, München 1932.

4 Diese mir anderweitig nicht bekannte Stellungnahme findet sich vermutlich in den nach Art eines Nachtrages gedruckten Zeilen, in: EhK 18 (1936), S. 154 f., die ich hier wiedergebe: „. . . Die Idee eines ‚Weltprotestantismus' scheint mir ganz bedenklich, besonders da er zwischen Protestantismus und Anglikanismus unterscheidet. Das Luthertum wenigstens hier im Norden und auch in Amerika und in verschiedenen Ländern fühlt sich in seinen Gottesdienstformen mehr befreundet mit dem Anglikanismus als mit einem formlosen Protestantismus und dessen Gottesdienst. Ich habe selbst Gelegenheit gehabt, zu beobachten, wie schwedische Arbeiter und Gebildete auf die verschiedenen Konfessionen und Gottesdienstformen reagieren. Wir haben ja unsere Gebetshäuser, welche uns mit dem nicht-liturgischen und nicht-episkopalen Protestantismus verbinden, aber unsere Kirchen verbinden uns viel näher mit dem Anglikanismus.
Bedenklich ist . . . (diese) Unterscheidung deshalb, weil der Anglikanismus ebenso ein Kind der Reformation ist wie die übrige evangelische Christenheit. Der Anglikanismus ist bekanntlich mannigfaltig, und es wäre prinzipiell und kirchengeschichtlich unrecht, den Anglikanismus nach dem extremen und zufälligen Anglokatholizismus zu kennzeichnen. Soll der Anglikanismus auf diese Weise isoliert werden, wird es notwendig, auf gleiche Weise das Luthertum vom Protestantismus zu trennen. Wir haben ja eine Abendmahlslehre, welche der mittelalterlichen und römischen Mystik näher kommt, als das selbst beim Anglikanismus der Fall ist, und auch unsere Gottesdienstordnung ist in wesentlichen Stücken konservativer als die anglikanische. Die nächsten Glaubensfreunde des Luthertums sind natürlich die Presbyterianer. Innerhalb des Anglikanismus finden sich verschiedene Richtungen. Bei einer solchen Dreiteilung wie der . . . vorgeschlagenen würde sicher die Majorität sich dem Protestantismus anschließen. Eine kleine Minorität

würde ihre Verwandtschaft mit Rom betonen. Der echte erasmische Anglikanismus bliebe dann übrig, kann aber nicht als Einheit für sich betrachtet werden. Sowohl historisch wie prinzipiell ist es nach meiner Meinung wichtig, daß sowohl das Luthertum wie der Anglikanismus zu dem evangelischen Teil der katholischen Kirche gerechnet wird.

Ich kann mich also nicht dem Vorschlage der „Gründung eines ‚protestantischen allgemeinen Senats zur Wahrung protestantischer Gesamtinteressen‘" anschließen, und zwar aus folgenden Gründen:

1. Der Anglikanismus würde auf unrechte Weise isoliert werden.

2. Ein großer Teil des Luthertums würde wohl bei einer solchen Organisation dabei sein, sich aber durch den Ausschluß des Anglikanismus verhindert sehen.

3. In allgemeinen kulturellen Fragen wie hinsichtlich des Minoritätenproblems findet bereits eine bedeutungsvolle Zusammenarbeit zwischen dem Anglikanismus und der übrigen evangelischen Christenheit statt. So sandte z. B. der Unterzeichnete vor einigen Jahren zusammen mit dem Erzbischof von Canterbury eine Delegation von Geistlichen in das besetzte Saargebiet. Das Auseinanderbrechen einer bedeutungsvollen und wirksamen Einheit wäre ein Schritt zurück. Man denke an World Alliance. Was die sozialen Fragen betrifft, gilt dasselbe von der Life-and-Work-Bewegung.

4. Für die Wahrung der Interessen des Protestantismus haben wir bereits eine wirksame und tüchtige Organisation im ‚Internationalen Verband zur Verteidigung der Forderung des Protestantismus‘ mit seiner dreisprachigen Zeitschrift ‚Protestantische Rundschau — Protestant Review — Revue Protestante‘. Ich möchte nicht bei irgendeinem Beschluß mitwirken, der eine direkte oder indirekte Unterschätzung von dessen Wirksamkeit in sich schlösse."

Marburg, 20. Dezember 1929

Hochverehrter, hochwürdigster Herr Erzbischof!

Empfangen Sie herzlichen Dank für Ihren freundlichen Brief und die gütige Zusendung Ihres gehaltreichen Artikels aus RGG.[1] Wie ich Ihnen schon geschrieben hatte, will ich mit Freuden das Thema „Muttergöttin und Gottesmutter, der Madonnenkult außerhalb und innerhalb des Christentums" in den Olaus Petri-Vorlesungen (Herbst 1931) behandeln.

Den neuen Index Librorum prohibitorum habe ich noch nicht zu Gesichte bekommen, auch keine Informationen darüber erhalten. Sobald ich etwas erfahre oder einen Artikel finde, werde ich Ihnen denselben senden.

Ich bin kürzlich zum 1. Vorsitzenden der Hochkirchlichen Vereinigung gewählt worden und mußte auch die Schriftleitung der Zeitschrift „Die Hochkirche" übernehmen. Den Ausdruck „hochkirchlich" liebe ich nicht, ich würde ihn am liebsten ausmerzen und durch „evangelisch-katholisch" ersetzen; aber es ist im Augenblicke nicht möglich, die Widerstände, die dagegen bestehen, zu überwinden.

Im Zusammenhang damit möchte ich Ihnen die Bitte aussprechen zu erlauben, daß wir in der „Hochkirche" aus Ihren nur schwedisch erschienenen Werken einige Abschnitte in Übersetzung veröffentlichen, z. B. aus „Från Upsala till Rock Island".[2]

Da ich im neuen Jahrgang eine Aussprache der Vertreter verschiedener Kirchen über den Begriff der „apostolischen Sukzession" veranlassen möchte, wäre es mir eine besondere Freude, wenn Sie kurz Ihre Ansicht niederlegten, oder, falls es Ihnen zu viel Mühe macht, mir eine schon gedruckte Äußerung darüber für die Veröffentlichung zur Verfügung stellen.[3] Im voraus herzlichen Dank für alle freundliche Hilfe.

Ich hoffe, daß Sie wiederum im Besitz Ihrer vollen Kraft und Gesundheit sind.

Mit den herzlichsten Wünschen für ein gesegnetes Weihnachtsfest und mit verehrungsvollen Grüßen an Sie und Ihre Familie

Ihr stets dankbar ergebener
Friedrich Heiler

Brief Nr. 89, UB Uppsala. In Söderbloms Zeilen vom 10. 12. 1929 war zu lesen, daß Heiler sich ein Thema wählen könne, wie es dem Gang der eigenen Forschungen entspräche. Söderblom möchte aber eigentlich fragen, ob irgendeine Analyse oder Besprechung des neuaufgelegten Indexes (der verbotenen Bücher nämlich) erschienen ist.

1 Es handelt sich um Söderbloms Artikel über „Macht", religionsgeschichtlich, in: [2]RGG 3 (1929), Sp. 1811-1815, oder möglicherweise auch um „Mana", ebda., Sp. 1950 f.

2 Söderbloms Amerikabuch erschien 1924, die dritte Auflage folgte 1925, vgl. Ågren, Bibliografi, Nr. 476.

3 In der Nachschrift eines offensichtlich noch nicht abgesandten Briefes vom 19. 12. 1929 über das Kompendiummanuskript schrieb Söderblom auf deutsch: „Soeben Ihr guter Brief. Aus vollen Herzen erwidern wir die Weihnachtsgrüße. Bitte, nehmen Sie gern was Ihnen paßt aus Från Upsala till Rock Island.

Über meine Auffassung der Successio apostolica siehe: Einigung der Christenheit [1925] S. 126 f., Randbemerkungen zu Lausanne [vgl. oben

Brief Nr. 80, Anm. 2] 559, Svenska Kyrkans kropp och själ [1916] 134.
Mir geht es besser — aber ich kann nur vorsichtig arbeiten.
Gott segne Sie!
Ihr N. Sm."
Erst nach Söderbloms Tode kam Heiler dazu, die Stellungnahme des
Erzbischofs zur apostolischen Sukzession zu veröffentlichen, in: Hk 13
(1931), S. 258 f., und zwar aus: Einigung der Christenheit, übers. und
eingel. von P. Katz, Halle 1925, S. 127 ff.

Marburg, 26. Januar 1930

Hochverehrter, hochwürdigster Herr Erzbischof,
zu der Vermählung Ihrer Tochter Yvonne sprechen wir
Ihnen und Ihrer verehrten Gattin unsere herzlichsten
Glückwünsche aus. Wir haben uns sehr darüber gefreut
und wünschen dem jungen Paare von Herzen Gottes
Segen. Bitte, möchten Sie Ihrer Frau Tochter und Ihrem
Schwiegersohne unsere Grüße und Wünsche übermitteln.
Leider bin ich unmittelbar nach Weihnachten erkrankt an
meinem alten Magenübel, dessen Ursache ja stets Überarbeitung ist, und bin noch nicht wieder ganz frisch. Auch
bin ich durch die Übernahme der Schriftleitung der Hochkirche und des Vorsitzes in der Hochkirchlichen Vereinigung so sehr mit Arbeit überlastet, daß ich keine Hoffnung habe, in den nächsten Wochen und Monaten die
ruhige Zeit zu finden, die nötig wäre, um Ihr Manuskript
des Kompendiums durchzusehen. Ich habe darum nun
Professor Clemen in Bonn gefragt, ob er nicht die Durchsicht übernehmen will. Er wäre der geeignetste Mann
hierfür, weil er die größten bibliographischen Kenntnisse
besitzt und weil er am besten dazu Zeit hat (er hat nur
wenige Schüler und kann sich ganz seinen literarischen
Arbeiten widmen).
Es tut mir so leid, daß ich selbst Ihnen diesen Dienst
augenblicklich nicht erweisen kann, aber ich bin weit über
meine Kräfte angespannt.[1]
Mit verehrungsvollen Grüßen von meiner Frau und mir an
Sie und Ihre Familie

Ihr stets dankbar ergebener
Friedrich Heiler

Brief Nr. 90, UB Uppsala.

1 Darauf antwortete Söderblom (3. 2. 1930) zwar, wie Heiler anführte (Nathan Söderbloms Leben und Wirken, in: Nathan Söderblom, Der lebendige Gott, S. XLVIII), „Wir müssen uns zu Grunde arbeiten in Gottes Dienst", aber zugleich mahnte er, dies müsse langsam und umsichtig geschehen, damit man am besten mit den von Gott geliehenen Gaben wuchere.

91. Heiler an Söderblom

Trient, Palmsonntag
29. März 1931

Hochverehrter hochwürdigster Herr Erzbischof,

von der Stätte, da jahrelang um Gnade und Rechtfertigung gerungen worden ist, sende ich Ihnen verehrungsvolle Grüße. Ich bin auf dem Wege nach Umbrien; gesundheitlich geht es mir bedeutend besser. Herzliche Grüße auch den Ihrigen.

Ihr dankbarer
Fr. Heiler

Brief Nr. 91, UB Uppsala (Postkarte). Es mag unwahrscheinlich sein, daß Heiler seit dem Brief Nr. 90 überhaupt nicht an Söderblom geschrieben hat, fest steht aber (vgl. Brief von A. M. Heiler an Söderblom, 4. 7. 1930 im Anhang), daß Heilers Gesundheit zu ernsten Sorgen Anlaß gab. Er litt unter Überanstrengung und andauernden Anfeindungen. Vermutlich war er noch dazu um den Ausgang des seit 1929 geplanten Schrittes, von Bischof Vigué in Südfrankreich die bischöflichen Weihen zu empfangen, sehr besorgt.

Vom 14. 11. 1930 ist ein Brief von Söderblom an Heiler erhalten (UB Uppsala): Terminschwierigkeiten legten es nahe, die Vorlesungsreihe von Heiler auf den Herbst 1932 zurückzustellen; wenn Heiler zufällig bei sich einen Korrekturbogen von seinem biographischen Artikel über Söderblom in RGG [2. Aufl., Bd. 5 (1931), Sp. 592 f.] hätte und verschicken könnte, würde es den Verleger freuen, der gerade ein Urteil über Söderbloms Uppenbarelsereligion Sp. (1903) zu Werbungszwecken im Hinblick auf die Neuauflage gebrauchen könnte. Dieser ist der letzte aufgefundene Brief des am 12. Juli 1931 verstorbenen schwedischen Erzbischofs an Friedrich Heiler.

92. Heiler an Söderblom

Florenz, 20. April 1931

Hochverehrter Herr Erzbischof,

aus dem Süden sende ich Ihnen herzliche Grüße. Habe mich in der Nähe von Assisi im Kreise von urfranziskanischen Schwestern, die nach der Regula prima des Poverello leben, gut erholt und kehre jetzt wieder an meine Arbeit zurück. Sorella Maria, die „soror minor" dieser kirchlich sehr suspekten Schwesternschaft, die völlig evangelisch und ökumenisch denkt und sich als „pancristiana" bezeichnet, ist neben Sundar Singh die größte religiöse Persönlichkeit, mit der ich je in Fühlung kam. An ihr wurde mir klar, wie evangelisch Franziskus selber war.

Ihr stets dankbarer

Friedrich Heiler

(Übersetzer des Neuen Testaments ins Italienische, Prof. der Theologie am Waldenserkolleg)[1]

Giovanni Luzzi

Die Stätte, wo St. Franziskus die *erste* Regel diktierte.[2]

Brief Nr. 92, UB Uppsala (Postkarte). Vgl. Brief Nr. 85.

1 Erläuternde Parenthese von Heiler zur Unterschrift von Giovanni Luzzi (1856-1948).

2 Geschrieben auf der Rückseite, unter der Photographie von der erwähnten Höhle zu Fontecolombo, Rieti, „il Sacro Speco".

Anhang

Uppsala, 18. Oktober 1918

Kennen Sie das sehr bedeutende Werk „Das Gebet" vom jungen Religionshistoriker Dr. Fr. Heiler in München? Begeistert von einer solchen Fülle des philologischen und historischen Wissens und von einer solchen Sicherheit des Urteils wollte ich sofort meinen hochverehrten lieben Kollegen in der Leipziger Fakultät schreiben um zu fragen, ob nicht eine solche religionswissenschaftliche Kraft für diejenige Universität erworben werden könnte, die in Deutschland der Religionsgeschichte die festeste Stellung gegeben hat. Seitdem der mir sonst unbekannte Verfasser brieflich in scharfsinniger und ergreifender Auseinandersetzung mit der synkretistischen Eigenart seiner Mutterkirche mitgeteilt hat, daß seine innere Erfahrung und die Führung Gottes ihn zwingt, sich als evangelischer Christ zu empfinden und zu erklären, schreibe ich jetzt und frage: Kann Dr. Heiler (München, Wörthstraße 13), der sich jetzt in der philosophischen Fakultät in München mit einer Abhandlung über „Die buddhistische Versenkung" habilitiert hat, in der theologischen Fakultät zu Leipzig als Privatdozent Unterkunft finden und gleichzeitig eine amtliche Tätigkeit als Prediger und Seelsorger finden? Er braucht nämlich eine evangelische Umgebung, der philosophischen Fakultät in München ist er zu religiös, der katholischen in München selbstverständlich, als durch seine Studien und seine Gottesgemeinschaft evangelisch geworden, mehr als verdächtig. Aber vor allen Dingen sehnt er sich und empfindet es besonders wegen der Kriegsnot als eine dringende innere Notwendigkeit auch praktisch in der Gemeinde wirken zu können. Das theologische Examen wird er ohne größere Schwierigkeiten absolvieren können. Wäre es möglich, ihm ein Wort zu schreiben und ihn kommen zu lassen, um mündlich mit ihm zu verhandeln? Leipzig und die evangelische lutherische Christenheit Sachsens wäre die geeignete Stätte für eine derartige seltene wissenschaftliche und religiöse Begabung. Ich schreibe gleichzeitig an andere Kollegen in Leipzig über diese Angelegenheit.

I. Abschrift in der UB Uppsala befindlich. Vgl. oben Brief Nr. 12.

II. Rudolf Otto an Heiler

Marburg, 12. September 1919

Sehr geehrter Herr Dr.

Ganz recht. Auf den „Luther" hatte ich geschrieben und
mich dann unseres Einverständnisses in Ihrem schönen
Hefte über die „Mystik" gefreut. Gerade deswegen hätte
ich Sie gerne in der theologischen Fakultät. Wir müssen
gegenüber den gräßlichen neuen Karikaturen unserer
Religion und unserer Theologie die lautere mystische
Methode zurückgewinnen. Und dafür besonders suche
ich sachverständige Helfer, die uns zur Zeit nur aus einem
tief durchlebten und zugleich überwundenen Katholizismus kommen können. Sie sollten nicht — meine ich —
neutral zwischen den Konfessionen schweben. Eine tiefe
und fortgehende Wirkung ist Ihnen doch nur im Zusammenhange der Konfessionen möglich. Und Ihr rechter
Beruf wäre ein Lehrstuhl für vergl. Rel. Wissenschaft,
aber mit entschlossener theologischer und kirchlich praktischer Zuspitzung. Nur so haben Sie dauernd Befriedigung und den rechten Zustrom der wertvollen Hörer. —
Wir brauchen solche Lehrstühle durchaus, aber innerhalb
der Theologie und darum, da es eine interkonfessionelle
nicht gibt, auch innerhalb der prot. Theologie. Und daß
Sie innerlich dieser angehören, beweist Ihr „Luther". Mit
„Katholisieren" meinen Sie, was ich selber etwa ein
modernes „Hochkirchentum" nennen würde. Und das
suche ich selber und der Protestantismus *muß* sich dazu
erweitern.
Ich möchte dringend raten unter Beistand des so weiten

und freien Erzbischofs S. sich dort unserer kirchlichen Gemeinschaft anzuschließen. (Das Luthertum muß Ihnen doch am nächsten liegen.) Wenn Sie dann dort zunächst eine Lehrwirksamkeit finden, so halten Sie sie fest. Ich selber werde mich bemühen, stets immer wieder auf die Notwendigkeit des religionswissenschaftlichen Lehrstuhls zu dringen. Endlich muß es doch gelingen. — Übrigens würde ich Ihnen weiter raten, doch auch für „systematische Theologie" sich bereit zu halten. In Bälde ist — leider durch das Ausscheiden eines lieben Kollegen — an einer Universität, wo ich noch einigen Einfluß habe, eine Vakanz für Systematik zu erwarten. Ich würde dann gerne versuchen, für Sie einzutreten. Allerdings wäre dann protestantische Kirchenzugehörigkeit dringendes Erfordernis.

Bitte, empfehlen Sie mich dem Herrn Erzbischof Söderblom bestens. Ich lernte ihn vor vielen Jahren in Paris kennen und sah ihn einmal wieder in Göttingen.

Für Ihre schöne Predigt besten Dank. Auch aus ihr wird ganz klar, daß Sie auf die Dauer ohne kirchliche Zusammengehörigkeit nicht sein können.

Mit bestem Gruß

Ihr erg.
R. Otto

II. Depositum Heiler, UB Marburg, maschinengeschriebene Abschrift. Zur Orientierung vgl. oben, Brief Nr. 17.

Marburg, 1. Oktober 1919

Hochgeehrter Herr Erzbischof,

soeben vollende ich Ihr schönes Heft, „Gå vi mot religionens förnyelse?" Tizius hat es mir zur Rezension für die L. Z. zugeschickt. Ich habe einen jüngeren Bekannten, einen Pfarrer, der sehr gut schwedisch liest, und möchte, da ich selber leider zu beschäftigt bin, durch diesen das Heft gerne ins Deutsche übersetzen lassen. Ich würde vorschlagen, die „Deutsche Christliche Studentenvereinigung" zu veranlassen, es dann unter ihren Schriften herauszugeben. Sind Sie damit einverstanden?

Gerne würde ich dann selber ein Geleitwort schreiben oder Herrn Kollegen Herrmann — was viel besser wäre — veranlassen es zu tun. Doch wird wohl zu überlegen sein, ob man das nicht doch lieber vermeidet, damit nicht der Schatten „der Marburger Theologie" auf das Schriftlein fällt.

Werden Sie nicht einmal wieder unser Land besuchen? Sollte es geschehen, so bitte ich sehr zu überlegen, ob Sie uns und ein paar hiesigen Studenten . . .[1] nicht eine Rede ähnlichen Inhaltes schenken möchten. Sie würden hier ein sehr dankbares Publikum finden.

Ich empfehle mich Ihnen mit ergebenen Grüßen. In aufrichtiger Verehrung

Ihr

R. Otto

III. UB Uppsala.

1 Wort unleserlich.

IV. Söderblom an Otto

Uppsala, 13. Oktober 1919

Sehr geehrter Herr Professor,

nach einem interessanten Gespräch und unter gemeinsa-
mem Gespräch mit Heiler habe ich soeben Ihren Brief
bekommen und beschleunige mich dafür zu danken — zu
sagen, daß ich selbstverständlich mit der Übersetzung
meiner Broschüre ganz einverstanden bin. Doch möchte
ich lieber die zweite jetzt erscheinende durchgesehene
Auflage [verwenden lassen], die ich Ihnen sofort senden
werde.

Was Dr. Heiler betrifft, hat er mit Genehmigung des
amtierenden Bischof von Skara in Vadstena am heiligen
Abendmahl in unserer Kirche teilgenommen. Das bedeutet nach unserer Theorie und Praxis, daß Dr. Heiler nicht
mehr Römisch sondern Evangelisch ist. Wir haben nämlich in unserer Kirche keine Form des Übertritts sondern
nur diese schöne Auffassung der Bedeutung des heiligen
Abendmahls. Wenn Sie wollen, kann ich Ihnen diese
Tatsache in mehr feierlicher Form besonders bestätigen.

Ihr sehr ergebener

IV. Handschriftliches Konzept auf dem Schreiben von Otto an Söderblom vom 1. 10. 1919 (hier Anhang, III).

Marburg, 23. Dezember 1919

Lieber Herr Dr.

Da muß doch ein Mißverständnis vorliegen. Herr Erzbischof Söderblom schrieb mir, daß Sie durch Teilnahme am heiligen Abendmahl tatsächlich schon Ihren Anschluß vollzogen hatten. Das sei in Schweden die Form des Anschlusses. Eine andere gebe es nicht. Er fügte dann ausdrücklich hinzu, daß, wenn ich wünsche, er mir gern noch eine offizielle Bestätigung darüber senden würde. Ich habe daraufhin als selbstverständlich angenommen, daß Ihr Übertritt formell sei, und dieses meiner Fakultät mitgeteilt. Und so sieht z. B. auch Troeltsch[1] die Sache an. — Ein Eintritt in eine deutsche protestantische Fakultät wäre ohne dies heutzutage zweifellos unmöglich. Und es ist trotz Harnack[2] keine Aussicht, daß sich das ändern wird. Ich möchte nochmal erinnern an das, was ich früher schrieb. Nach Ihrer Art *können* Sie nicht auf die Dauer ohne feste religiöse Heimat sein. Und das freie Luthertum ist nach Ihren Schriften in Wahrheit Ihre jetzige innere Konfession, der Sie die äußere hinzufügen müssen. Unter keinen Umständen dürfen Sie die Exkommunikation abwarten. Sie müssen ihr eiligst zuvorkommen und Ihrer früheren Gemeinschaft von sich aus den Austritt erklären. Sie sind kein „Subtraktionskatholik", sondern durch eigenste innere Führung haben Sie selber Luther gefunden und lieb gewonnen. Wenn Sie als Exkommunizierter später einmal, was sicher geschehen wird, sich dem Protestantismus anschließen, so wird das für Sie selber drükkend sein und es wird nach außen den Eindruck erwecken, als ob Sie *gezwungen* ein neues Unterkommen suchten, weil das alte Sie nicht behalten wollte. Das ist dann eine sehr schiefe Stellung. Ich fürchte, Sie machen sich das nicht klar genug. Sie würden dann leicht als *Muß*-Protestant erscheinen und selber darunter innerlich schwer leiden. Ich freue mich, Sie bald zu sehen und würde sehr wünschen, daß es *recht* bald geschehen könnte. Denn die Sache eilt und ich bedauere sehr, daß sie sich so lange verzögert hat. Es lag alles sehr günstig hier. Noch vor zehn Tagen ermunterte der Unterstaatssekretär Troeltsch uns, möglichst bald Ihretwegen einen Antrag zu stellen beim Ministerium. Inzwischen ist hier plötzlich unser Alttestamentler Budde mit einem Antrage auf ein alttestamentliches Extraordinariat hervorgetreten, das er umgehend eingerichtet haben will. Hätte ich Ihren Bescheid gehabt, so hätte ich den Antrag Ihretwegen längst einreichen können. Nun kommt der andere uns zuvor. Ich glaube zwar nicht, daß der Antrag Budde genehmigt wird. Und sobald wir Sie hier gesehen haben, können wir schleunigst handeln. Es wäre darum gut, wenn Sie *baldmöglichst*, jedenfalls noch in den Ferien (bis zum 6. Jan.) kommen könnten.

In Hangkau[3] würden Sie sicher eine wunderbare Gelegenheit haben, östliche Religionen zu studieren. Wäre ich jung, so würde ich wahrscheinlich auf einen solchen Platz gegangen sein. Natürlich müßten Sie dann 10 Jahre aufs Chinesischlernen rechnen. Aber in der Gesundheitsfrage müssen Sie allerdings sicher sein. Andererseits sind die Aufgaben gerade heute in Religionsgeschichte und Theologie bei uns hier und überhaupt im Westen so wichtig, groß und interessant, daß Sie es reiflich erwägen müssen.

Die Chinesen und Japaner und Inder werden, hoffe ich, ihre besten Köpfe *zu uns* senden, um hier unsere Religionswissenschaft zu holen. — Behalten Sie sich zunächst alles vor. Kommen Sie schnell und sehen Sie selber die hiesigen Verhältnisse. — Ich selber würde *jetzt,* wenn ich in Ihrer Lage wäre, abwarten, wie sich das Ministerium stellt und darnach (nämlich wenn es etwa ungenügende Bürgschaften gibt) mich für oder wider Hangkau entscheiden. (Auch dieses nur nach Rücksprache mit einem Tropenarzte!)

Sehr habe ich mich über das neue interessante Heft gefreut, das Sie jüngst sandten. Mündlich darüber mehr. Zu dem schönen Erfolge Ihres „Gebets" gratuliere ich Ihnen nochmals ganz besonders.

Das Interesse für Sie im Ministerium ist jetzt offenbar so groß, daß Sie diesen Umstand auf keinen Fall ganz unbeachtet lassen dürfen. Natürlich liegt der Fall anders, wenn Sie gegenüber Ihren schwedischen Freunden irgendwie durch Abmachung oder moralisch gebunden sind, was ich nicht beurteilen kann. — Gute Wünsche zum Neuen Jahr und meine besten Empfehlungen an den Herrn Erzbischof. Ihr erg.

R. Otto

Das „Heilige"[4] soll jedenfalls zu Ostern in neuer Auflage erscheinen. — Ihr Brief vom 16. Dez. erreichte mich erst heute, am 23. Dez., und war geöffnet worden. — Ich schrieb Ihnen etwa am 14. Dez., daß wir Zuversicht haben, daß Sie ein persönliches Extraordinariat erhalten mit M 1500 Gehalt und etwa M 3000 Teuerungszulage. Dazu kämen dann Kolleggelder u.s.w. Da Troeltsch, wie ich inzwischen erfahre, dafür ist, so kann man *sehr guter* Zuversicht sein.

V. Depositum Heiler, UB Marburg, maschinengeschriebene Abschrift.

1 Ernst Troeltsch (1865-1923) war zu dieser Zeit als Unterstaatssekretär im preußischen Ministerium für Wissenschaft, Kunst und Volksbildung nebenamtlich tätig.

2 Adolf von Harnack hielt „die Anreicherung der theologischen Fakultäten durch religionsgeschichtliche Lehrstühle" für nicht sinnvoll; s. Kurt Goldammer, Die Frühentwicklung der allgemeinen Religionswissenschaft und die Anfänge einer Theologie der Religion. Friedrich Heilers Beitrag zur Methodik der Religionsgeschichte und der Religionswissenschaft und zur „Religionstheologie", in: Saeculum 18 (1967), S. 181-198, hier 184.

3 Vgl. oben Brief Nr. 18.

4 Rudolf Otto, Das Heilige, erschien erstmals 1917.

Marburg, 12. Jan. 1920

Sehr geehrter Herr Erzbischof,

den Brief, den ich jüngst an Herrn Dr. Heiler geschrieben habe, wird er Ihnen mitgeteilt haben. Auf keinen Fall möchte ich mit meinen Vorschlägen an ihn Pläne stören, die Sie mit ihm vorhaben. Sollte sich Dr. Heiler für China entscheiden, so wird er sicher dort . . .[1] leisten. Entscheidet er sich anders, so möchte ich Ihnen für den Platz in China Professor Dr. *Beckh* empfehlen, den bekannten Tibeten- und Buddha-Forscher. Er ist ein bewährter Sanskritist, Kenner des Pali und des . . ., kennt und kann die europäischen Kultursprachen (auch Russisch), würde mit Leichtigkeit Schwedisch erlernen und sicher auch noch Chinesisch hinzuerwerben können. Er ist christlich gesonnen und ein sehr fähiger Mensch.

Für die Zusendung der zweiten Auflage Ihres Vortrages danke ich bestens. Herr Pastor Katz hat ihn übersetzt und ist auf der Suche nach einem Verleger. Durch Herrn teol. stud. Forell, der hier bei uns studieren will, erfuhr ich viel Interessantes über Schweden und die mächtigen dortigen religiösen Bewegungen. Er brachte mir auch „Nytids-laget och religionen", und ein unlesbarer gütiger Absender sandte mir noch das neueste Heft mit den neuerlichen 4 Vorträgen. Wie mächtig treibt er . . .[2]

Mit Spannung verfolge ich Ihre zwischenkirchlichen Bemühungen. Dr. Cramer aus dem Haag sandte mir die

Protokolle von [Oud] Wassenaar. Wenn Sie bei diesen Bemühungen Marburger Hilfe brauchen, so stehen wir Ihnen ganz zur Verfügung.

Herr Wendte aus Boston fragte bei Rade an, ob jemand aus Deutschland zu dem wiedereröffneten „Kongreß für freiheitliches Christentum" kommen wolle, der im Herbste in Amerika tagen soll. Ich stehe der Sache zweifelnd gegenüber. Die Führung durch die Unitarier gefällt mir nicht. Eine Führung durch Kongregationalisten oder modern gerichtete Episkopale wäre mir lieber. Auch scheint mir der Mischmasch mit gottbestreitenden Buddhisten, mit fantastischen Bahaisten [?] und dergleichen romantischen Gruppen bedenklich. Andererseits wäre ein Zusammenarbeiten vorwärtsschreitender Gruppen der verschiedenen großen christlichen Parteien [?] in zwischenvolkischem Zusammenhange gerade heute sehr wichtig. Vielleicht wäre gerade Schweden berufen, hier die Führung zu nehmen. Auch die Anregung der japanischen „Bischöfe" vor dem Kriege zu einer Zusammenarbeit aller religiösen großen Gemeinschaften überhaupt in Bezug auf Menschheitsethik und allgemeine zwischenvolkliche und zwischenstaatliche Aufgaben wäre erwägenswert. In *dieser* Hinsicht hatte ich auch mit japanischen Buddhisten und mit dem damaligen japanischen Kultusminister . . .[3] bereits einige Fühlung genommen.

Wir freuen uns, durch Herrn Forell einen lebendigen Gruß Schwedens an die deutsche Theologie unter uns zu haben und hoffen, daß er nicht vergeblich hier arbeiten wird.

Ich bitte um einen Gruß an Dr. Heiler und Herrn Kollegen Billing. Vor längerer Zeit ließ ich durch meinen

Verlag meine Schrift „das Heilige" an Sie senden. Hoffentlich haben die Postwirren es doch in Ihre Hände kommen
lassen.

Mit besten Wünschen zum 1920 in Verehrung

Ihr ergebener
R. Otto, Prof.

VI. UB Uppsala.

1 Wort unleserlich.

2 Zwei Worte unleserlich.

3 Name unleserlich.

Marburg, 20. Januar 1920

Lieber Herr Doktor,

vielen Dank für Ihre wunderschöne neue Gabe, auf deren
erneutes Studium ich mich sehr freue. Meine Anzeige in
der Th. L. Z. ist *endlich* erschienen: leider den Papierver-
hältnissen entsprechend sehr kurz. — Meine Fakultät hat
einstimmig beschlossen, auf neues [?] Extraordinariat für
Religionsgeschichte anzutragen. Eine Sitzung zur nächsten Formulierung des Antrages wird *nächstens* einberu-
fen. Wir werden herzlich [?] bitten, *Sie* auf diesen Lehr-
platz zu berufen. Unterstaatssekretär C. H. Becker war
hier. Er erklärte sich damit völlig einverstanden, auch mit
Ihrer Person, und stellte in Aussicht, daß an Gehalt
einschließlich Teuerungszulage M 6000 gegeben werden
könne, so daß Sie mit Kolleggeld etwa auf M 7500—8000
kommen würden. München hat wohl manche Vorzüge.
Aber hier würden Sie doch mitten im Leben der deutschen
protestantischen Theologenschaft sein. Da liegt zunächst
Ihr Hauptarbeitsfeld. Außerdem ist unsere Philoso-
phenschaft immer stärker am religiösen Problem interessiert. Auch bei den Nichttheologen würden Sie hier ein
großes Feld haben.
Ihre Gefühle für Schweden verstehe ich. Aber zunächst
macht doch das Vaterland an uns alle Anspruch. Wir
hoffen, daß es uns gelingen wird, die Religionswissen-
schaftstudierenden der Fremdländer kräftig nach
Deutschland zu ziehen. Und besonders Marburg macht
ernste Anstrengungen, das Auslandsdeutschtum, und

später auch wieder die Fremdstudenten hierherzuziehen. ·Das zur Erwägung! Die Entschließung steht ganz bei Ihnen allein. Aber fällen Sie sie erst, wenn wirklich der Ruf an Sie ergangen sein wird. Mit bestem Gruße Ihr

R. Otto

VII. Depositum Heiler, UB Marburg. Der Herausgeber schuldet Herrn Dr. Martin Kraatz und Frau Hilde Velleuer von der Religionskundlichen Sammlung der Universität Marburg für die Entzifferung der Handschrift und sonstige Begünstigungen aufrichtigen Dank.

2. Februar 1925

Hochverehrte Frau Baronin,

von Professor Deißmann, Berlin, empfange ich die schmerzvolle Kunde, daß Ihr Mann verschieden ist. Von Herzen nehme ich Teil an Ihrer Trauer und an der Trauer aller seiner Freunde. Was sein Hinscheiden für die christliche Kirche und Wissenschaft bedeutet, glaube ich ganz besonders fühlen zu können. Ich war ja nicht nur ein eifriger Leser und dankbarer Bewunderer seiner Werke, sein Schrifttum hat vielmehr den denkbar tiefsten Einfluß auf mein ganzes Denken und Leben ausgeübt. Meine Veröffentlichungen zeigen auf Schritt und Tritt, wieviel ich von seiner hochsinnigen Frömmigkeit und geisttiefen Forscherarbeit gelernt habe. Ich kenne außer ihm nur noch einen Mann, der in ähnlicher Weise meine innere Entwicklung bestimmt hat, und das war einer seiner wärmsten Freunde und Bewunderer — Erzbischof Söderblom.

Friedrich von Hügel war der größte römisch-katholische Laientheologe, ja der größte katholische Denker der Gegenwart — so schrieb ich in einem Aufsatz, der vor 8 Tagen erschien[1], und so wiederhole ich heute in dem wehmütigen Gedanken, daß er nicht mehr unter uns weilt. Aber mag er auch äußerlich von uns geschieden sein — das grandiose Lebenswerk, das er geschaffen, bleibt bestehen. Das hohe Ideal der Katholizität, das er verfochten hat, ist unvergänglich, sein Name wird in Ehren genannt werden,

319

so lange Christen an die una sancta catholica ecclesia glauben.

Ich werde dem edlen Toten einen Nachruf[2] widmen und außerdem auch eine größere Abhandlung über sein Lebenswerk schreiben. Für alle Hilfe bei dieser meiner Arbeit wäre ich Ihnen, hochverehrte Frau Baronesse, von Herzen dankbar.[3]

Er aber weilt nun im ewigen Leben. Was in diesem Worte beschlossen ist, das weiß der am tiefsten zu verstehen, der sein wunderbares Buch über das ewige Leben gelesen hat. Nun sinnt und redet er nicht mehr über das ewige Leben, nun sehnt er sich nicht mehr darnach, nun *schaut* und *hat* er das ewige Leben, dessen gottberufener Zeuge und Dolmetscher er uns gewesen ist. Möge ihm dieses ewige Leben das schenken, was die Kirche in jeder Eucharistie für die Entschlafenen erbittet: refrigerium, lux et pax. In herzlicher Teilnahme und aufrichtiger Verehrung

Ihr

VIII. Im Besitz von Frau A. M. Heiler, Marburg, maschinengeschriebene Abschrift. Der Passus „Was sein Hinscheiden . . . an die una sancta catholica ecclesia glauben" wurde von Bernard Holland gedruckt, in: F. von Hügel, Selected Letters, S. 53 f.

1 Heiler, Der Streit um Sundar Singh. 3. Der Feldzug der Jesuiten gegen den Sadhu, in: Christliche Welt 39 (22. 1. 1925), Sp. 78.

2 Erschienen in: Christliche Welt 39 (1925), Sp. 265-272; abgedruckt in: Im Ringen um die Kirche, S. 160-173.

3 Heiler konnte mit seinem modernistischen Ruf der Baronin von Hügel unmöglich zu einem solchen Vorgehen geeignet erscheinen; s. Th. M. Loome, The Enigma of Baron Friedrich von Hügel — As Modernist, in: Downside Review 91 (1973), S. 22. In der Tat sah er denn auch von der hier in Aussicht gestellten „größeren Abhandlung" ab.

IX. Anne Marie Heiler an Söderblom

z. Zt. Hannover, 3. August 1927

Hochverehrter, hochwürdiger Herr Erzbischof,
verzeihen Sie, wenn ich mich in diesen Tagen der äußeren und inneren Arbeit an Sie wende, um etwas von Ihrer Zeit zu beanspruchen. Ich wage das, nicht nur weil mein Herz und Gewissen mich dazu drängt, sondern weil Professor Otto mich dazu dringend aufgefordert hat.

Mein Mann wird Ihnen gelegentlich sagen, in welch schwieriger Lage er jetzt mehr und mehr in der Marburger und vielleicht überhaupt in den evangelischen theologischen Fakultäten ist. Von dieser tatsächlich bestehenden Schwierigkeit hat nun aber zum Glück Professor Otto eine ganz andere Meinung als die übrigen Herren der Fakultät, die bisher mit meinem Manne gesprochen haben. Prof. Otto sieht, daß die Opposition ihn auf Wege treibt, die er sonst nicht gehen würde und daß seine eigentliche Kraft verloren geht. Er hat mich dringend gebeten, nach Lausanne zu fahren um mit Ihnen, verehrter Herr Erzbischof, zu sprechen. Daß ich das gern tun würde, werden Sie verstehen. Denn ich erkenne zu deutlich, daß mein Mann allein sich nicht aus dieser Situation heraushelfen kann.

Würden Sie mir gestatten, wenn ich gegen Ende der Konferenz nach Lausanne käme (ca. 18.-20. August) mit Ihnen die Dinge zu besprechen, wie Prof. Otto sie sieht und wie ich sie zum Teil mit ihm, zum Teil anders als er betrachte? Und würden Sie bereit sein, meinem Manne noch einmal zu helfen, wie Sie ihm schon geholfen haben? Sollten Sie nicht bis zum Ende der Konferenz in Lausanne bleiben, so müßte ich versuchen, vorher dorthin zu kommen oder Sie anderswo, wenn möglich, zu treffen, und Sie wären vielleicht so freundlich, mir bald darüber Bescheid geben zu lassen.[1] Die Besprechung selbst bedarf ja vielleicht gar nicht so langer Zeit. Daß Sie helfen können, dessen bin ich gewiß.

In aufrichtiger Verehrung bin ich

Ihre Ihnen dankbar ergebene
Anne Marie Heiler

IX. UB Uppsala. Vgl. zur Orientierung Briefe Nr. 77, 78.

1 Einer Bleistiftnotierung nach antwortete der Erzbischof am 9. August, dieses Schreiben ist aber nicht aufgefunden worden.

X. Heiler an P. Bernhard Seiller, OSB.

Marburg, 5. Februar 1928

Lieber Herr Pater,
haben Sie vielen Dank für die freundliche Zusendung Ihres
Aufsatzes in der AP.[1] Ich bin Ihnen von Herzen dankbar
für die große Liebe, mit der Sie mich behandeln und den
Lesern der AP empfehlen. In manchem stimme ich Ihnen
nicht ganz bei.
Der scharfe Kontrast, den Sie zwischen meinen jetzigen
und früheren Anschauungen herausstellen, erscheint mir
übertrieben. Ich habe niemals alles, was an Glauben
erinnert, durch Psychologisierung und Symbolisierung
ausmerzen wollen. Schon Friedrich von Hügel hat hervorgehoben, daß in meinem Buch über das Gebet so entschieden die Realität Gottes und des wechselseitigen Umganges
von Gott und Mensch betont werde. Auch habe ich nie
alle Religionen auf eine und dieselbe Stufe gestellt, vielmehr schon im „Gebet" den Gedanken verfochten, daß
das Christentum die Religion schlechthin, die absolute
Religion ist. Auch bin ich niemals mit der liberalen
Theologie völlig eins gewesen; ich war viel zu sehr von
katholischer Mystik berührt, als daß ich in dem Rationalismus der liberalen Theologen hätte aufgehen können.
Mit Unrecht hat man mir früher auch vorgeworfen, daß
ich die Gottheit Christi leugne. Ich hatte vielmehr in
früheren Jahren die Theorie der doppelten Wahrheit; in
meinen wissenschaftlichen Schriften trat die kritische Auffassung des Lebens Jesu in den Vordergrund, während ich
in meinen Predigten nie etwas anderes gepredigt habe als
die Gottheit Christi und seinen Versöhnungstod, wie Sie

aus meinem 1919 erschienenen „Geheimnis des Gebets"
ersehen können. In meinem Buch über den Katholizismus
ist dieser Dualismus zwischen kritischer Jesusauffassung
und persönlichem Christusglauben sehr deutlich. Daß ich
ihn überwand, verdanke ich vor allem Friedrich von
Hügel und dem Sadhu. Mein Buch über Sundar Singh
(geschrieben Sommer 1923) enthält bereits ein unzweideu-
tiges Bekenntnis zur dogmatischen Christologie.
Nicht richtig ist, daß das Glaubensleben der Diasporaka-
tholiken auf mich tiefen Eindruck gemacht habe. Das
katholische Leben ist in der hiesigen Diasporagemeinde
nicht in allem vorbildlich, weit weniger ansprechend als in
meinen bayerischen Heimatstädten. Den entscheidenden
Einfluß auf mein tieferes Verständnis des Katholischen hat
Friedrich von Hügel ausgeübt. Er ist bereits in meinem
Buch über den Katholizismus erkennbar. Wie Friedrich
von Hügel bin ich jedoch bis zum heutigen Tage ein
Anhänger einer besonnenen Bibelkritik; auch betone ich
nach wie vor sehr stark die göttlichen Offenbarungsele-
mente in den außerchristlichen Religionen; denn das ist
für mich auch ein Stück Katholizität.
Meine praktische katholische Arbeit habe ich in größerem
Maßstab unter Einfluß des Anglokatholizismus und des
Schweizer Diakonievereins (der unter der Leitung von
Glinz[2] im Kleinen eine Vereinigung aller Kirchen darstellt) begonnen. Wir besitzen in unserm kirchlichen
Leben tatsächlich alle katholischen Werte: die sieben
Sakramente, das Meßopfer mit einer der römischen und
orthodoxen sehr ähnlichen Liturgie, aufbewahrte Eucha-
ristie, Privatbeichte, Heiligen- und Marienverehrung in
den klassischen Formen, Breviergebet, Exerzitien usw.
Wir haben zugleich alle evangelischen Werte festgehalten:

Die evangelische Wortverkündigung — unter dem dominierenden Gesichtspunkt der gratia sola —, die Lutherbibel und Lutherschriften, die Confessio Augustana, den Schatz der evangelischen Kirchenlieder; alle unsere liturgischen Gebete sind evangelisch überarbeitet; jeder das evangelische Empfinden verletzende Gedanke eines Verdienens des Heils oder einer Erlösung durch die Verdienste der Heiligen ist ferngehalten. Wir wollen eben *ganz* katholisch und zugleich *ganz* evangelisch sein und in Wort und Leben bezeugen, daß beides eines und dasselbe ist. Das ist auch der Sinn unseres Tertiarenordens; seine Regel trägt einen anderen Charakter als die des römischen dritten Ordens; unsere Bruderschaft ist als versöhnendes Bindeglied der beiden Konfessionen gedacht.

Unsere Bruderschaft ist übrigens nicht nur einseitig nach Rom hin orientiert, wir haben vielmehr auch enge Beziehungen zu dem hugenottischen Tiers Ordre Protestant des Veilleurs.

Wohl erkennen wir einen Primat des Papstes an und glauben, daß in einer wiedervereinigten Kirche ein solcher Primat das Einheitszentrum bilden wird. Aber wir können nicht ein nachträgliches Diktat an die Geschichte vornehmen und behaupten, daß die Kirchenväter einen Rechtsprimat und eine Unfehlbarkeit des Papstes im heutigen Sinne gelehrt hätten. Auch können wir nicht die Umformung des altchristlichen Primats zu dem heutigen System der juridischen Autokratie Roms als eine gottgewollte Entwicklung anerkennen. Die Uniformierung der ökumenischen Christenheit nach römischem (besser gesagt italienischem) Muster ist mit wahrer Katholizität unvereinbar. Eine Einigung mit der heutigen römischen Hierarchie ist für uns ausgeschlossen und alle diesbezüglichen Hoffnungen sind Illusionen. Auch kann die Frage der Einigung der Kirchen niemals durch Einzelkonversionen gelöst werden sondern nur auf korporativem Wege. Ich hielte es geradezu für ein Unglück, wenn wir Evangelisch-Katholischen einfach zur lateinischen Kirche konvertierten; damit wäre niemand etwas gedient, weder der römischen Kirche noch dem Protestantismus noch uns selber. Die Zeit für eine Einigung mit Rom ist heute noch nicht reif; wir können heute nur einen sehr steinigen Boden umpflügen und eine Saat ausstreuen, die ganz langsam aufgehen kann. Augenblicklich freilich hat die päpstliche Enzyklika (ein ausgesprochenes Jesuitenwerk) die Annäherungsarbeit sehr gestört. Ich halte sie für einen großen Fehlschlag; denn sie ist Wasser auf die Mühlen des eigentlichen Protestantismus, der sich nun noch viel schröffer gegen alles Katholische abschließen und uns, die wir für die Versöhnung wirken, das Leben noch saurer machen wird. Aber das Bedauerlichste an ihr ist das eine, daß die wirklich wichtigen Wahrheitselemente, welche die Enzyklika enthält, infolge ihrer schroffen Gesamthaltung von den Protestanten überhaupt nicht beachtet werden. Die Enzyklika ist auch ein empfindlicher Schlag für die benediktinischen Patres Unionis, welche die Einigungsarbeit ganz richtig angefangen hatten. Wenn diese allein die Sache ohne die Jesuiten zu machen hätten, dann wäre die Einigung sehr nahe gerückt.

Die Einigung der Kirchen kann nicht dadurch kommen, daß Rom einfach alle anderen absorbiert. Eine Einigung, die Dauer haben soll, muß wohl auf der Übereinstimmung im Dogma und auf der Unterordnung unter eine gemeinsame Leitung beruhen; aber sie muß die Mannigfaltigkeit der Gaben und Charismen, welche Gott allen Kirchen verliehen hat, unangetastet lassen. Nur ein ganz großer und weiter Papst, ein wirklicher papa angelico wäre imstande, eine solche Einigung zu bewirken. So lange aber eine Einigung in diesem Sinne nicht möglich ist, würde ich es für ein Unrecht halten, als Einzelner zur römischen Kirche zu rekonvertieren. Ich fühle mich zur *ganzen* katholischen Kirche als dem einen Leibe Christi gehörig und dieser umfaßt die orthodoxe, die römische und die evangelische Christenheit. Und es wäre für mich ein regelrechtes Schisma, wenn ich mich von den anderen Kirchen und den vielen heiligmäßigen Männern und Frauen in ihnen — zu denen ich auch Söderblom rechne, den ich nach wie vor in gleicher Weise verehre — trennen und mich von ihnen so isolieren würde, wie das die neue Enzyklika fordert. Hopou an e Christos Jesous ekei he katholike ekklesia.[3]

Lieber Herr Pater, falls Sie, wie Sie schrieben, noch einen Nachtragsartikel an die AP senden wollen, so stehen Ihnen die obigen Ausführungen zur Verfügung.

Vielen Dank auch für alle Ihre so freundlichen Bemühungen wegen unserer Exkursion. Die definitive Teilnehmerzahl werde ich Ihnen nach dem 15. Februar angeben. Wir würden dann am 2. März kommen und am 5. weiterreisen. Und zwar würden wir gern über St. Ottilien und Andechs nach München fahren. Für eine Empfehlung dorthin wären wir Ihnen sehr dankbar. Meine Frau dankt Ihnen sehr herzlich für die freundliche Vermittlung der Bücher aus St. Bonifaz.[4]

X. Durchschlag in UB Marburg. Der Adressat, ein Benediktiner in Augsburg, kannte Heiler schon seit Jahren. Zur Orientierung vgl. etwa Brief Nr. 82.

1 Einen Artikel über Heiler in der Augsburger Postzeitung konnte ich nicht ausfindig machen.

2 Gustaf Adolf Glinz (1877-1933), Schweizer reformierter Pfarrer, war führend in den hochkirchlich-ökumenischen Vereinigungen tätig, denen sich Heiler Ende 1925 anschloß. Nach der Lausanner Konferenz (1927) weihte er Heiler zum Priester im Rüschlikon (Schweizer Diakonieverein) und empfing selber 1930 mit Heiler die Bischofsweihe. S. Heilers Artikel zu ihm, in: ³RGG, 2 (1958), Sp. 1621; und in: Neue Deutsche Biographie, 6 (1964), S. 455 f.

3 „Wo Christus ist, dort ist die katholische Kirche."

4 Schluß fehlt.

Marburg, 4. Juli 1930

Hochverehrter, hochwürdigster Herr Erzbischof,
darf ich Sie nachträglich um die Erlaubnis bitten, Ihr
Vorwort zur schwedischen Ausgabe von Sundar Singhs
Büchlein Syner från Andevärlden[1], das ich ins Deutsche
übertragen habe, in die deutsche Ausgabe aufnehmen zu
dürfen? Das Buch ist zwar noch nicht gedruckt, aber doch
schon gesetzt und ich kam durch mißliche Umstände
leider nicht rechtzeitig dazu, die Erlaubnis bei Ihnen
einzuholen. Doch glaubte ich, Ihrer Zusage sicher sein zu
dürfen.
Mein Mann ist vor drei Wochen in München erkrankt —
d. h. es wurden eigentlich dort nur die Folgen einer
seit Monaten dauernden Überanstrengung festgestellt:
Herzerweiterung, Herzmuskelschwäche und sonstige
schwere Erschöpfungssymptome. Eine sehr intensive Kur
hat ihn freilich so weit gebracht, daß wir vorgestern
wieder nach Haus reisen konnten und daß er auch in der
nächsten Woche seine Vorlesungen wieder aufnehmen
darf. Hoffentlich bringt ihn die Kur, die er noch fortset-
zen wird, wenn auch jetzt in etwas langsamerem Tempo,
bald dahin, daß er ganz wieder gesund ist.
Ich hoffe, daß auch Herr Erzbischof von der Kur in
Nauheim den gewünschten Erfolg gehabt hat und wieder
recht wohl ist.
Mein Mann würde sehr dankbar sein, wenn er Herrn

Erzbischofs Reden von der Ansgar-Feier bekommen könnte.[2]

Mit verehrungsvollen Grüßen an Sie und Frau Erzbischof von uns beiden

Ihre sehr ergebene
Heiler

XI. UB Uppsala.

1 Vgl. oben Brief Nr. 73, Anm. 10; hier ist von der schwedischen Übersetzung (1926) von „Visions" = „Gesichte" die Rede.

2 Vgl. Ågren, Bibliografi, Nr. 641, 644, 647, 650.

XII. Anne Marie Heiler an Söderblom

Marburg, 1. April 1931

Hochverehrter, hochwürdigster Herr Erzbischof,
gestern abend hatte ich die Freude, Sie bei Bekannten im
Rundfunk über „Kirchliche Friedensarbeit" sprechen zu
hören. Wenn ich auch Ihre Stimme nicht ganz wiederer-
kannte (es waren unangenehme Störungen da), so hörte
und verstand ich doch ganz den Mann, der uns ein
Bahnbrecher geworden ist für Friedens- und Einigungsarbeit unter dem Banner des Gekreuzigten. Vexilla regis
prodeunt — möchte Seine Liebe auch die Kirchengemein-
schaften immer mehr erfüllen, damit sie eintreten können
für Gerechtigkeit und wahren Verständniswillen! Es war
mir eine Freude, nachher meinen Bekannten noch etwas
von Ihrem Werk erzählen zu können.

Nun möchte ich Ihnen aber auch danken für Ihren
freundlichen Brief vom 19. März.[1] Er kam, als mein Mann
schon abgereist war, und freute mich an dem Tag, wo er
kam, doppelt.

Um zu berichten: wir haben nach Beratung besonders
durch meines Mannes Münchener Arzt von einem Sanato-
rium abgesehen. Je mehr wir die Erkrankung meines
Mannes als einen „Milieu-Schaden" erkennen müssen, um
so mehr, scheint es uns, müssen wir darauf bedacht sein,
wenigstens vorübergehend (nachdem es ja auf die Dauer
nicht möglich ist) das Milieu zu wechseln und günstiger zu
gestalten: heraus aus der rein „protestantischen" Umgebung der hiesigen Fakultät und Landeskirche, heraus aus
der vom negativen Geist des „Evangelischen Bundes"
durchsetzten Umwelt, heraus aus all den literarischen

Anfeindungen, heraus vor allem aus der Atmosphäre, wo man ihm nur mit Mißtrauen, mit mehr oder weniger verhaltenem Unwillen über sein bloßes Dasein (in einer protestantischen Fakultät) begegnet. So ist er jetzt seit wenigen Tagen, nachdem er sich erst noch in München hat behandeln lassen, in Italien. Daß er die Reise allein machen mußte, war ja nicht schön. Ich hoffe, es tut ihm trotzdem gut, wenn er eine Zeitlang in dem stillen, sonnigen Umbrien (Assisi und bei den Schwestern vom Eremo francescano, z. Zt. in Spoleto) zubringt.[2]

Ich danke Ihnen für Ihren Willen ihm zu helfen. Das Beste und Größte wird immer wieder Ihr Vertrauen sein, das rein menschliche Vertrauen und die Achtung vor seiner Arbeit. Offen gestanden tut es mir in einer Hinsicht leid, daß die Olaus Petri-Vorlesungen meines Mannes nicht in diesem Jahr stattfinden können; das würde dem hiesigen Kollegen, der vor Schülern meines Mannes im Privatgespräch erklärt hat, er sei „wissenschaftlich völlig erledigt", gezeigt haben, daß er das nicht in aller Augen ist. (Der Ausspruch fiel im Hinblick auf den Sadhustreit Pfister-Heiler[3], wobei der betreffende Herr aber nur Pfisters Schriften gelesen hat, was er selbst zugibt.) Mein Mann ist dann immer zu bescheiden, um sich zur Wehr zu setzen, und diese Leute sehen nicht, daß er Pfister gegenüber formal immer den Kürzeren ziehen wird.

Aber eine andere Bitte habe ich noch, die ich im Vertrauen aussprechen möchte, wie man es eben nur jemand gegenüber tun kann, von dem man Ja und Nein erwarten darf. Daß dem Übel nicht an der Wurzel beizukommen ist, d. h., daß mein Mann nicht von hier fort kann und in eine andere Fakultät, das ist uns klar; so muß man zu sekundären Mitteln und kleineren Hilfen greifen; es ist ein Mittel der Ablenkung, der Versuch, ihn von all zu intensiver Arbeit und zu schwerem Grübeln abzuhalten. Wären nicht die vielerlei Krankheiten gewesen (eins unserer Kinder lag jetzt mehrere Wochen mit Scharlach in der Klinik, ich selbst mußte mich im Januar einer Operation unterziehen, von meinem Mann gar nicht zu reden), dann hätte ich meinem Manne ein Radio geschenkt. Würden Sie glauben, daß es einen wohlhabenden Freund gibt, der meinem Manne damit eine Freude machen und so ihm helfen könnte, in einer Stunde der Freude und der Erholung und vor allem der Verknüpfung mit der Außenwelt nach eigenem Belieben Kräfte zu sammeln? Nicht wahr, Sie verstehen, verehrter Herr Erzbischof, daß ich diese Frage nur stellen kann, weil ich von Ihnen auch ein Nein erwarten darf.

Unsere heillos zerfahrenen politischen Verhältnisse (ich meine die parteipolitischen), die furchtbare wirtschaftliche Not um uns herum, das alles muß natürlich auf ein wundes Gemüt doppelt drücken und den Körper mit krank machen. Aber ganz und vor allem sind es die kirchlichen Verhältnisse, die sich in ihrer Trostlosigkeit so lastend auf meinen Mann legen und die sich eben gegenüber seiner Position und seiner Arbeit auswirken. Es gibt Lichtblicke im Einzelnen, gewiß; ich suche immer wieder, meines Mannes Aufmerksamkeit darauf zu lenken, aber wer, wie wir im letzten Winter, den furchtbaren Handel um das Konkordat mit Preußen[4] beobachten mußte, der möchte verzweifeln an dieser „Kirche". Und wem anders gilt meines Mannes ganze Arbeit letztlich als der Kirche, auch der konkreten Einzel-Kirche?[5]

XII. Durchschlag, UB Marburg.

1 Nicht aufgefunden.

2 Vgl. Brief Nr. 92.

3 Vgl. Briefe Nr. 77, 78.

4 Es handelt sich um den evangelischen Kirchenvertrag vom 11. 5. 1931.

5 Schluß fehlt.

Marburg, 26. Juni 1931

Hochverehrter, hochwürdigster Herr Erzbischof,
es muß Ihnen wie eine Unhöflichkeit erscheinen, daß ich
auf Ihre freundlichen Zeilen vom 1. Mai nicht geantwortet
habe. Aber es war mir innerlich unmöglich, Ihnen meinen
Dank auszusprechen, während uns Dinge beschäftigten,
die ich vor Ihnen, sehr verehrter Herr Erzbischof, nicht
hätte verschweigen können und die doch, so lange sie
nicht wenigstens in etwa geklärt waren, von uns allein
durchgekämpft werden mußten.

Sie werden vielleicht irgendwie gelesen oder gehört haben,
daß durch einen ungezeichneten Brief, den ein Anonymus
der Pressestelle des ‚Evangelischen Bundes' zugeleitet
hat[1], in Deutschland bekannt geworden ist, daß mein
Mann sich durch den gallikanischen Bischof Vigué[2] die
Apostolische Sukzession hat vermitteln lassen, um so den
evangelischen Geistlichen und Laien, die für sich und
unser gottesdienstliches Leben danach verlangten, Versie-
gelung (Firmung), Diakonen- und Priesterweihe vermitteln zu können. Wenn diese Dinge bisher nicht allgemein
bekannt waren, so lag das nicht, wie man immer annimmt
und wie leider auch aus dem (auch in anderen Stücken
unrichtigen) veröffentlichten Brief hervorgeht, an der
Absicht, sie überhaupt zu verheimlichen; sondern mein
Mann wollte erst dann damit vor die kirchliche Öffent-
lichkeit treten, wenn diese genügend zum Verständnis
vorbereitet war und wenn die Verhandlungen mit den
östlichen Kirchen ein Ergebnis gezeitigt hatten. Daß dies

seine Absicht war, geht u. a. aus dem im März-April-Heft der „Hochkirche" veröffentlichten Aufsatz, der sogar die Regel der „Evangelisch-katholischen Eucharistischen Gemeinschaft" im Auszug enthält, hervor.[3] Aber dieser Aufsatz ist so wenig gelesen worden wie ein früherer über Apostolische Sukzession[4], so daß jetzt natürlich die wildesten Gerüchte in Deutschland umgehen und einige der Herren der hiesigen Fakultät sogar sich von meinem Manne die Vergewisserung geben lassen mußten, daß dies nicht ein Schritt auf dem Wege nach Rom sein solle.

Daß mein Mann sich lange schon um die Eingliederung in die apostolische Sukzession bemüht hatte, ist Ihnen, verehrter Herr Erzbischof, ja bekannt.[5] Und daß er die Weihen lieber von einer großen Kirche empfangen hätte, wissen Sie auch. Aber Sie wissen auch, wie unmöglich das war. So haben denn er und sein Freund, Pfarrer Glinz[6], nach langen und schweren Bedenken und Kämpfen sich von Bischof Vigué, einem Bischof der romfreien katholischen Kirche in Südfrankreich, die Weihen erteilen lassen. Mein Mann hat dieses Opfer nur gebracht, weil er glaubte, es immerhin leichter tun zu können als ein im kirchlichen Amt stehender Pfarrer und um dadurch den evangelisch-katholischen Pfarrern als auch Laien aus ihrer Gewissensnot zu helfen.

Die Stellung der deutschen Kirchenmänner scheint nach dem, was wir bisher erfahren haben, sehr verschieden; die einen betrachten es als eine Privatangelegenheit unseres Kreises, die anderen hingegen als eine ‚Zersetzung' der evangelischen Kirchen. Zu dieser Befürchtung liegt freilich in Wirklichkeit kein Grund vor. Es handelt sich uns doch nur um inneren Aufbau, nicht um Jurisdiktionsansprüche. Mein Mann lehnt den Bischofstitel für sich ab und will nur ‚Vorsteher' der Evangelisch-katholischen Eucharistischen Gemeinschaft sein.

Die hiesige Fakultät ist in einem Dilemma, insofern sie wegen der Konsequenzen für die Lehrfreiheit keine Aktion gegen meinen Mann unternehmen will, andererseits aber ihn als eine Belastung empfindet und auf dem Katheder und anderswo ihn und seine Anschauungen bekämpft. Mein Mann hatte sich deshalb mit Rücksicht auf die Fakultät gegenüber dem Minister bereiterklärt, sich hier emeritieren zu lassen; der Minister wünschte jedoch eine klare Äußerung der Fakultät. Die Angelegenheit schwebt noch.[7] Es ist aber wahrscheinlich, daß mein Mann schließlich doch Marburg verlassen und eventuell nach München zurückkehren wird, da die schon seit langem bestehende Spannung zwischen ihm und der ausgesprochen ‚protestantischen' Fakultät auf die Dauer unerträglich ist.

Neuerdings fangen nun auch die Katholiken an, meinen Mann anzugreifen, weil sie glauben, daß durch seine Bestrebungen viele von einer Konversion zur römischen Kirche abgehalten werden.

Es scheint nun meinem Manne wirklich so zu gehen, wie Wilfred Monod 1927 in Lausanne zu ihm gesagt hatte: es muß einer alle Speere auffangen wie einst Arnold von Winkelried[8]; möchte es ihm gelingen, dadurch eine Gasse freizumachen für die Einheit der Kirche Christi. Wir, die wir in der evangelisch-katholischen Bewegung in Deutschland um ihn stehen, können nur tun, was Aaron und Hur taten.

Ich hoffe, es geht Ihnen, verehrter Herr Erzbischof, gesundheitlich gut. Werden Sie in diesem Jahre wieder nach Deutschland kommen?

Mein Mann erlaubt sich, Ihnen zugleich mit diesem Briefe sein neuestes Werk „Im Ringen um die Kirche" zu senden. In Dankbarkeit und Verehrung grüßt Sie

Ihre ergebene
[Anne Marie Heiler]

XIII. Durchschlag, UB Marburg. Der Brief Söderbloms vom 1. Mai 1931 konnte nicht aufgefunden werden. Es ist unwahrscheinlich, daß der Erzbischof von Uppsala den vorliegenden Brief noch beantworten konnte, da er schon wenige Tage danach, am 12. Juli 1931, starb.

1 S. Deutsch-Evangelische Korrespondenz, Berlin, 30 (Nr. 18 vom 6. Mai 1931). Der Brief lud angeblich zu den Weihen ein, die Heiler am 6.-8. Okt. 1930 in Berlin erteilen würde. Da er von einem wenigsten zum Teil in die Sache Eingeweihten eingesandt wurde, wollte Heiler den Unglücklichen nicht durch eine ausführliche Berichtigung bloßstellen, was ja lediglich hieße, dem Evangelischen Bunde in die Hände zu spielen. Folglich war die Aufklärung des „Falls Heiler" äußerst heikel, langwierig und praktisch fruchtlos. Dazu s. Heiler, Die evangelisch-katholische Bewegung im deutschen Protestantismus, in: Christliche Welt 45 (4. 7. 1931), Sp. 591-605, wie auch Im Kampf um die apostolische Sukzession, in: Hk 13 (1931), S. 276-284, wie auch die Zuschriften Heilers und anderer Interessierter, in: Deutsch-Evangelische Korrespondenz 31 (29. Juni und 13. Juli 1932).

2 Nach Peter F. Anson, Bishops at Large, London 1964, S. 309 mit 312 wurde Pierre-Gaston Vigué vom christkatholischen Bischof E. Herzog, Bern, zum Priester und am 28. 12. 1921 von Louis-Marie-François Giraud zum Bischof geweiht. Vigué war noch im Jahre 1956 tätig. Seine Sukzessionslinie ging, wie diejenige so vieler anderer „Bishops at Large", über Joseph René Vilatte (1854-1929) auf Mar Julius (Antonio Alvarez aus Goa, Bischof einer kleinen schismatischen Kirche hauptsächlich in Ceylon) und Mar Ignatius Peter III, jakobitischen Patriarch von Antiochien im späten 19. Jahrhundert, zurück. Vgl. auch H. R. T. Brandreth, Episcopi Vagantes and the Anglican Church, London ²1961, S. 58 ff.

3 Heiler, Vom Neuentzünden des erloschenen Mysteriums, in: Hk 13 (1931), S. 102-116.

4 Heiler, Apostolische Sukzession, in: Hk 12 (1930), S. 34-54, erweitert und verändert in: Im Ringen um die Kirche, S. 479-516.

5 S. Brief Nr. 77.

6 S. Brief X im Anhang, Anm. 2.

7 Heiler konnte von sich aus nicht erklären, er sei etwa als evangelischer Theologe untauglich und halte daher seinen Rücktritt für angemessen; andererseits wollte die Fakultät seine Lehrfreiheit nicht dadurch beschneiden, daß sie ihm ihre Meinung darüber, was evangelisch tragbar sei und was nicht, aufzwinge und sein Ausscheiden fordere. So blieb alles beim alten bis 1934, als das Ministerium ganz andere Gründe hatte, einzuschreiten (Strafversetzung Heilers ursprünglich nach Greifswald, dann, abgemildert, in die Marburger philosophische Fakultät; Amtsenthebung von Sodens als Dekan; Beendigung aller Lehrtätigkeit M. Rades; Strafpensionierung Hermelinks). Die theologische Fakultät der Universität Marburg hatte nämlich am 19. 9. 1933 ein Gutachten über den Arierparagraph in der Kirche erstellt, das eine für die damaligen Verhältnisse allzu deutliche Sprache zeitigte, s. Karl Kupisch (Hrsg.), Quellen zur Geschichte des deutschen Protestantismus (1871-1945), Göttingen 1960, S. 265-267.

8 Vgl. F. Heiler, Vom Werden der Ökumene, S. 21; am lebendigsten aber in: Im Ringen um die Kirche, S. 301.

Marburg, 18. Juli 1931

Hochverehrte, liebe Frau Erzbischof,

in der Stunde, da die irdischen Reste des von uns so hoch verehrten und so innig geliebten Erzbischofs an heiliger Stätte beigesetzt werden, weilen wir im Geiste mit Ihnen, Ihren Kindern und Freunden. Die Gefühle, die uns dabei bewegen, haben wir schon in einem vorausgesandten Telegramm[1] auszusprechen versucht. Seitdem wir die Nachricht vom Heimgang des großen Meisters empfangen haben, umkreisen unsere Gedanken unaufhörlich den, von dessen Persönlichkeit und Werk ich vom Beginn meiner Universitätsstudien an so unendlich viel empfangen habe; der mich durch sein religionsgeschichtliches Schrifttum, wie ein μυσταγωγός einen μύστης, in das Heiligtum der religionswissenschaftlichen Forschung eingeführt hat; der mich auf jenen frommen Denker hingewiesen hat, von welchem ich nach ihm am meisten gelernt habe, seinen Freund Baron Friedrich von Hügel; der mir als Vorkämpfer der christlichen Einheit den Impuls gegeben hat, mich in den Dienst des gleichen Ideals zu stellen; der mir in mancher schweren Stunde Trost und frische Zuversicht gab, auf meinem evangelisch-katholischen Leidensweg gerade voran zu gehen; der mir durch sein ganzes Leben, Lehren und Lieben zum Führer und Helfer geworden ist; der mir durch sein heiliges Sterben zum Zeugen des ewigen Lebens geworden ist. Die Dankesschuld ist so groß, daß ich durch mein schwaches Wort von ihr nur einen kleinen Teil abtragen kann. Aber soweit es in meiner

Kraft steht, will ich weiter dafür wirken und kämpfen, daß sein religionsgeschichtliches, sein theologisches und sein kirchliches Werk immer neue Bewunderer, Nacheiferer und Mitarbeiter bekomme. Am Mittwoch durfte ich zu meinen Schülern in der Universität von der Bedeutung seiner religionsgeschichtlichen Forscherarbeit reden, am Donnerstag in einer weitverbreiteten Tageszeitung meiner Heimatstadt ein Bild von seiner Persönlichkeit entwerfen[2] (ich lege den Ausschnitt bei), heute abend darf ich im engsten Familienkreis einen Gedächtnisgottesdienst für ihn feiern und dabei von seinem Innersten und Tiefsten künden.

Nach der alten Weissagung des Malachias folgt auf den jetzigen Papst, der als „fides intrepida" gekennzeichnet wird, der „pastor angelicus". Beide Weissagungsprädikate haben sich im Erzbischof von Uppsala erfüllt. Die Worte, welche er bei Friedrich von Hügels Tod von ihm schrieb, treffen in noch höherem Maß auf ihn selber zu: „Er verkörperte in seltenem Sinne die Una Sancta Catholica. Er erscheint mir in seiner Person als eine tatsächliche Erfüllung des altchristlichen Gebets: Veni, Sancte Spiritus, reple tuorum corda fidelium et tui amoris ignem in eis accende, qui per diversitatem linguarum cunctarum gentes in unitate fidei congregasti".[3]

In herzlicher Teilnahme mit Ihnen und Ihrer ganzen Familie verbleibe ich

Ihr stets dankbarer ergebener
Friedrich Heiler

XIV. UB Uppsala. Zum Tode Erzbischof Söderbloms (12. 7. 1931) an dessen Witwe.

1 UB Uppsala (Datum, auf der Photokopie nicht ersichtlich, dürfte dasselbe wie für den Brief sein): „Hora qua sepelitur mortale corpus prophetae et martyris Unius Sanctae Catholicae adsumus cantantes Ack salige dag [schwedisches Kirchenlied] precantes ut omnes unum credentes fiant unus pastor et unus grex. Fredericus Heiler cum uxore."

2 Dieser Nachruf wird in der Bibliographie Friedrich Heiler nicht aufgeführt, in: Inter Confessiones, S. 169; vgl. dafür Heiler, Erzbischof Söderblom, in: Hk 13 (1931), S. 257 und 302-314. Es dürfte sich um die Münchener Neuesten Nachrichten handeln.

3 In: von Hügel, Selected Letters, S. 53.

Adam, K. 29, 32, 42, 82, 183, 193
Ågren, S. 14, 157, 283, 298, 330
Althaus, P. 216, 218
Alvarez, A. 338
Amigo, P. E. 49
Ammundsen, O. V. 245
Andrae, T. 15, 26, 286, 290, 292
Anson, P. 271, 338
Apfelbacher, K.-E. 15, 44, 67, 73, 126
Appasamy, A. J. 168, 193, 207, 209, 240
Armstrong, C. 135
Aubert R. 17, 32
Augustinus 122, 124, 125

Bares, N. 37
Barmann, L. F. 18, 39, 52, 57
Barnett, H. O. 168
Barnett, S. A. 168
Barth, K. 38, 216, 218, 260
Bate, H. N. 37
Batiffol, P. 41
Bäumker, C. 238
Beauduin, L. 283
Becker, C. H. 317
Becker, W. 37
Beckh, H. 314
Bedeschi, L. 57
Bedoyère, M. de la 15, 66, 143, 163, 177
Behrendt, W. 262
Bell, G. K. A. 243, 270
Benigni, U. 66
Bergson, H. 23, 68
Bernhart, J. 84, 86, 113, 139, 140 156, 192
Billing, E. 179, 194, 216, 242, 315
Birgitta v. Schweden, 78, 205
Blanchet, A. 18

Blondel, M. 23, 57
Bohlin, T. 157
Bonhoeffer, D. 249
Bornhäuser, K. 165
Bornkamm, H. 270
Boutroux, E. 23
Braeunlich, P. 267, 273
Brandreth, H. R. T. 338
Brändström, E. 142, 144, 145, 151
Brändström, P. H. E. 143, 145
Bremond, H. 17, 18, 49, 54, 59
Briggs, C. A. 20
Brilioth, Y. 119, 145, 204
Brunner, E. 216
Budde, K. 216, 311
Bultmann, R. 165, 216
Buonaiuti, E. 22, 66

Choisy, J. E. 244
Clemen, C. 286, 290, 300
Congar, Y. 36
Conrad, P. 245
Couturier, P. 36
Cramer, J. A. 314

Dammann, E. 15
Danell, H. 239, 309
Dansette, A. 201
Davidson, R. T. 243, 268, 296
Deißmann, A. 29, 102, 243, 245, 270, 319
Delehaye, H. 217
Delfs, H. 234
Denifle, H. S. 183
Desjardins, P. 67
Dibelius, M. 29
Dreyfus, A. 13
Duchesne, L. 170
Duhm, B. 56

Eckhart 140
Eddy, M. B. 167
Ehrenström, N. 270
Elizabeth v. Thüringen 129
Engelhardt, D. 283
Engert, J. 193
Epikuros 78
Erasmus, D. 195, 202, 252
Eucken, R. 56, 63, 69

Faulhaber, M. v. 116
Fawkes, A. 49, 50
Federhofer, Dr. 238
Fendt, L. 86, 101, 168, 174, 178, 192
Fénelon, F. 140
Feuerbach, L. 63, 64
Fischer, A. 83
Fleischer, M. P. 33
Fogazzaro, A. 170, 178
Fogelklou, E. 68, 72, 205
Forell, B. 37, 314, 315
Fowler, W. W. 174
Frank, G. K. 41, 43, 125
Franz v. Assisi 252, 255, 288, 303
Frazer, J. G. 62, 197
Frieling, R. 251
Fries, H. 39
Funk, P. 84, 86, 94

Gabrielsson, S. 46
Gallarati-Scotti, T. 180
Gandhi, M. 237, 242, 288
Garvie, A. E. 245, 248
Giraud, L.-M.-F. 338
Glinz, G. A. 34, 324, 336
Glubokowsky, N. 248
Goettsberger, J. B. 82
Gogarten, F. 216, 258
Goldammer, K. 28, 29
Goldziher, I. 115
Gollock, G. A. 220

Goltzen, H. 250
Gore, C. 257, 266
Goyau, G. 22, 41
Grandmaison, L. de 64, 217
Grönbech, V. P. 292
Grosche, R. 37
Grünewald, M. 140
Guardini, R. 37, 183
Guisan, R. 41
Gunkel, H. 232
Gustafsson, R. 215

Haas, H. 155, 290
Haebler, H. C. v. 250
Hagen, A. 88
Härdelin, E. 157
Harnack, A. v. 41, 56, 68, 93, 153, 184, 310
Harnack, T. 253
Hauer, J. W. 273
Headlam, A. C. 249, 268
Heiler, Anna Elisabeth 164
Heiler, Anne Marie 28, 36, 43, 79, 150, 157, 178, 205, 234, 259, 275, 288, 302, 321, 322, 329-339
Heiler, Birgitta 205, 239
Heiler, Hans 115
Heiler, Ingrid 242
Heiler, Johann 89, 100, 215, 223
Heiler, Josef 158
Hellerström, A. O. T. 145, 151
Hempel 77
Herford, V. 277
Hermelink, H. 229, 294, 295, 339
Herrmann, W. 68, 308
Herzog, E. 51, 98, 211, 218, 232, 338
Hocking, R. 16
Hoffmann, H. 37
Holland, B. 16, 125, 320
Holtzmann, H. J. 41

344

Hosten, H. 224
Houtin, A. 22, 67
Hügel, Carl v. 16
Hügel, Mary v. 16, 42, 162, 202, 228, 319, 320
Hughes, J. J. 53
Hus, J. 225
Hutchison, W. R. 20
Huvelin, H. 16

Ignatius v. Loyola 183, 184, 189, 195, 202
Ihmels, L. H. 239, 245
Imbart de la Tour, P. 104, 203
Inge, W. R. 187

Jalal-ed-Din-Rumi 78
Jensen, G. 246
Johannes XXIII., Papst 39
Jungclaussen, E. 29, 79

Kampmann, T. 235
Kant, I. 23
Kapler, H. 246
Karlström, N. 14
Karrer, O. 88
Katz, P. 212, 233, 299, 314
Keble, J. 257
Kelly, A. D. 174, 176
Kempff, W. 242
Kempthorne, J. A. 243
Kierkegaard, S. 161
Kittel, G. 156
Kittel, R. 156
Klein, F. 21
Kliefoth, T. F. D. 252
Klotz, L. 235
Koch, H. 80, 81, 86, 184, 192
Köhler, O. 41
Köhler, R. 139
Kraus, F. X. 28, 89

Krebs, E. 193
Krueger, F. 85
Krüger, H. 28
Künneth, W. 37
Kupisch, K. 339
Küry, A. 232

Laberthonnière, L. 21, 41
Lacey, T. A. 51
Lagrange, M.-J. 40
Laible, W. 233, 239
Lang, C. G. 243
Lease, G. 73
Leeuw, G. van der 30
Le Fort, G. v. 258
Lehmann, E. 20
Leo XIII., Papst 13
Lialine, C. 36, 283
Lidzbarski, M. 292
Lightfoot, J. B. 71
Lilienfeld, A. de 283
Lilley, A. L. 51
Linderholm, E. 245
Lindskog, J. 72
Linhart, P. 39
List, W. 283
Löhe, J. K. W. 252
Loisy, A. 13, 16, 17, 22, 23, 26, 36, 40, 50, 54, 56, 57, 62, 63, 64, 130, 152, 164, 192
Loome, T. M. 17, 39, 41, 228, 320
Louis-David, A. 17
Lunn, A. 223
Lunn, H. 219
Luther, M. 19, 27, 81, 93, 104, 121, 153, 183, 195, 202, 225, 252, 258, 262, 266, 306
Luzzi, G. 303

Marrou, H.-I. 172
Martin, A. 33, 253, 262
Marx, K. 60

345

Masaryk, T. 219
Masterman, J. H. B. 243
Maurras, C. 201
Ménégoz, E. 21, 122, 123
Merkle, S. 263
Merz, G. 260
Metzger, M. J. 37
Misner, P. 32
Möller, D. 294
Monod, W. 245, 248, 255, 267, 270, 337
Much, R. 113
Mund, H. J. 270
Muth, C. 28, 88

Neander, H. 41
Neill, S. C. 270
Nelson, J. 264, 274
Neufeld, K. H. 270
Neuner, P. 15, 16, 44, 67, 73, 126
Newman, J. H. 23, 259
Newsom, G. E. 69
Nicholson, R. A. 115
Niebergall, F. 165
Nørregaard, J. 71, 72
Nygren, A. 37

Oldenberg, H. 74
Oldham, J. H. 220
Otto, R. 25, 29, 42, 113, 118, 137, 165, 196, 211, 245, 294, 306-318, 321

Padberg, R. 235
Palmer, J. P. 243, 248, 257, 278
Parente, F. 66
Parker 224, 239
Parmoor, M., Lady 171
Parsch, P. 37
Pascal, B. 78
Paul III., Papst 78
Peoples 239

Perry, S. J. 161, 170
Petre, M. D. 17, 18, 51, 59, 64-66, 70, 174, 176
Pfannenstil, M. 163
Pfeilschifter, G. 19, 186, 203
Pfister, O. 224, 227, 273, 290, 332
Philon 46, 125
Photios 239
Pignetti, M. V. 42, 288, 303
Pinsk, J. 37
Pius X., Papst 17, 68
Pius XI., Papst 282, 285, 289, 326
Platon 125
Pleijel, H. 157
Plotinos 26, 124, 188
Poelchau, P. H. 277
Poulat, E. 17, 22, 41, 52, 66, 67
Pribilla, M. 37, 41, 270
Proklos 124
Pusey, E. B. 257

Quiñones, F. de 77
Quirielle, B. de 21

Rade, M. 315, 339
Rademacher, A. 37
Ramsay, L. 184
Rawlinson, A. E. J. 244
Reichelt, K. L. 293
Reinach, S. 62
Reinhardt, E. 74, 85, 86, 210, 241
Reitzenstein, R. 292
Richmond, B. L. 170, 181
Ritter, K. B. 37
Rodling, G. 117
Rössler, M. 88
Rouse, R. 219, 276

Sabatier, A. 21
Sabatier, P. 17, 20, 22, 23, 68, 163, 183, 252
Sangnier, M. 201

Sartiaux, F. 22, 67
Schaerer, P. M. 270
Schell, H. 28
Schleiermacher, F. 23
Schnitzer, J. 28, 29, 42, 86, 130, 192, 193
Scholz, H. 108
Schultz, H. J. 15
Schulze 209
Schwab, E. 272-274
Schweitzer, A. 50
Scoppola, P. 57, 66
Secretan, G. 270
Seiller, B. 284, 323-327
Seuse, H. 125
Sharpe, E. J. 15, 67, 88
Siegmund-Schultze, F. 38, 188, 193, 231, 233-235
Simon, P. 37
Smyth, N. 20
Soden, H. v. 339
Söderblom, Anna 42, 162, 340, 341
Söderblom, Brita 146
Söderblom, Lucie 113, 200
Söderblom, Yvonne 109, 113, 300
Sohm, R. 72, 161
Sommerlath, E. 156
Spencer, H. 60
Stählin, W. 37
Stange, C. 156
Stenbock, R. und M. v. 280
Stone, D. 257
Streeter, B. H. 206, 208
Strzygowski, J. 105, 113
Stumpfl, A. 34, 335
Sundar-Singh 32, 191, 206, 209, 210, 211, 213, 215-217, 221, 224, 227-230, 237, 239, 242, 248, 256, 259, 264, 267, 272, 273, 275, 277, 288, 290, 303, 320, 324, 329, 332
Sundkler, B. 15, 146, 157, 179, 188, 204, 234, 249, 251, 271, 278
Swete, H. B. 168, 173
Swidler, L. J. 33, 39, 253

Tagore, R. 237
Taylor, A. E. 197
Temple, W. 243
Thomas v. Aquino 255
Thulin, S. 21
Thurneysen, E. 260
Tiele, C. P. 28, 77, 82, 286, 290, 292, 300
Trippen, N. 28, 89
Troeltsch, E. 15, 20, 44, 67, 72, 126, 161, 198, 206, 209, 214, 310, 313
Tuck, A. 214
Turner, C. H. 168, 173
Tyrrell, G. 17, 18, 23, 31, 40, 48, 49, 50, 51, 54, 55, 56, 59, 60, 61, 62, 65, 66, 84, 128, 183, 189, 259

Underhill, E. 126, 135, 136, 182, 183, 184, 217
Upadhyaya, B. 237

Valdes, P. 161
Valensin, A. 18
Valeske, U. 39
Vidler, A. R. 66
Vigué, P.-G. 35, 302, 335, 336
Vilatte, J. R. 338
Vilmar, A. F. C. 252
Visser 't Hooft, W. A. 9

Waardenburg, J. 28
Wach, J. 30
Wallau, R. 233, 251
Warman, F. S. G. 249
Weiß, J. 40, 50, 61
Wellhausen, J. 68

Wendte, C. W. 315
Westman, K. B. 48, 52, 205
Winzen, D. 37
Wittig, J. 235
Woltman 72

Woods, F. T. 154, 243, 245
Wundt, W. 85
Wünsch, G. 241, 273, 274
Wüstemann, Bischof 118
Wyclif, J. 225